AUGUSTO BOAL
e a formação do Teatro do Oprimido

Geo Britto

AUGUSTO BOAL
e a formação do Teatro do Oprimido

mórula EDITORIAL

expressão POPULAR

Copyright © Geo Britto.

Todos os direitos desta edição reservados à Editora Expressão Popular Ltda. e à MV Serviços e Editora Ltda.

REVISÃO
Lia Urbini

FOTO (PÁGINA ANTERIOR)
Geo Britto / Acervo CTO-Rio

Augusto Boal, em 1997, num seminário com multiplicadores na recém ocupada casa da Lapa, futuro Centro de Teatro do Oprimido (CTO-Rio). Da esquerda para a direita: Augusto Boal, Barbara Santos, Helen Sarapeck e Marcelo Alonso. Ao fundo Claudete Felix, Ribamar Nava, Emiliana Neta, Helena Vieira e Flavio Conceição.

PROJETO GRÁFICO
Patrícia Oliveira

CIP-BRASIL. CATALOGAÇÃO NA PUBLICAÇÃO
SINDICATO NACIONAL DOS EDITORES DE LIVROS, RJ
Elaborado por Gabriela Faray Ferreira Lopes — CRB 7/6643

B878a

Britto, Geo
Augusto Boal e a formação do teatro do oprimido / Geo Britto. – 1. ed. – Rio de Janeiro: Mórula; São Paulo: Expressão Popular, 2024.
328 p. ; 22,5 cm.

Inclui bibliografia.
ISBN 978-65-6128-013-6
ISBN 978-65-5891-128-9

1. Teatro brasileiro. 2. Teatro do oprimido. 3. Teatro e sociedade. I. Título.

24-88914
CDD: 792.0981
CDU: 792(81)

MÓRULA EDITORIAL
Rua Teotônio Regadas 26, sala 904
20021-360_Lapa_RJ
contato@morula.com.br
www.morula.com.br
morulaeditorial
morula_editorial

EDITORA EXPRESSÃO POPULAR
Alameda Nothmann 806, salas 06 e 08
01216-001_Campos Elíseos_SP
livraria@expressaopopular.com.br
www.expressaopopular.com.br
ed.expressaopopular
editoraexpressaopopular

A meu papai, minha mamãe e minha vovó por me botarem no mundo e me ensinarem a ser e estar.

Às mestras Lelia Gonzalez e a Reginaldo Di Piero por me ensinarem um marxismo além da academia.

Aos grupos populares e as centenas de multiplicações no Brasil e no mundo que me fazem pratica e teoricamente reaprender o que ensino, em especial ao Grupo Maré Arte, do Complexo da Maré e a Brigada Nacional de Teatro do MST Patativa do Assaré.

Aos meus 32 anos que trabalhei no Centro de Teatro do Oprimido (CTO), em especial às parcerias de Barbara Santos, Claudete Felix, Helen Sarapeck, Olivar Bendelak, e ao mestre amoroso, amigo, revolucionário, exigente, emulativo, engraçado e crítico Augusto Boal.

Aos novos caminhos que se abrem com a Escola de Teatro Popular (ETP), criada em 2017 com Julian Boal, com descobertas como Amanda Nolasco e Daniel de Nadai e dezenas de militantes artistas. Nesse espaço é possível dar continuidade ao legado de Augusto Boal, junto com movimentos sociais e políticos de forma aberta, dialética, comprometida e também fazendo a crítica.

Agradeço, principalmente, à pessoa que mais me ajudou, que esteve presente em todos os momentos me auxiliando, dialogando, incentivando, sorrindo, me amando. Dedico este livro à Abelha que é capaz de fazer uma primavera: Debora Lembi Neves. Com nossos polens, fizemos duas novas esperanças: Lorenzo e Jonas. O Amor venceu!

SUMÁRIO

9 PREFÁCIO
Um *iceberg* chamado Augusto Boal
Iná Camargo Costa

13 **Introdução**

18 **Boal da Penha a Nova York;
o Rio de Janeiro continuava lindo**

34 **Boal na terra do Tio Sam**

81 **Momentos de práxis revolucionária para o teatro:
germinando uma construção periférica-épica**

239 **Uma possibilidade de romper com a engrenagem:
Teatro Jornal**

292 **Considerações finais**

303 REFERÊNCIAS
327 SOBRE O AUTOR

PREFÁCIO
Um *iceberg* chamado Augusto Boal

Este livro é formalmente homenagem a uma das mais importantes e menos referidas entre as figuras que fazem parte da formação de Augusto Boal. Trata-se de Erwin Piscator, o diretor responsável pela transformação de uma das modalidades do *agitprop*[1] soviético em Teatro Documentário. Abusando um pouco dos termos, é possível dizer que estamos diante de um "mestrado documentário", pois mestre Geo Britto (sim, este livro originalmente foi uma dissertação de mestrado) elaborou uma montagem épica que, ao mesmo tempo que cumpre com as exigências da redação acadêmica, disponibiliza enorme quantidade de documentos que vão de programas de cursos na escola onde Boal estudou em Nova York a entrevistas inéditas realizadas durante a pesquisa, passando pela reconstituição dos debates na esquerda teatral novaiorquina em torno da obra de Brecht e, depois, pelos ocorridos em São Paulo em seu período de atuação no Teatro de Arena. Estamos, pois, diante de vasto material (que corresponde ao sentido estrito do conceito de épico) que ajuda a conhecer um pouco melhor o inventor do Teatro do Oprimido e justifica o título deste prefácio, pois aos poucos vamos descobrindo que mal e mal conhecíamos a superfície deste *iceberg* descomunal. Também não é casualidade o fato de ser um veterano do Centro do Teatro do Oprimido o responsável pelo trabalho.

---

1. Termo que unifica as palavras agitação e propaganda, é um conjunto de métodos e formas utilizados como tática de agitação, denúncia e formação anticapitalista da classe trabalhadora visando processos de transformação social. A palavra foi cunhada pelos revolucionários russos de 1917.

Com o objetivo (acadêmico) de analisar as origens do Teatro Jornal, considerado como momento crucial da passagem do teatro, por assim dizer, convencional para o Teatro do Oprimido, Geo Britto seguiu (e reconstruiu minuciosamente) os passos de Augusto Boal, a começar por sua passagem, ainda nos anos de 1940, pelo Teatro Experimental do Negro e, consequentemente, pelas lições político-culturais e teatrais definitivas de Abdias Nascimento. Este primeiro capítulo explica a decisão e o empenho de um jovem interessado em se dedicar ao teatro em realizar estudos — paralelos à sua pós-graduação em química — com o grande crítico John Gassner nos Estados Unidos.

Ainda é a Abdias Nascimento que Boal deve o contato e a amizade com Langston Hughes, um dos seus muitos cicerones na cena do teatro de esquerda na Nova York do início dos anos 1950. Mas Boal conhece Lee Strasberg, Harold Clurman e Elia Kazan por frequentar — em parte encaminhado por John Gassner e em parte por conta própria — as sessões do Actors Studio. Tudo isto está amplamente tratado aqui.

Ainda no Brasil, Boal estudou teatro com Luiza Barreto Leite e em 1948 conheceu Abdias, com quem entendeu as causas da pobreza e do racismo brasileiro. Abdias era um crítico do PCB e de seu racismo assumido. Ele conheceu pessoalmente o Teatro del Pueblo de Leônidas Barletta, em Buenos Aires, e os dois já tinham Brecht como referência. Podemos, portanto, dizer que Boal estava havia muito mais tempo do que se imaginava sintonizado com as questões e implicações políticas do Teatro Épico.

Acrescentando aos ingredientes teóricos, com os quais travou contato mais direto nos Estados Unidos, os diálogos muito amplos que nosso dramaturgo e diretor teve com os melhores expoentes da esquerda latino-americana — entre os quais Mariátegui e Roberto Schwarz — Geo Britto formula a hipótese de que o Teatro do Oprimido seria uma espécie de construção periférica épica, o que faz todo o sentido, uma vez que o TO desde o princípio questionou a lógica da Estética e do Sistema das Belas Artes, e Boal as convenções teatrais tradicionais. Para ele, fazer arte também é um ato político, porque todas as atividades humanas são políticas, e o teatro é uma arma que tanto pode ser de dominação quanto de libertação.

O debate estadunidense sobre Brecht, aqui reproduzido por importante amostra dos temas tratados e das diferentes intervenções, ajuda a entender, por exemplo, que havia muito mais método do que até agora se supunha quando Boal desenhou um projeto para o Teatro de Arena de São Paulo

— contemplando a dramaturgia contemporânea, de John Steinbeck adaptado para teatro a Sean O'Casey, mais a sua própria obra, *Revolução na América do Sul*. Este método é um importante pressuposto daquilo que Geo Britto chamou de "construção periférica épica".

Para além do já conhecido (inclusive por Boal) interesse de John Gassner pela história das formas teatrais, sua New School também ficou conhecida como Universidade do Exílio, por ter abrigado em seus quadros as mais importantes figuras expulsas da Alemanha pelo nazismo. Foi ali que, em 1940, começou a funcionar o Dramatic Workshop, sob direção de Piscator, numa tentativa de trazer para os EUA tudo o que fosse possível de sua experiência na Alemanha, sobretudo na Volksbuhne e no Estúdio Piscator. Como Piscator encenou *The case of Clyde Griffiths* (adaptação para teatro do romance de Theodore Dreiser), inteiramente inspirado em sua própria experiência no *agitprop* alemão, experiência que resultou em importante polêmica, é certo que ela fazia parte do cardápio dos debates promovidos por John Gassner, especialmente por suas implicações de caráter experimental. É provável que Boal tenha tomado conhecimento disso. Acrescente-se a isto o material reunido por Geo Britto sobre a experiência de Judith Malina como aluna de Piscator: para ela, seu mestre queria fazer de cada ator um pensador e de cada dramaturgo um lutador, proposta de que Boal se apropriou e enunciou nas mais diversas oportunidades.

Outro material precioso deste livro diz respeito ao Primeiro Congresso Americano de Escritores, que adotou expressamente o programa político-cultural da Frente Popular, com a negação explícita da luta de classes (que vai culminar no Federal Theatre) promovida pelos comunistas estadunidenses. Na outra ponta do espectro, Boal também conheceu Norris Houghton. Geo Britto traz mais algumas informações sobre este defensor empenhado da presença da luta de classes no teatro, que se explicou de maneira simples: "O teatro na URSS é de propaganda tanto quanto a Catedral de Chartres". Norris Houghton criou em 1953 o Phoenix Theatre, o primeiro capítulo do movimento *Off-broadway* e provável modelo para a atuação de Boal no Arena.

O próprio Boal sempre se referiu a seu aprendizado no Actors Studio, mas Geo Britto se aprofunda na exposição do papel de Lee Strasberg naquela instituição, muito mais complexo do que o até agora conhecido, inclusive por suas relações com a obra e a teoria de Brecht — material relevante para o argumento geral deste trabalho.

De volta ao Brasil, em 1955, Boal tropeça na conjuntura golpista liderada pela corrente política lacerdista, que fazia do Rio de Janeiro um ambiente pouco propício a uma atuação teatral inspirada em sua experiência estadunidense. Mas em São Paulo vai encontrar no Teatro de Arena de José Renato a circunstância que lhe daria asas, fenômeno que só agora começa a ficar mais claro para os interessados em seu trabalho de dramaturgo, diretor, professor e agitador teatral. A quantidade de material novo, encontrado e produzido por Geo Britto, a este respeito é de tirar o fôlego. São inúmeros os depoimentos sobre as experiências e os debates de toda ordem, dos mais diversos interlocutores, que vão de Lauro César Muniz a Roberto Schwarz, passando por Paulo José e Nanci Fernandes. Organiza-se uma espécie de caleidoscópio da formação de Boal, agora em diálogo com seus contemporâneos brasileiros.

A proposta do Teatro Jornal, para além do problema conjuntural colocado pela censura ditatorial cada vez mais feroz, consistia em enfrentar o desafio do teatro-mercadoria. Boal conhecia o Living Newspaper por informação proveniente de John Gassner e tratou de inventar algumas técnicas além das que já conhecia. O objetivo era abertamente político e consistia, em síntese, em popularizar os "meios" (aqui entendidos como técnicas) de se fazer um teatro que, rejeitando a perspectiva mercadológica do espetáculo, tratava em caráter de militância política dos mal feitos da ditadura. O espírito que animava a experiência era o da multiplicação dos grupos dispostos a fazer agitação por meio do teatro. Está inaugurado o Teatro do Oprimido.

Adaptando a tese de Roberto Schwarz para as lutas de Boal contra o conservadorismo brasileiro, o stalinismo e o *establishment* internacional, Geo Britto propõe a avaliação de que sua trajetória foi um momento de inserção e desprovincianização da vida intelectual brasileira. Os adeptos do teatro político agradecem.

Iná Camargo Costa

Professora aposentada do Departamento de Teoria Literária e Literatura Comparada da USP. Autora dos livros: *Nenhuma lágrima: teatro épico em perspectiva dialética* (Expressão Popular, 2012), *A hora do teatro épico no Brasil* (Expressão Popular, 2016).

Introdução

No Tablado, tradicional escola de teatro do Rio de Janeiro, meu professor Ricardo Kosovski disse um dia: "Amanhã faremos Teatro-Invisível". Perguntei: "O que é isso?". O bom professor respondeu: "Pesquise". Na época, como eu era um bom aluno, isso significava ir à biblioteca, onde descobri Teatro Invisível, Teatro Fórum, Teatro Imagem, Teatro do Oprimido e Augusto Boal. Amor à primeira vista! É esse o teatro que quero fazer, político, artístico, participativo e divertido.

O primeiro encontro com Boal aconteceu em 1990, no evento Terra e Democracia, do Instituto Brasileiro de Análises Sociais e Econômicas (Ibase), sobre reforma agrária, com coordenação do sociólogo Herbert de Souza, o Betinho, no Aterro do Flamengo. Boal dirigia um espaço com vários movimentos sociais, éramos cerca de cinquenta pessoas: estudantes, sem-terra, trabalhadores... Estávamos no Centro de Cultura Casa Paschoal Carlos Magno, onde o dramaturgo ensaiava vários grupos. No meio da confusão, eu, com uma câmera na mão. Num intervalo, saco a câmera e disparo: "Brecht + Stanislavski = Boal?". Ele responde rindo, simpático e acolhedor: "Nossa, já começa assim?". O evento seria no dia seguinte e tínhamos de ensaiar — coloco na primeira pessoa do plural pois já estava no time para não mais sair. No dia, várias performances ocuparam o Aterro do Flamengo, em um evento com milhares de pessoas.

Hoje, felizmente, existem muitos outros grupos que entenderam a força e a potência da arte, mas outros não. Os chamados "artistas" dizem que fazemos política, e não teatro. Os chamados "políticos" dizem que fazemos teatro, e não política. Não existe teatro que não seja político, e o teatro é uma forma, entre outras, de fazer política.

Neste livro, o leitor não irá encontrar definições sobre o que é o TO. O que se busca fazer é traçar uma arqueologia para tentar entender como a estética marxista, os debates, a teoria, a prática e os momentos históricos vividos por Boal influenciaram a formação, a construção e a sistematização do TO. De acordo com o dramaturgo: "Quando me perguntam quais foram as minhas influências artísticas, sempre respondo a verdade: todas as pessoas inteligentes — não só as letradas, mas também as analfabetas" (Almada, 2011-2012, p. 34).

Os processos artísticos geralmente reagem aos processos históricos. "Historicizar sempre", como diz Jameson (1981, p. 9), é fazer uma análise a partir de uma narrativa materialista e dialética. Cada questão buscada e descoberta desperta outras na imaginação e na memória. Nesse sentido, este trabalho não é uma biografia de Augusto Boal, mas é impossível entender a construção do TO sem os inúmeros processos, influências e diálogos vividos por seu sistematizador.

Nessa caminhada, abro "portas". Em cada uma delas cabe um universo de novas pesquisas. Pesquisei em muitos arquivos brasileiros e estrangeiros, fiz entrevistas e aproveitei outras. Esta abordagem analisa a formação intelectual de Augusto Boal e seus diálogos. A lógica do capitalismo é pensar nos indivíduos de forma isolada, em que apenas se somam e tecem uma vida social como produtos apartados das relações objetivas e subjetivas que compõem a sociedade. Os chamados "artistas" figurariam nas suas torres de marfim enquanto criadores da sua teoria e prática. Augusto Boal é uma prova da oposição a essa ideia. Era um ser-coletivo.

Este livro se propõe a mostrar essa trajetória do TO via Boal. Os fatos isolados e pessoais não serão levados em conta. A formação da teoria e da prática anticapitalistas de Augusto Boal e, consequentemente, a sistematização do TO devem vir combinados com a análise das condições históricas e culturais nesses diferentes momentos. O que interessa é mostrar a radicalização de sua categoria social a partir do momento histórico e, consequentemente, a complexa relação das lutas de classes. Para isso se faz necessário compreender a época em que Boal vivia e pesquisar pessoas e fatos que dialogaram, direta ou indiretamente, com ele no seu processo e em toda essa diversidade de "mundos": Rio de Janeiro, fins de 1940; Nova York, início de 1950; São Paulo, de 1956 ao exílio em 1971, na Argentina.

É sabido que os intelectuais não são uma classe, mas uma categoria social que não se define por seu processo de produção, e sim pelas suas relações com as instâncias extraeconômicas da estrutura social e com a da superestrutura ideológica. Estes são os produtores e produtos diretos da esfera ideológica, os criadores dos produtos ideológico-culturais. Enquanto categoria social, estão mais afastados, em princípio, do processo de produção material, gozando, assim, de certa autonomia e privilégio. Como categoria social, é compreensível que o processo de formação passe por mediações ético-culturais e político-morais — considerando que a arte está dentro do capitalismo. Não existe o "fora" do capitalismo. O artista crítico precisa ter consciência dessa luta constante que empreende ao produzir e da forma que produz, para assim lidar com as contradições e buscar quebrar as engrenagens.

Este estudo não foi dividido e compartimentalizado em disciplinas, mas envolve um tratamento simultaneamente diverso: econômico, político, cultural e filosófico, mesmo que se priorize o estético e o político. Boal dizia que suas influências não eram restritas aos livros que leu, mas à sua *vida social*, convivendo e dialogando com seus amigos e parceiros. Às vezes, era um livro ou uma peça que ele não conheceu, mas seus amigos sim. Suas vivências vinham, também, por meio de amigos criativos, alfabetizados ou não, mas que dialogaram com ele em diferentes momentos da vida.

As entrevistas e o material de arquivos usados foram essenciais na montagem do livro. A memória, muitas vezes não valorizada, é um elemento fundamental de disputa em uma sociedade de classes. Até hoje muito pouco se sabe sobre as práticas teatrais populares, e, quando se sabe, elas são consideradas um teatro pobre, datado e limitado — não só pela direita, mas até por parte da esquerda. Neste trabalho mostro como o processo do TO estava e ainda está conectado com as experiências de outros teatros políticos e do arsenal histórico de *agitprop*. O TO é um dos herdeiros dessa tradição.

Sabemos que realizar uma análise marxista desse percurso é uma tarefa complexa e que existem poucas análises desse período. Mas busco me apoiar na provocação de Roberto Schwartz no prefácio do livro *A hora do teatro épico no Brasil*, de Iná Camargo Costa, ao dizer que se trata "de estudar as ligações internas entre o acirramento social que levaria a [19]64, os novos assuntos, esperanças e belezas que lhe correspondiam, as contradições formais engendradas, as grandes defasagens internacionais, o tipo de dominação de classe e de hegemonia cultural, a presença conhecida, mas pouco analisada do stalinismo etc." (Costa, 1996, p. 14).

É também um desafio trazer esse debate do campo marxista e das contribuições de Boal até o TO. Um marxismo que muitas vezes não se enquadra em suas temáticas clássicas, obrigando-nos a pensar a partir de nossa própria realidade.

Um passeio pela teoria das Artes e Ciências Sociais

Desde seu princípio, nos anos 1970, o TO questiona a lógica do conceito universal de estética e o sistema das "belas-artes". Mesmo antes do TO, Boal já buscava diferentes formas de questionamento das convenções teatrais tradicionais, o dito universal. "O imperialismo pretende universalizar as formas de arte, da mesma maneira que universaliza a moda e a Coca-Cola, fazendo, no entanto, com que a origem da moda esteja nos próprios países imperialistas" (Boal, 1972, p. 30). Naturalmente, não o fez de forma isolada e mágica, mas inserido na conjuntura da época, que apresentava momentos de ebulição, e por sua sensibilidade e capacidade de poder sistematizar e estruturar diferentes procedimentos.

Existe claramente uma disputa dentro da sociedade de classes, que acontece não só no campo da arte, mas também em outras áreas do conhecimento. O que é educação? O que é saúde? O que é ciência? Então, não há mais espaço para uma teoria contemporânea da arte se considerar a-histórica. É necessário que sejam incluídas definições e categorias sócio-históricas e, principalmente, a ideia de que fazer arte é um ato político e que todo artista também é um trabalhador. Em *Teatro do oprimido*, Boal já na apresentação faz questão de dizer que "todo teatro é necessariamente político, porque políticas são todas as atividades humanas, e o teatro é uma delas" (1991, p. 13). Separar o teatro da política seria, portanto, um erro. Para Boal o teatro não apenas é político como é uma arma, e por conta disso as classes dominantes tentam se apropriar dele para utilizá-lo como instrumento de dominação.

Sabedores de que toda arte é política, importa ter consciência que a origem social da beleza e a função da arte produzem um debate sobre a forma e a função desta, que muda ao longo dos anos. O estético não tem uma essência metafísica, mas depende da relação que os seres humanos têm com cada objeto, de acordo com suas culturas, seu modo de produção e sua classe social. O "artístico" vem de regras criadas por aqueles que controlam o sistema de produção e reprodução, impondo sua "legitimidade" conectada com toda a lógica educacional. Assim, criam-se normas que provocam a "necessidade cultural" daquele tipo de obra. Essas obras são quase naturalizadas como belas, chegando-se a um consenso "universal" de que todas as obras devem ser como aquelas, e essa imposição passa a ser naturalizada. Isso acontece na arte, como na economia, onde prevalece o liberalismo como o sistema mais "livre e democrático" e suas receitas de austeridade com cortes de políticas públicas, privatizações/concessões e precarização das relações de trabalho, e em outras áreas também. A produção artística é uma forma de produção regida por regras capitalistas, como a produção de qualquer outro produto. A arte é uma mercadoria e não está "fora do mundo". Como tudo, sofre seus processos de exploração e alienação também.

> Por conseguinte, o que a produção produz objetiva e subjetivamente não é só o objeto do consumo; é também o modo de consumo. A produção cria, pois, o consumidor. [...] A produção proporciona não só um objeto material à necessidade, mas também uma necessidade ao objeto material. [...] Deste modo, a produção não cria só um objeto para o sujeito; cria também um sujeito para o objeto. (Marx, 2008)

É necessária uma metodologia que inclua as formas e os meios de produção social e suas influências. Como diz Hauser: "Toda a arte é socialmente condicionada, mas, em arte, nem tudo é definível em termos sociológicos. [...] Acima de tudo, a excelência artística não é definível desse modo; ela não tem equivalente sociológico" (Hauser, 1973, p. 17).

Esse livro procura identificar a relação entre as formas artísticas e as estruturas sociais, fazendo uma ligação entre os estudos sociais e os artísticos para mostrar suas formas de autonomia e de influência, que estão presentes na própria arqueologia do TO. Neste, acontece o processo de produção, circulação e consumo, além de ser um exemplo de trabalho artístico coletivo construído literalmente em diferentes momentos e situações históricas. Esse movimento de debater e questionar o processo de produção não foi algo que surgiu naturalmente, mas foi se construindo e esteve presente em diferentes momentos e formas nos aprendizados e vivências de Boal.

Boal da Penha a Nova York; o Rio de Janeiro continuava lindo

Os primeiros momentos de formação de Boal incluíram as vivências e aprendizagens no Rio de Janeiro. Era interessado desde criança por teatro, seus pais compravam livros clássicos, como *O conde de Monte Cristo*, e ele organizava e dirigia pequenas apresentações para os familiares. Augusto Boal cresceu e já na juventude queria ser dramaturgo. Dessa época é conhecida sua relação com o dramaturgo Nelson Rodrigues, considerado um dos precursores do modernismo no teatro brasileiro. A relação foi muito próxima na amizade e na paixão pelo teatro, apesar de muito diferente — diria oposta — na política. Nelson foi o primeiro professor de dramaturgia de Boal, os dois ficaram muito amigos depois de o aluno convidar o mestre para uma palestra na faculdade (de química) que cursava. Os dois trocavam peças, um lia a peça do outro e Nelson fazia correções e sugestões; imagine o nível de confiança e amizade que cresceu entre eles. "O principal conselho que me dava, e eu me lembro bem, era: 'Deforma!'... Nelson me aconselhava a deformar a realidade como ela não era, ou, pelo menos, mostrar a minha visão da realidade — fugir da fotografia. Tinha razão: teatro não é a reprodução do real, é a sua transubstanciação. Arte é metáfora, não cópia servil" (Boal, 2000, p. 113).

O conceito do "deformar" ficou com Boal praticamente a vida inteira, seja na dramaturgia, seja na direção ou na criação da imagem de um espetáculo. Conselhos como esse eram frequentes quando ele foi diretor artístico do Centro de Teatro do Oprimido (CTO), no Rio de Janeiro, até 2009, ano de seu falecimento. Dessa forma, buscava ir além de uma proposta naturalista e/ou realista. Ele já criticava o conservadorismo político de Nelson, apesar de alguns afirmarem que a conscientização política de Boal viria somente no Arena, em 1956.

Nelson Rodrigues recebe homenagem do Fluminense no Maracanã, em 1971. Boal e Nelson divergiam na política, mas ambos eram apaixonadas pelo teatro e pelo Fluminense.
ARQUIVO AGÊNCIA O GLOBO

Boal conta que a sua politização se deu desde jovem, a partir de sua vivência fora do teatro. A família morava na Penha, Zona Norte do Rio, e tinha uma padaria. Desde os 11 anos, ele ajudava o pai em pequenos serviços e observava os trabalhadores do Curtume Carioca (foi a segunda maior fábrica de couros do mundo), em sua maioria negros e pobres, na padaria e no bairro. A partir do choque de classe entre ele e seus amigos mais pobres, começou a ver que a injustiça existia e precisava ser combatida. Essas experiências vividas por Boal mostram a complexidade do seu processo de formação, não linear nem feito somente da experiência do trabalho, do partido político ou da família, rompendo com concepções marxistas tradicionais — "Os marxistas de hoje só se preocupam com os adultos: ao lê-los, podia-se crer que nascemos na idade em que ganhamos nosso primeiro salário" (Sartre, 2002, p. 57).

Abdias conta Boal

Nessa mesma época entra em cena outra pessoa fundamental na formação política e teatral de Boal: Abdias Nascimento, seu mais antigo amigo — os dois se conheceram em 1948. Abdias também lia as peças do dramaturgo e fazia sugestões, mas foi fundamental, principalmente, na sua formação ética e política. Boal via o racismo, mas não entendia as suas razões, causas e como este estava conectado diretamente à própria essência do capitalismo. Foi Abdias que — com seus encontros, conversas e ações radicais e apaixonadas contra o racismo, explícito ou disfarçado — ensinou a Boal e muitos outros o papel do racismo na formação social das sociedades e da relação dos países imperialistas, do colonialismo e da própria burguesia brasileira.

Abdias Nascimento nasceu em 1914, na cidade de Franca (SP). Na década de 1930, participou da Frente Negra Brasileira. Depois foi para o Rio de Janeiro, onde passou a conviver com importantes intelectuais negros, como Solano Trindade, fundador da Frente Negra de Pernambuco e militante marxista, a quem considerava o maior poeta negro do Brasil contemporâneo. Os dois juntos depois, em 1945, criaram o Comitê Democrático Afro-Brasileiro.

Em 10 de novembro de 1937, Getúlio Vargas instaurou a ditadura do Estado Novo. Abdias e outros foram presos na Penitenciária Frei Caneca por distribuir panfletos contra a ditadura. Na prisão, dividiram cela com militantes da Aliança Nacional Libertadora e do Partido Comunista do levante de 1935, ficaram amigos e criaram grupos de estudos sobre política e economia nacional. Também estava preso Luís Carlos Prestes, mas isolado.

Em 1941, Abdias viajou para o Peru com um grupo de poetas e artistas. Nessa viagem, ficou chocado ao ver o ator branco argentino Hugo D'Evieri, do Teatro Del Pueblo (Buenos Aires, Argentina), fazer o protagonista pintado de negro (*black face*) na peça *O imperador Jones*, de Eugene O'Neill.

> [...] ali mesmo, no teatro, antes que a peça *O imperador Jones* terminasse, a chama mais nova de um fogo anunciador se acendia dentro de mim. De forma límpida e definitiva, eu decidi ali mesmo: vou para o Brasil e vou fazer teatro negro. E mais, vou começar com essa peça. (Nascimento, 2014, p. 146)

Na volta ao Brasil, passou pela Argentina e, em Buenos Aires, frequentou o Teatro del Pueblo, criado em 30 de novembro de 1930, dirigido por Leónidas Barletta, que já nessa época funcionava como escola livre de teatro, onde depois das peças se debatiam os textos, direção, interpretação, figurino e cenário. Todas as tarefas eram coletivas, desde as mais elementares e técnicas até as artísticas. Somente a direção era exclusiva de Leónidas Barletta. Os integrantes do Teatro del Pueblo defendiam o teatro do povo para o povo. Eram adeptos do livro *Teatro popular*, de Romain Rolland, em favor de um teatro diferente e novo para um público popular. Nele, o ator devia ser um militante, um revolucionário.

Em 1943, Abdias voltou ao Brasil. Chegando em São Paulo, foi preso novamente pelo Estado Novo, desta vez por ter sido expulso do Exército após uma briga de bar contra racistas, e levado para a Penitenciária do Carandiru. Fundou, então, o Teatro do Sentenciado, no qual os próprios presos faziam seus figurinos, dirigiam e interpretavam suas criações dramáticas.

Ao sair da prisão, fundou o Teatro Experimental do Negro (TEN), em 1944, com Lea Garcia, Ruth de Souza, Aguinaldo de Oliveira, Claudiano Filho, Mercedes Batista, Arlinda Serafim e Haroldo Costa, entre outros. Abdias, mostrando sua grande capacidade de articulação, organizou a primeira apresentação no Theatro Municipal do Rio de Janeiro, onde negro só entrava como servente, em 08 de maio de 1945, com autorização do presidente Getúlio Vargas (Semog; Nascimento, 2006, p. 127). A peça era a mesma vista por ele no Peru — *O Imperador Jones*, de Eugene O'Neill —, com uma autorização direta do autor, que reconheceu o racismo do *blackface*, que também existia nos EUA, e a importância de combatê-lo (Arquivo Ipeafro, 1944).

Logo na sua fundação, o TEN deixou evidente o projeto de não ser "somente" mais um grupo de teatro, mas um movimento político e artístico. Sua proposta era

> a formação de uma grande escola de artes cênicas: A) Alfabetização, funcionando normal e permanentemente para crianças e adultos de ambos os sexos; B) Línguas; C) Dicção e Empostação de voz e Declamação; D) Música e Canto Coral; E) Dança; F) Interpretação; G) Decoração, Vestuário e Cenografia; H) Direção de Cena; J) História do Teatro e Literatura Dramática; J) Conferências sobre assuntos dramáticos e de ordem geral. (*O Jornal*, 1949)

Peça *O imperador Jones*, de Eugene O'Neill, direção de Abdias Nascimento. São Paulo, 1953. FONTE: ACERVO ABDIAS NASCIMENTO/ IPEAFRO.

Abdias Nascimento declarava que o TEN trabalhava em duas frente: denunciar os erros e a alienação dos estudos afro-brasileiros e conscientizar o negro do racismo que existia. Promovia turmas de alfabetização para os negros operários, domésticos, e favelados, entre outros. Duas organizações de mulheres negras fizeram parte do TEN: a Associação das Empregadas Domésticas e o Conselho Nacional de Mulheres Negras. Um dos desafios era quebrar a falsa ideia de democracia racial que perdura até hoje, e o teatro crítico era uma das ferramentas. "Verificamos que nenhuma outra situação jamais precisara tanto quanto a nossa do distanciamento de Bertolt Brecht" (Nascimento, 2004, p. 72).

O racismo é, até hoje, um tema complexo e mal resolvido por muitos movimentos de esquerda, que ainda têm uma visão economicista e classista para o fim do problema. Para podermos entender melhor essa temática, é importante destacar as orientações dos Partidos Comunistas (PCs) do mundo na época, em especial do PC da União Soviética, que ditava as regras e era seguido praticamente por todos os demais.

Os movimentos negros e suas lideranças sofreram vários processos de cooptação e manipulação pela esquerda branca e europeia. O Comintern tinha uma Liga Contra o Imperialismo, nos anos 1920, que foi diminuída e depois desarticulada entre 1934-1935, depois da entrada da União Soviética na Liga das Nações. Consequentemente, houve a aliança com o Reino Unido e a França contra a Alemanha e o Japão (Eixo). Vale destacar um trecho da experiência de George Padmore, diretor do Bureau Africano do Comintern na Alemanha, organizador da Conferência Internacional de Operários Negros (Hamburgo, 1930), e secretário-geral do Comitê Internacional dos Sindicatos dos Trabalhadores Negros, que foi liquidado, conforme lembra o também militante negro trotskista C.L.R. James. Os dirigentes comunistas disseram a Padmore que ele não poderia ir contra o que chamavam de países "imperialistas democráticos" — Grã-Bretanha; França, que tinhas as colônias na África; e EUA, um dos países mais racistas do mundo —, e que teria de ficar contra Japão, Alemanha e Itália, que não tinham colônias na África.

Padmore, obviamente, não aceitou esse absurdo e rompeu com a linha do Partido, mas não com o ideal comunista. Essa lógica utilitarista de como os PCs usavam a questão colonial e do racismo também refletia por aqui: "O TEN aqui no Brasil está vivendo essa situação na carne" (Elisa Larkin Nascimento, entrevista ao autor, janeiro de 2011). Em 1945, o TEN organizou a Convenção Nacional do Negro Brasileiro, que teve reuniões em São Paulo, com 500 pessoas, e no Rio de Janeiro, com 200. Não foi um encontro acadêmico, mas de mobilização popular. Ao final, lançou-se o Manifesto à Nação Brasileira (Nascimento, 1982, p. 111), reivindicando educação pública em todos os graus, ações afirmativas e uma lei contra o ato de racismo.

O manifesto foi enviado a todos os partidos políticos. O senador Hamilton Nogueira (UDN) sugeriu que a proposta da discriminação racial entrasse na nova Constituição. Então, Claudino José da Silva, do PCB, único deputado negro na Assembleia, fez um discurso e votou contra a proposta (Elisa Larkin Nascimento, entrevista ao autor, janeiro de 2012). Tempos depois, em reunião da convenção no Rio, afirmou ser a favor da proposta, mas disse que precisou agir de acordo com a disciplina partidária.

O TEN organizou também a Conferência Nacional do Negro, em 1949, e o Primeiro Congresso do Negro Brasileiro, em 1950, reunindo intelectuais como Édison Carneiro, Darcy Ribeiro, Ruth de Souza, Milca Cruz, Guerreiro Ramos e Roger Bastide. Neste último, o marco histórico foi que "o negro passaria da condição de matéria-prima de estudiosos para a de modelador da sua própria conduta, do seu próprio destino" (Nascimento, 2003, p. 59). Contudo, sofreu muitas resistências, mesmo no âmbito da esquerda, quanto ao trabalho que realizava. Buscava, como o TO, conjugar política e cultura: "Minha atuação sempre teve uma dupla conotação, cultural e política (política no sentido mais amplo da palavra). Aliás, para mim essas esferas são dimensões da mesma iniciativa, que é a defesa e promoção dos direitos e da cultura da população de origem africana. Então meu trabalho como ativista se ligava ao cenário artístico e vice-versa; eram diferentes expressões da mesma coisa" (Acervo, 2009, p. 10).

Na entrevista com Elisa Larkin Nascimento, viúva de Abdias, pode-se conhecer um pouco mais desse período:

> O TEN surge exatamente nesse contexto, com uma crítica muito forte. Você tinha a direita, que tinha sua expressão nos setores conservadores tradicionais e no integralismo, e tinha a esquerda, o Partido Comunista, todos os dois não aceitavam a questão racial, inclusive por causa do mito da democracia racial, que é apartidário e extraideológico e compete aos dois lados. Abdias contava que Boal chegou ao TEN, ainda adolescente, e foi frequentando e acompanhando os trabalhos. Ali ele aprendeu muito e conversava com o pessoal sobre os projetos, iniciativas do grupo, teatro, literatura, desconfio que sobre questões ideológicas como racismo *versus* a luta de classes etc. A ideologia esquerdista, marxista, criticava e perseguia os intelectuais do TEN. Me parece que Boal tinha uma visão crítica e enxergava essas questões de uma maneira que outros intelectuais de esquerda não conseguiam. Certamente as conversas não se limitaram a isso, teriam muito a ver com teatro. Abdias conhecia e trabalhava com a conceituação teórica e o exemplo prático de Brecht e o citava com frequência. Eu acho que o Abdias leu Marx, mas não leu muito, o Abdias sofreu na pele a questão ideológica do comunismo. Ele leu Gramsci, Trotsky, mas, assim, também não era uma referência tão importante pra ele. O Frantz Fanon, o George Padmore e o Aimé Cesaire, os autores da negritude, eram os que Abdias conhecia mais. (Elisa Larkin Nascimento, entrevista ao autor, janeiro de 2015)

Havia, inclusive, encontros do TEN na casa de Boal, onde liam peças e faziam grupos de estudo — não só com Abdias, mas também com Glaúcio Gil e Leo Jusi —, e em alguns momentos na casa de Nelson Rodrigues. "Boal ajudou muito, era um grande apoiador do TEN, estava presente em reuniões, ensaios, em muitos momentos, e era muito amigo do Abdias" (Lea Garcia, entrevista ao autor, julho de 2015).

Pelo depoimento de Elisa, o primeiro contato de Boal com Brecht pode ter sido via Abdias/TEN. Até 1953, Boal escreveu peças que retratavam muito sua realidade e da Penha Circular, tendo negros e operários como protagonistas, como Maria Conga (líder quilombola e uma das pretas velhas de referência na umbanda), em *Histórias do meu bairro*. E outras que misturavam mitos gregos com nagôs e iorubás, como *Laio se matou*, *Orungan* (orixá), e *O logro*. "Escrevi *Martim Pescador*, que chegou a ser ensaiada com Grande Otelo e Abdias Nascimento, meu mais antigo querido amigo, irmão. Lea Garcia, que veio a ser sua esposa, e atores do Teatro Experimental do Negro-TEN. Ensaios no galpão do apartamento onde eu morava, 1130, Lobo Júnior" (Boal, 2000, p. 87).

Augusto Boal na apresentação de *O imperador Jones* em São Paulo. Da esquerda para direita: à frente Abdias Nascimento, Augusto Boal e Marcílio Faria. Ao fundo à direita Léa Garcia. FOTO: GERMAN LORCA. ACERVO ABDIAS NASCIMENTO/IPEAFRO.

Boal escreveu várias peças para o TEN com abordagem social, política e da cultura afro-brasileira. A peça *O logro* estreou pelo TEN em 22/05/1953. *Martim Pescador* pelo TEN, 1953. *O cavalo e o Santo* pelo TEN-SP em 17/11/1954, grupo do TEN de São Paulo, coordenado por Geraldo Campos de Oliveira. *Filha moça* pelo TEN-SP em 28/01/1956 e *Laio se matou* pelo TEN e TEN-SP em 28/05/1958. Ainda tiveram as traduções de *O mulato* (estreia TEN-SP, 17/07/1956) e *A alma boa que voltou para casa*, de Langston Hughes, esta última chega a indicar que seria dirigida por Boal (Acervo Boal, Teatro Experimental do Negro, AB.Ijr.001)

No jornal Diário da Noite, de 1º de novembro de 1952, Abdias cita em entrevista.

> O TEN. está provocando o aparecimento de uma autentica literatura dramática. Quando se fala em teatro negro, muita gente pensa que se pretende apresentar apenas "folclore" ou "sambinhas". Nada disso. O Teatro Negro nasceu para ajudar a criação e peças de arte de categoria literária e de valor permanente, como uma expressão de problemas fundamentais da sociedade atual. O nascimento dessa literatura dramática começou com "Aruanda".... e outros(textos e) atinge já autenticidade e completa sua legitimidade com Augusto Boal, jovem carioca que escreveu uma peça baseada no mito de "Changô", denominada "O Logro". Boal escreveu ainda outra, fazendo uma transposição da mitologia grega "Laio se Matou", para uma atmosfera negra. E também do mesmo autor é "O Cavalo e o Santo", seguindo a mesma linha. (Abdias, 1952)

A *Filha moça* foi apresentada à Secretaria de Estado dos Negócios da Segurança Pública/Departamento de Investigações/Divisão de Diversões Pública/ São Paulo (órgão que avaliava a censura das peças) em 27 de janeiro de 1956, após o retorno de Boal dos Estados Unidos. Ela aborda o conflito em uma família pobre de subúrbio entre o pai, mãe e a filha que quer ter uma vida independente e sobre sexualidade feminina também. A peça foi impugnada pela censura com termos racistas e moralistas em 27 de janeiro de 1956 (Boal, 2012).

SECRETARIA DE ESTADO DOS NEGÓCIOS DA SEGURANÇA PÚBLICA
DEPARTAMENTO DE INVESTIGAÇÕES
DIVISÃO DE DIVERSÕES PÚBLICAS

N.º _____   São Paulo, 1º de Fevereiro de 1956.

Sr. Diretor:

    Honrados que fomos pela designação feita por V.S. em despacho proferido no relatorio de autoría do colega Raul F. Cruz, em que este reafirma a impugnação antes feita á peça "Filha Moça", de autoría de Augusto Boal, temos a informar que, depois de lida cuidadosamente dita peça, outro caminho não encontrámos si não o de subscrevermos em todos os seus têrmos o parecer, isto é, os pontos de vista daquele colega.

    A peça, de fáto, nada tem de interessante ou de aproveitavel. Não comporta córtes parciaes impondo-se, isso sim, sua impugnação total como medida de profilaxia moral.

    Somos de opinião que a Censura devia ir além, e, quando outro motivo não existisse (e nesta peça existe), para essa impugnação, bastaría o fáto da linguagem ali adotada, num CAÇANGE horrivel, que a ninguem aproveita, para que aquela medida fosse aconselhavel.

    O teatro é escola. E nessa peça tudo é negativo. Precisamos aprimorar os costumes. Aprimorar os sentimentos. Aprimorar a linguagem. Não será com peças desse estofo que se vae conseguir tal aprimoramento. Pelas razões acima, repetimos, estamos de pleno acôrdo com a impugnação feita pelo colega Raul F. Cruz.

Atenciosamente

(Marcio de Assis Brasil) Censor.

Impugnação da peça Filha moça, de Augusto Boal pela censura. Em outra impugnação, o censor José Américo Cesar Cabral escreveu: "É lamentável que o Teatro Experimental do Negro só escolha peças com temas que ofendam a moral e os bons costumes. Em outra, o censor Raul F. Cruz relatou: "O assunto fere a moral, os bons costumes, as normas sociais, a constituição da família, cuja formação tradicional devemos preservar".
ARQUIVO MIROEL SILVEIRA / ARQUIVO PÚBLICO DO ESTADO DE SÃO PAULO.

A peça *O logro*, de 29 de agosto de 1952, teatraliza o universo religioso de matriz africana. Consta na nota: "Os nomes dos personagens foram sugeridos pelo sincretismo católico-fetichista". Depois, na introdução:

> ATO ÚNICO: CENÁRIO: um terreiro. Antes de levantar o pano, o teatro às escuras, ouve-se um bater monótono e depois furioso, cada vez mais furioso, dos atabaques, como se fosse, numa ópera, a *ouverture*. Depois as vozes entoam cânticos a Xangô. E o mesmo ritmo se reproduz: os atabaques ora soam lentamente, ora com fúria, para depois, esgotados, voltarem à lentidão... E Jeronimo, o pai-de-santo. No fundo, distantes, vários assistentes, que formam o coro, parecem petrificados observando a cena (Boal, 2012e).

A peça *O cavalo e o Santo* tem como data de entrada na SSP-SP, na Divisão de Diversões Públicas, o dia 13 de novembro de 1954, época em que Boal ainda se encontrava nos Estados Unidos, onde ele viria a montar a peça em 1955, com o Writers Group, um grupo experimental de dramaturgia do Brooklin, Nova York (Boal, 2000, p. 132). A peça certamente foi escrita antes, pois foi traduzida por Boal e enviada a Langston Hughes em carta de 02 de junho de 1955 (*Hughes Papers. The Saint and Horse* JWJ MSS 26 Box 439, f. 10162 comp).

A mais trabalhada e estruturada chama-se *Laio se matou*, uma mistura entre candomblé e mitologia grega. É uma adaptação da peça Édipo ambientada em um terreiro de candomblé. Neste texto, inverte-se o protagonismo, e Laio surge como personagem principal. A data da apresentação à SSP-SP, Divisão de Diversões Públicas, é 21 de maio de 1958, mas a peça foi escrita bem antes, pois Sábato Magaldi a cita em uma crítica no jornal Diário Carioca em 09 de abril de 1952:

> Esta é a quarta peça de sua autoria que tenho oportunidade de ler, e já no contato inicial com seu trabalho senti a presença do dramaturgo. Alguém que escreve teatro com linguagem teatral, com processos teatrais — peças para serem representadas. A extrema juventude de Boal (ele conta apenas com 21 anos) não permitiu, o que será fácil compreender, amadurecimento completo de seus recursos. Daí se notar ainda um processo experimental nas várias tentativas. O que não significa restrição, desmerecimento, mas um motivo a mais de confiança no seu mérito: o autor procura dominar a forma, a técnica, para se lançar depois em caminhos de maior audácia. *Laio se matou* situa no ambiente negro a história grega de Édipo. (Magaldi, 2017)

Isso indica que as outras podem ter sido escritas anteriormente também. O próprio Sábato afirma ser *Laio se matou* a quarta peça de Boal. Nessas peças vemos conhecimento de textos clássicos em simbiose com práticas da cultura brasileira. O candomblé veio a partir do contato com Abdias Nascimento e Joãozinho da Goméia, conhecido como o Rei do Candomblé, que tinha um terreiro em Duque de Caxias frequentado por artistas e políticos, de Getúlio Vargas a JK. Em carta de 19 de dezembro de 1959, endereçada a Langston Hughes, Boal afirma: "Estou te mandando uma fita de um músico brasileiro, Joãozinho da Goméia, que canta em português e em alguns dialetos africanos, a música tem origem na 'macumba', como um tipo de sessão vodu" (*Hughes Papers. Letter* JWJ MSS 26 Box 15, f. 357).

A dramaturga americana Joanne Pottlitzer (2010) conta um causo sobre o colega brasileiro:

> Num jantar, em 1968, quando Augusto Boal e Sergio Vodanovic, o dramaturgo chileno, estavam visitando Nova York, Boal começou a descrever as muitas cerimônias do candomblé que ele tinha assistido em todo o Brasil. Ele pensava que era estranho que, quando um santo 'entrava' no corpo de um dos participantes no Rio, São Paulo, Bahia, ele ou ela sempre falava com a mesma voz, na voz daquele santo particular. Era muito assustador, disse ele, especialmente quando a cerimônia era realizada em um cemitério. Sergio olhou de soslaio e perguntou, em sua maneira caracteristicamente seca e direta: 'Boal, como você pode dizer essas coisas quando você diz que você é um marxista?'. Boal respondeu enfaticamente: 'Eu sou um marxista, mas eu ainda fico com medo quando os santos descem'.

Boal quis estudar e conhecer mais teatro. Ao ler um texto de John Gassner, professor de dramaturgia, que encontrou no livro *European Theories of the Drama*, ele escolheu Nova York (Boal, 2000, p. 117). O livro é uma antologia da teoria dramática, com mais de 500 páginas com textos de autores de diversos países, como Aristóteles, Lope de Vega, Molière, Racine, Diderot, Schiller, Goethe, Brunetière, O'Neill e Lawson.

O artigo se chama *Catarse e o Teatro Moderno* (Gassner, 1947, p. 549) esse texto apareceu pela primeira vez na revista *One Act Play Magazine and Theatre Review*, em agosto de 1937, em que Gassner desenvolve conceitos teatrais e filosóficos presentes nos futuros trabalhos teóricos e práticos de Boal, principalmente em um dos principais capítulos do livro *Teatro do Oprimido*. O capítulo é *O sistema trágico coercitivo de Aristóteles* (Boal, 1991, p. 15), no qual o dramaturgo defende um teatro não aristotélico, que não provoque a catarse. Gassner também faz críticas a Aristóteles, à Tragédia e seus limites. No início, concorda com a possibilidade e o poder da Tragédia produzir a catarse:

> Na experiência trágica nós expelimos temporariamente 'piedade' e 'medo', para usar os termos de Aristóteles... e o senso de culpa que eles engendram e que são engendrados por eles. Em uma tragédia bem-sucedida nós vemos estes direcionamentos atuados no palco diretamente ou por meio de seus resultados por personagens com quem podemos nos identificar. Eles são nossos representantes, por assim dizer. (Gassner, 1947, p. 550)

Gassner traz para a atualidade o debate acerca das novas formas teatrais e seus limites de representação e potência em relação aos problemas contemporâneos. Termina incluindo algumas possibilidades para esse "novo" teatro, seus limites e desafios. Ele não tem uma resposta pronta, mas apresenta pistas e possibilidades. Coloca que os chamados dramaturgos sociais, poderíamos dizer do teatro político, muitas vezes fracassam porque "substituíram declarações por processos dramáticos". Gassner inclui o teatro de Bertolt Brecht como uma das alternativas de um teatro que nega o valor da catarse, "campeão do épico ou da peça didática" que questiona a ilusão provocada no espectador pela peça dramática. "A visão de Brecht é de uma atitude que enfatiza muito o drama social que, apesar de seus méritos, precisa permanecer fundamentalmente não trágico. Talvez proponentes do drama antiemocional devessem ir um passo à frente e denunciar a própria Tragédia como errada para seus propósitos" (Gassner, 1947, p. 552). Ele menciona, também, a necessidade que esses autores têm de afirmar a importância de um teatro antiaristotélico. Não temos conhecimento a respeito do que Gassner já acessara sobre Brecht, mas sabemos que é exatamente isso que Brecht, Piscator e Boal vão desenvolver, cada um de acordo com as próprias formas e propostas. Apesar dessa sugestão, Gassner reconhece que esse é um dos caminhos que Brecht e o Teatro Jornal (*agitprop*) já realizavam, e enumera, na nota de página, as contradições e dificuldades de construir essas alternativas dialéticas.

> Em justiça a Bertolt Brecht vale a pena notar que há usos e efeitos teatrais não trágicos na 'peça didática' e em tais variantes como o *'Living Newspaper*/Teatro-Jornal' (*Power, One-Third of a Nation*). Também está aberto a questões se um poeta tão potente quanto Brecht não vai além da intenção de um Lehrstuck (*learning-play/peça didática*), na medida em que sua música e imagem exercem um feitiço no espectador. Brecht, o poeta, não está sempre colaborando com Brecht, o teórico. (Gassner, 1947, p. 552)

Gassner lança luz sobre o problema do ponto de vista teatral-filosófico e, ao final, aponta algumas práticas concretas. Boal desenvolve um de seus mais importantes e brilhantes ensaios, *O sistema trágico coercitivo de Aristóteles*, em que mostra a relação nevrálgica entre teatro e política. Ele aborda, desde os filósofos pré-socráticos até os dias atuais, como é o processo concreto da catarse que o sistema aristotélico nos apresenta, não só no teatro, mas amplia mostrando o poder do cinema e da TV no processo de catarse, diria mesmo de anestesia na possibilidade de rebeldia do espectador/telespectador. Boal destrincha e desconstrói o livro *Poética*. Mostra como as obras no teatro, no cinema e na televisão são construídas de forma que nos constroem também enquanto seres humanos, enquanto sociedade. A dramaturgia dramática, em que prevalece a lógica do herói, do individualismo e diria até da meritocracia, acaba influenciando as maneiras como nos relacionamos na vida cotidiana e nosso entendimento estético, portanto, político do mundo. Temos hoje um modelo pronto pelo qual somos construídos desde nossa infância. Nos desenhos animados, que vemos com nossos filhos, até em filmes de Hollywood, novelas e peças teatrais prevalece a ideologia burguesa, ideologia dramática, de um mundo pronto, bombardeando-nos. Acreditamos que o mundo *é assim*, e não que ele *está assim* e, por isso, deve ser mudado.

Boal se inspira no pontapé inicial de Gassner, mergulha e cria uma proposta antiaristotélica de estética. Constrói contundente crítica à estética burguesa que reproduz e alimenta práticas autoritárias que perduram até hoje. Ele deixa registrado que se faz urgente mudar nossa prática estética e política se quisermos mudar o mundo. A seguir, trechos da carta (Harry Ransom Center, The University of Texas at Austin, 13250) em que Boal solicita estudar com Gassner:

Sr. John Gassner
New School for Social Research,
a Oeste 66, Rua 12, Nova York 11, N.Y.
Rio de Janeiro, 13 de março de 1953.

Querido Senhor:

Eu tomei conhecimento de você e de seus cursos na New School for Social Research ao ler sobre o ensaio 'Catarse e o Teatro Moderno' publicado em *European Theatre Drama*. Como era minha intenção fazer um curso sobre dramaturgia nos Estados Unidos, eu pensei que seria perfeito fazer este curso sob a sua direção. Eu também estou particularmente interessado em Produção de Peça e História do Teatro. Como eu pretendo ser um produtor de peças depois de meu retorno, eu estou falando com você para que me fale sobre o caminho correto na minha intenção.

Para o seu melhor entendimento, eu gostaria de dar algumas informações sobre mim. Meu nome é Augusto Boal e eu tenho 22 anos. Considerando minhas experiências em obras dramáticas, tudo o que posso dizer é que eu já escrevi cerca de vinte peças, mas apenas uma foi encenada por uma companhia amadora. Duas outras peças de um ato estão para ser encenadas muito em breve. Eu também escrevi uma peça para crianças, cuja estreia será em 29 de março, em São Paulo, e outra peça que eu desgosto muito está em ensaio. Os temas sobre os quais eu estou trabalhando agora são os do folclore brasileiro, que são realmente interessantes e encantadores. Eu também estou escrevendo para a New School for Social Research pedindo as informações necessárias sobre as possíveis chances de matrícula e bolsas (ou um trabalho a respeito do teatro).

Acima de tudo, eu quero mencionar mais uma vez que meu desejo é aprender com você. No caso de você não estar ensinando mais na New School for Social Research, eu agradeceria uma resposta a esta carta me dizendo onde você está ensinando agora, assim eu poderia ter uma ideia sobre o que eu tenho que fazer para ser seu aluno.

Estou desejando muitos retornos felizes pelo 50º aniversário que você está celebrando este ano e esperando uma resposta,

Sinceramente,

Augusto Pinto Boal
Rua Lobo Júnior, 1130A
Penha-Circular
Rio de Janeiro – D.F.
Brasil

Temos, assim, um jovem de 22 anos que está em pleno processo de formação, política e teatral. Viveu nos anos 1950 o debate sobre a importância de se ter um teatro brasileiro.[2] Teve contato intenso com o Teatro Experimental do Negro (TEN), que não era somente um grupo de teatro, mas de robusta formação política e com uma lógica de "escola ampla de teatro", aprendendo sobre racismo, colonialismo e experiências críticas dentro da esquerda, que não se limitavam ao Partido Comunista. Além disso, no artigo de Gassner, fica evidente que ele tem um contato com a obra de Brecht e o Teatro Jornal. Sabedor de que Boal era um estudioso, ouso afirmar que não se contentou somente com as informações que Gassner escreveu, e, sim, que procurou saber mais. E ao chegar aos Estados Unidos, pôde ter mais contato não só com Brecht, mas com muitos outros.

---

2. Nelson Rodrigues teve sua peça *Senhora dos afogados* rejeitada pelo TBC, pois o grupo evitava textos nacionais, declarando ser "suicídio" representá-los. Nelson soube do comentário e lançou a Companhia Suicida do Teatro Brasileiro, formada por ele, Léo Júsi, Gláucio Gil, Abdias do Nascimento e Augusto Boal.

Boal na terra do Tio Sam

Teatro político nos Estados Unidos

Em carta de 8 de dezembro de 1935, Bertolt Brecht escreve para seu amigo Erwin Piscator: "Caro Pis... evite os teatros ditos de esquerda [nos Estados Unidos], dominados por dramaturgos de meia-tigela e que têm os piores modos dos produtores da Broadway e ainda sem saber fazer" (Brecht, 1990, p. 223). Brecht falava sobre a própria experiência com o Union Theatre de Nova York, que montou sua peça *A mãe*, em novembro de 1935. O dramaturgo alemão insistiu que ela fosse feita de forma épica, mas a fizeram de forma naturalista, levando a seu fracasso. Brecht e Piscator se conheceram em 1924, ambos eram marxistas. A partir de 1927, Brecht trabalhou com um grupo de dramaturgos sob a coordenação de Piscator e colaborou com ele em algumas de suas produções, que inauguraram o conceito do Teatro Épico.

Os dois saíram da Alemanha no período nazista. Piscator recebeu um convite da URSS e foi para lá em 1931, onde participou e depois foi presidente da Associação Internacional dos Teatros Revolucionários (MORT), que organizou encontros de grupos de agitprop de vários países (Alemanha, França, Inglaterra, Japão, Checoslováquia, Estados Unidos, Espanha, Holanda, Áustria, Suíça, Bélgica, Suécia e União Soviética) e diretores, como Brecht, Gordon Craig, Meyerhold, Tairoff, Eisenstein, Mei Lang-fang, Harold Clurman, Cheryl Crawford e Kolonne Links, importante grupo alemão de *agitprop* (Willet, 1978, p. 133-141). Em julho de 1936, Piscator viajou para a França já decidido a não mais voltar para a União Soviética, porque a proposta dos adeptos do

Erwin Piscator, Carola Neher (atriz), Herbert Ihering (crítico) e Bertolt Brecht, em frente à casa de Herbert Ihering. Berlim, 1929.
AKADEMIE DER KÜNSTE, BERLIN, BERTOLT-BRECHT-ARCHIV, FOTOARCHIV 6/96.

"realismo socialista" era erradicar a arte e os artistas de vanguarda. A repressão aumentou e com ela as execuções para quem não cumprisse as novas diretrizes stalinistas (Rutkoff; Scott, 1986, p. 182). Piscator recebeu então, em Paris, um telegrama de Bernhard Reich curto e direto para que não voltasse para a URSS, dizendo: "Não partir" (*Nicht Abreisen*), de 03 de outubro de 1936. Ernst Ottwalt (roteirista de *Kuhle Wampe* com Brecht) havia sido condenado à morte como espião (mas talvez morto num campo).

> Já em 1935, o trabalho de Piscator foi abertamente acusado de formalismo e 'sociologia vulgar'. Tretiakov foi acusado de espionagem e fuzilado. Béla Kun, ex-líder da revolução húngara e membro do Comintern, foi preso e torturado, depois baleado. Era amigo dos dois (Brecht e Piscator)... depois Meyehold. (Willett, 1978, p. 140-141)

Apesar dos avisos de Brecht, Piscator montou, em 1936, a peça épica *Case of Clyde Griffiths [O Caso de Clyde Griffiths]* pelo renomado Group Theatre, um dos grupos mais à esquerda da época. A peça, apesar de dirigida por Lee

Strasberg e interpretada pelos atores mais talentosos do grupo, fracassou também. Ela recebeu alguma aclamação crítica por sua atuação imaginativa, mas foi rejeitada pela imprensa liberal e pela imprensa dos trabalhadores por sua formalidade didática e propaganda militante. Ou seja, mesmo um grupo de esquerda como o Group Theatre ainda estava preso a um patriotismo em que se poderia criticar certos pontos da sociedade, mas não ser radical a ponto de questionar a estrutura da sociedade estadunidense. Na peça, Piscator ataca a ideologia do *american way of life*, a meritocracia que nega a luta de classes e valoriza o esforço individual, um dos principais formadores da nação estadunidense.

Clifford Odets,[3] um dos dramaturgos mais à esquerda da época, disse para Piscator e Maria Ley Piscator: "Os Estados Unidos não estão indo na direção de Piscator... Teatro Político... vomitando as bandeiras" (Piscator, 1967, p. 43). O diagnóstico de Odets resume convenientemente o fracasso generalizado do teatro político moderno europeu no palco estadunidense. Claramente, os Estados Unidos não seguiam nem na direção de Piscator nem na de Brecht. O país norte-americano não tinha conhecimento de todo o trabalho experimental feito na Alemanha entre 1919 e 1932.

Nos anos 1930 foram criados vários grupos de teatro político nos EUA — movimento que foi muito influenciado pelo teatro *agitprop* feito na União Soviética, usando diferentes técnicas de Teatro Épico, musicais etc. —, como o Prolet-Büehne e o Workers Laboratory Theatre [Teatro Laboratório dos Trabalhadores]. Em 1932, os grupos formaram a League of Workers Theatres [Liga de Teatro dos Trabalhadores], que em 1935 se tornou a New Theatre League [Liga do Novo Teatro], que funcionava como uma escola que treinava atores, diretores, dramaturgos e encenadores que já usavam o método Stanislavski, e trabalhava com Leonard Bernstein, Bertolt Brecht, Clifford Odets, Albert Maltz, John Garfield e Lee Strasberg.

---

3. Autor de dois clássicos do teatro político: *Waiting for Lefty* e a antinazista *Till the Day I Die*, produzidas pelo Group Theatre. Ele depôs no Comitê do Congresso para Atividades Anti-Americanas (HUAC), que investigava atividades subversivas e suspeitos de serem comunistas. Odets foi do Partido Comunista por um ano, em 1934. Em abril de 1952 testemunhou e entregou pessoas, como também fez Elia Kazan (Bentley, 2002, p. 498-533).

Esses grupos tinham como lema "o teatro é uma arma". A frase "a arte é uma arma" foi dita antes por Friedrich Wolf, dramaturgo comunista alemão, em 1928, no seu discurso "Kunst ist Waffe!", em uma reunião do Arbeiter Theaterbund Deutschland [União de Teatro dos Trabalhadores Alemães]. Quatro anos depois ela foi usada pela League of Workers Theatres de Nova York. Piscator, num discurso em 10 de dezembro de 1936, em Barcelona, durante a guerra civil, disse: "Arte é uma arma. A arte teatral, acima de tudo, é uma arma; devemos jogar cartazes na rua com o texto: 'Pode-se atirar com cultura e arte, como com canhões'" (Piscator, 1938). A frase "o teatro é uma arma" é conhecida pelos praticantes de TO, já que foi incorporada e radicalizada por Boal: "Penso que todos os grupos teatrais verdadeiramente revolucionários devem transferir ao povo os meios de produção teatral, para que o próprio povo os utilize, à sua maneira e para os seus fins. O teatro é uma arma e é o povo quem deve manejá-la!" (Boal, 1991, p. 139). Essa frase foi um lema marxista do The Theatre Union, fundado em 1933, cuja proposta era criar peças sobre os trabalhadores a partir do ponto de vista deles próprios.

Além desse movimento teatral existia o John Reed Group(JRC,1929-1935), uma homenagem ao autor de *Dez dias que abalaram o mundo)*, uma federação estadunidense de organizações locais voltadas para escritores, artistas e intelectuais marxistas. Era uma organização de massa do Partido Comunista dos EUA, com grupos de *agitprop* e o lema "o teatro é uma arma na luta de classes". Dessa forma, o PC estadunidense incentivou inúmeras companhias teatrais a criarem e produzirem peças com temáticas sociais com John Howard Lawson, Langston Hughes,[4] Elmer Rice e Sidney Howard.

Outro projeto era o Federal Theatre Project (FTP), criado em agosto de 1935, durante o governo do presidente Franklin Roosevelt. Coordenado pela diretora Hallie Flanagan, teve como proposta criar um programa nacional de teatro para empregar milhares de artistas desempregados, em virtude da crise, e para que milhões de estadunidenses vissem teatro pela primeira vez. No FTP foram desenvolvidos vários projetos progressistas, e uma das experiências foi o Teatro Jornal *[Living Newspaper]*, que já havia sido empregado no início da Revolução Soviética e foi integrado como uma das técnicas do Teatro Épico de Erwin Piscator, nos anos 1920, sendo também uma das mais usadas no *agitprop*.

---

4. Dava aula na Escola de Escritores John Reed, onde ensinava poesia e romance. Durante as aulas os manuscritos dos alunos eram criticados (New Masses, 1935, p. 2).

NEW MASSES

JULY, 1930
15 Cents

ART YOUNG
L. HUGHES
C.Y. HARRISON
M. GOLD
Wm. GROPPER
L. LOZOWICK
J. FREEMAN
JESSICA SMITH

IN A GEORGIA MILL TOWN
By GILBERT LEWIS

Negro Workers
—Drawn by Wm. Siegel

A MAGAZINE OF WORKERS ART AND LITERATURE

Jonh Reed, Max Eastman, John Dos Passos, Ernest Hemingway, Richard Wright, Eugene O'Neill, Emma Goldman, John Howard Lawson e Langston Hughes já escreviam no The Masses. Em 1926 surge o New Masses com novos autores, como Theodore Dreiser, contendo textos marxistas sobre arte. A publicação durou até 1948.

O Teatro Jornal usa notícias de jornais para debater teatralmente diversas temáticas, e foi a primeira técnica sistematizada por Boal no Teatro do Oprimido. É importante destacar que ela não foi criada por ele, mas surgiu em diferentes momentos históricos e países, como União Soviética, Alemanha, EUA e Brasil.

Com a vitória do Partido Republicano, com Dwight David Eisenhower, em 1953, a política conservadora foi intensificada. Era o período da Guerra Fria e do anticomunismo. Entre 1950 e 1957, com a ofensiva do senador Joseph McCarthy, cunhou-se o termo macarthismo e aumentaram as perseguições e interrogatórios. Passaram por esses interrogatórios alguns artistas que têm conexão com Boal: Brecht, John Howard Lawson, Langston Hughes, e Stella Adler,[5] Hallie Flanagan, entre outros.

Boal foi para um Estados Unidos saído da Segunda Guerra, ainda no período áureo do *New Deal*. Iniciava-se a tensa construção do pacto entre Estado, trabalho organizado e capital, ou a regulação fordista keynesiana do capitalismo, que fundamentaria o peculiar Estado de Bem-Estar estadunidense, que culminou em um período de prosperidade até o final dos anos 1960.

Brecht presta juramento perante a Comissão de Atividades Antiamericanas (House Committee on Un-American Activities — HUAC), em 30 de outubro de 1947. Mas já tinha passagens compradas para o dia seguinte voltar para a Europa. Criada em 1938 e encerrada somente em 1975, a HUAC investigava atividades subversivas de pessoas e organizações suspeitas de serem comunistas.
FOTO: REVISTA LIFE, POR MARTHA HOLMES.

---

5. *Red Channels* é um livro anticomunista que buscava mostrar a influência comunista no rádio e na televisão. Foi publicado nos EUA em 22 de junho de 1950, no período do macarthismo, pelo jornal de direita *Counterattack*. Na página 115 tem o nome de Stella Adler, na 84 o de Langston Hughes, na 110 Arthur Miller, na 115 Orson Wells, entre muitos outros.

Boal e os Estados Unidos

Boal chega aos Estados Unidos para estudar dramaturgia com John Gassner, na Universidade de Columbia, onde também convive com outros professores, como Milton Smith, Maurice Valency, Theodore Apstein e Norris Houghton. Neste ponto apresento um pouco sobre dois deles: Norris Houghton e John Gassner.

NORRIS HOUGHTON

Norris Houghton escreveu o livro *Moscow rehearsals: the golden age of the soviet theatre*, quase um diário teatral sobre sua visita a Moscou, em 1934, em que narra toda a vivacidade das produções teatrais e seu contato direto com Stanislavski,[6] Alexander Tairov, Olga Leonidovna Knipper-Chekhova e Vsevolod Meyerhold, tornando-se depois um estudioso da interpretação biomecânica. Houghton menciona muito Nikolay Pavlovich Okhlopkov (que começou com Meyerhold), um dos principais diretores de teatro do mundo, com quem Brecht se identificou em sua visita à União Soviética, em 1935. No citado livro, Houghton fala do Exército Vermelho, da revolução, e relata que, diariamente, via peças de diferentes estilos e formas, clássicos e textos soviéticos que falam de temas universais e da revolução.

Ele observava o Teatro Realista Russo, que tinha uma plateia mesclada em que "espectadores e atores pareciam ser o mesmo. Havia pessoas do Exército Vermelho no palco e na plateia, havia mulheres de xale e homens em ambos os lugares" (Hougthon, 1936, p. 151). O autor se tornou uma referência nos estudos do teatro soviético. Essa viagem aconteceu em 1934-35, e ele assistiu à última etapa das montagens do Teatro de Arte de Moscou, incluindo a pesquisa sobre "ações físicas", uma das últimas técnicas desenvolvidas por Stanislavski e seus alunos.

---

6. "Drama moderno estudei com um professor que tinha trabalhado com Stanislavski", disse Boal em entrevista para Fernando Peixoto (1980, p. 28).

Na produção de *Inimigos* (Gorki) que eu descrevi, estava sendo feito um experimento na sua relação entre os elementos físicos e psicológicos da ação. Eles chamavam isso simplesmente de 'teoria da ação física', *physicheskoe deistviye (não sei se no russo da época se escrevia como colocado no livro, mas ação física hoje em russo se escreve fizicheskoye deystviye)* — e para o Teatro de Arte de Moscou-TAM representa uma mudança definitiva de métodos. Em vez de encarar um papel pensando nele e despertando emoções, sugere-se ao ator que ele tente certas ações e, depois a partir delas, ele descubra o significado, a causa e a verdade nesse processo. Isso não é realmente um desvio das crenças do TAM, pois o objetivo permanece o mesmo — chegar a um entendimento da psicologia do movimento. (Hougthon, 1936, p. 74-75)

Norris Houghton era consciente da formação burguesa da sociedade estadunidense e da sua ideologia individualista, admitia a importância dos fazedores teatrais reconhecerem a luta de classes e ter o teatro como uma forma de luta sem perder sua capacidade de representação. Ele cruzou os Estados Unidos e buscou organizar um movimento comunitário de teatro em Nova York. Em 1941, escreveu *Para além da Broadway, 1900 milhas pelo teatro estadunidense* [*Advance from Broadway, 19000 miles of American Theatre*].

No início dos anos 1950, iniciava-se um movimento de teatros experimentais, como as iniciativas do famoso Circle in the Square Theatre [Teatro de Arena], dirigido por José Quintero, que Boal conheceu em sua ida a Nova York. Em 1953, Houghton montou um novo teatro *Off-Broadway*, fora da famosa Times Square, onde faria peças com ingressos a U$1,00. O teatro teria sócios que o apoiariam financeiramente de forma a garantir uma temporada inteira, em vez de uma produção por vez.[7] Nascia o Phoenix Theatre, fundamental no movimento *off-Broadway*, que Boal conheceu e onde assistiu a várias peças, podendo ter sido uma futura inspiração para o Arena.

---

7. Assim como o teatro Freie Volksbühne [Palco Livre do Povo], fundado em Berlim, em 1890, onde sindicatos de trabalhadores se tornavam sócios — eram cerca de 140 mil sócios. Em 1924, Piscator tornou-se diretor do espaço e apresentou sua peça *Bandeiras*.

O método de ensino de John Gassner (apontando a cena) e Paolo Milano (logo atrás de Gassner), onde encenam uma cena de uma peça para alunos e convidados para ilustrar o ensino da história do teatro (March of Drama). "Em sua palestra sobre Goethe, John Gassner demonstrou como o movimento do romantismo correspondia aos movimentos revolucionários da época e fazia parte deles" (Malina, 2012, p. 86).

ERWIN PISCATOR PAPERS, SPECIAL COLLECTIONS RESEARCH CENTER, MORRIS LIBRARY, SOUTHERN ILLINOIS UNIVERSITY CARBONDALE.

JOHN GASSNER, O HEGEL DE BOAL

Fazendo um paralelo audacioso, arrisco dizer que, do ponto de vista de formação teórica, Gassner foi para Boal o que Hegel foi para Marx. A partir da leitura de inúmeros textos de Gassner, pode-se dizer que ele era uma enciclopédia não somente em relação a conhecimentos teatrais, como também filosóficos e políticos. Era crítico teatral e professor e estava diretamente envolvido nas transformações do teatro estadunidense desde os anos 1930 até 1967, quando faleceu. Foi presença marcante na formação dos principais movimentos teatrais progressistas, como o Group Theatre e o Theatre Guild. Por seus textos e suas relações, pode-se deduzir que era um intelectual aberto, um liberal de esquerda, não um marxista, mas que inclusive debatia com estes.

> Menos de uma década depois de uma guerra mundial que se acreditava ter assegurado a liberdade aos povos do mundo, ainda se permanece a intimidação ou supressão do pensamento e da arte de forma generalizada. O stalinismo num hemisfério e o mcCarthyismo no outro foram as duas manifestações que deram maior preocupação aos defensores das artes. (Gassner, 1968, p. 227)

Um marco importante foi seu período como professor[8] na New School for Social Research. Em 1940, foi criado ali, sob a direção de Erwin Piscator, o Dramatic Workshop,[9] que transformou a vida cultural de Nova York e potencializou o chamado teatro *Off-Broadway*. Piscator dava aula de Pesquisa Teatral (*Theatre Research*), onde propunha um embasamento filosófico ao teatro na perspectiva de uma totalidade indicando uma abordagem épica e dialética. Ele revelava a conexão entre vida e arte e da luta de classes. Negando assim um teatro de mero entretenimento.

> Teatro político é teatro de arte. Há quem diga que o teatro não é arte, devido à sua forma programática. ... Mas o teatro é reflexivo, cada palavra abre um mundo de pensamentos, é uma análise do pensamento. O teatro de arte sempre foi ligado ao pensamento e procurou encontrar a verdade. Assim, o teatro de arte sempre foi um teatro político.... Após a desastrosa guerra de 1914 a 1918, iniciou-se a luta pelo esclarecimento e, com ela, nosso teatro político. Max Reinhardt continuou a fazer seu teatro de beleza estética, mas nos voltamos ao teatro para lutar. ... A arte, a arte consciente, a arte política precisam urgentemente desejar a mudança. Aqui, um dos lados luta pela mudança social, enquanto que o outro não a necessita.... O teatro político existe para tirar o teatro da *discussão* política e levá-lo a *ação política*. ... Eis a questão: para mim, o teatro político é o único teatro de arte. Há aqueles que querem rebaixar o teatro de arte. Para que costruiur uma história de amor e depois cercá-la de implicações sociais? Não é isso. Devemos formular cada caso, esclarecê-lo e aprofundá-lo. (Piscator, 2012, p. 147/149)

---

8. Importante pontuar que tanto Gassner como Piscator, e outros, não eram professores efetivos, mas de contratos temporários e renováveis que duraram cerca de 10 anos.
9. Optei por não traduzir o termo, que literalmente seria "oficina de teatro".

Erwin Piscator, diretor do *Dramatic Workshop*, em 1940.

FOTO: ALFRED BALCOMBE. THE NEW SCHOOL ARCHIVES AND SPECIAL COLLECTIONS. SERIES 7 DRAMATIC WORKSHOP AND STUDIO THEATRE.

Nesse curso havia professores importantes, como Lee Strasberg, Stella Adler, Harold Clurman. Os três e Cheryl Crawford, do radical Group Theatre, foram a URSS, em 1934, conhecer o trabalho do Teatro de Arte de Moscou (TAM), de Stanislavski. Lee Strasberg se encontrou com a viúva de Vakhtangov e estudou com Meyerhold, a quem considerava um gênio. Ele viu peças do TAM e evitou se encontrar com Stanislavski, por não ter gostado das direções. Depois, descobriu que Stanislavski também não havia gostado e se arrependeu de não o encontrar. Nessa visita conheceram também Piscator.

Havia também Kurt Weill, Hanns Eisler, Mordecai Gorelik,[10] Harold Burris-Meyer, Abe Feder, Herbert Bergoff, Paul Zucker, e Barrett H. Clark. Piscator tentou trazer Brecht para o Dramatic Workshop, mas teve problemas com a demora do visto. Depois tentou encenar peças de Brecht, mas a resistência de produtores e ainda problemas com a cessão de direitos de tradução e de produção por parte do próprio Brecht[11] inviabilizaram os projetos.

---

10. Kurt Weill e Hanns Eisler eram músicos; Gorelik, cenógrafo. Os três trabalharam com Brecht. Eisler foi expulso dos EUA em 1949, sendo chamado pelo macarthista e investigador-chefe Robert Stripling de "o Karl Marx do comunismo na área da música". Eisler respondeu laconicamente: "Isso me lisonjiaria!" (Brown, 2018).
11. Brecht esteve em NYC entre fevereiro e maio de 1943 e deu o endereço de Piscator como referência. Tem a indicação que participaria de evento de literatura anti-fascista no teatro da New School dirigido por Erwin Piscator com participação de círculos germano-estadunidenses. Fonte Relatório do FBI sobre Brecht. Disponível em: https://vault.fbi.gov/Bertolt%20Brecht%20Bertolt%20Brecht%20Part%201%20of%204/view. Acesso em: 20/05/2022.

Gassner era o braço direito de Piscator e responsável pelas aulas de dramaturgia. A proposta do Dramatic Workshop não era somente ser um curso isolado de ator ou de diretor, mas, sobretudo, um curso que teria uma formação completa, e não uma especialização, com aulas de todas as etapas e funções do processo de produção teatral, de toda a engrenagem. Os integrantes das classes deveriam ter conhecimentos de todas as áreas: direção; atuação; escrita; cenografia; som; iluminação; história do teatro mundial, estadunidense e europeu; sociologia etc. Desde o começo, Piscator realizava montagens e conduzia ensaios entre os alunos, sob a supervisão dos instrutores. A proposta era que as aulas de dramaturgia, direção e atuação estivessem totalmente integradas e fossem feitas produções coletivas pelos próprios alunos. Dessa forma, o Dramatic Workshop virou mais que uma escola, tornou-se um espaço teórico e prático de teatro experimental.

O conceito do teatro político pode ter de se adaptar nos Eua(guerra-fria/macartismo), mas os ideais do movimento do Volksbuhne não. Dentro do princípio do trabalho coletivo, as produções dos estudantes eram selecionadas em cada ano, tendo quatro linhas: clássico, satírico, realista ou naturalista, e drama épico. Theodore Apstein, outro professor de Boal na Universidade de Columbia, dava aula de fundamentos da dramaturgia com ênfase no teatro comunitário e na escrita coletiva de textos dos alunos a serem montados. A proposta era conectar o seu fazer com uma forma coletiva e a própria realidade. John Gassner dava aulas de *March of Drama*, em que passava por dramaturgos de quase todo o mundo, do Oriente ao Ocidente, e de várias épocas, não só na lógica de gregos como "pais" do teatro, com a preocupação de sempre contextualizar historicamente quem eram e a relação dos textos com seus momentos de criação.

O Dramatic Workshop realizava uma pesquisa sistemática e conectada à necessidade da prática artística, com teatros comunitários e experimentais — escolas, comunidades e hospitais, entre outros. Havia um estúdio-teatro com função pedagógica dupla: ver, aprender e realizar todo o processo de construção de uma peça, do início ao fim, e oferecer peças terminadas para um público local. Fechava, assim, todo o processo da engrenagem teatral. O método escolhido era envolver os alunos em todas as funções do teatro. Piscator argumentava que o diretor deveria conhecer atuação e cenografia, e os cenógrafos, direção e atuação. Essa perspectiva multidisciplinar deveria valer para todas as funções, buscando quebrar um tecnicismo específico e uma lógica de especialização. Esse foi um método aplicado por ele na Alemanha, entre 1924 e 1927, no *Studio Piscatorbühne*.

O Dramatic Workshop tinha, ainda, o Studio Theatre, que foi fundado em 1940, oferecendo aos sócios assinaturas de peças que não tinham o perfil Broadway. A proposta de Piscator era que o público também se sentisse atraído pelo trabalho da escola, participando de debates, leituras e ensaios. As apresentações seriam profissionais, com atores externos de primeira linha, assim como aqueles envolvidos na escola, misturando-os. Houve outros espaços usados pelos alunos, para montagens do próprio Piscator, como o pequeno President Theatre (para 280 pessoas), e para as aulas e montagens de Gassner de March of Drama. Ele buscou construir um teatro popular que pudesse juntar os assinantes, estudantes e outros interessados. Teve, também, o Rooftop Theatre (para mil pessoas), onde poderiam ser vistas até seis peças por apenas U$4,00. Essa foi uma das principais sementes do movimento de teatro *off-Broadway*.

AS AULAS E SEUS CONTEÚDOS: O DRAMATIC WORKSHOP

O Dramatic Workshop, fundado em janeiro de 1940, tinha como lema "uma escola que fosse um teatro e um teatro que fosse uma escola". As aulas, concebidas para contemplar a totalidade das funções teatrais, visavam justamente quebrar a especialização: Trabalho de Corpo; Movimento Rítmico; Dança Dramática; Psicologia do Movimento; Voz e Fonética; Apreciação Musical; Canto; Atuação; Maquiagem; Oficina de Filme; Dramatização Musical no Palco; Regência; Peça Musical; Técnica de Interpretação Musical e Performance; Estudo Musical de Conjunto de Ópera e Cenas; Ópera, Atuação e Direção; Projeto e Arte de Palco; História e Sociologia do Teatro, da Montagem de Palco e da Arquitetura Teatral; e Iluminação e Técnica de Direção, ministrada pelo próprio Erwin Piscator. A ementa dessas aulas apresentava a proposta de que seriam interligadas e haveria uma produção coletiva ao final dos cursos.

As aulas ministradas diretamente por John Gassner, ou que eram orientadas por ele, de 1940 a 1944, seguiram de forma semelhante nos cursos subsequentes, na New School Social Research/Dramatic Workshop, até os anos 1950 — depois serão listadas algumas informações sobre as aulas nas universidades de Columbia e Yale, onde Gassner veio a trabalhar posteriormente.

Capa do Programa do DW de 1943/44 com Piscator (à esquerda) dando aula. THE NEW SCHOOL ARCHIVES AND SPECIAL COLLECTIONS/ SERIES 7. DRAMATIC WORKSHOP AND STUDIO THEATRE.

Como é possível observar nos programas do Dramatic Workshop, há uma carga de estudo prático e teórico exigido, além da lógica de seminário e laboratório, como já se nomeava nesse período — Boal também vai utilizar esses termos do Arena ao CTO. Gassner, mesmo sendo a referência da dramaturgia, tinha assistentes. Ele ministrava um conjunto de aulas, como "Dramaturgia e História" e outras como pode se ver na imagem a seguir.

Theresa Helburn (center), John Gassner
(at her left) in their Playwrights' Seminar

IV Dramaturgy and History   JOHN GASSNER
Chairman

1 IV PLAYWRITING AND PLAY ANALYSIS.   John Gassner
Carl Zuckmayer and Edmund Fuller, associates

A. Elementary. 3 hours.

An introduction to playwriting: characterization, exposition, development of plot, conflict, climax, and resolution of conflict. Short stories and narrative poems are dramatized for practice in adapting material for the theatre. The special problems presented by comedy, tragedy and farce are examined in analyses of representative plays. Studying some of the newer dramatic forms such as the living newspaper, the didactic, the epic and the pageant play, an effort is made to stimulate the student to greater flexibility in dramatic writing and to more adequate expression of contemporary life.

Students are expected to prepare reports on selected plays, to write dramatic exercises in dialogue, characterization, etc., and at least one short play.

Parte do programa de 1941, coordenado por John Gassner. Nele se lê: "Introdução à escrita de peças: caraterização, exposição, desenvolvimento de enredo, conflito, clímax e resolução de conflito. Histórias curtas e poemas narrativos são dramatizados para praticar a sua adaptação para o teatro. São analisados pontos importantes de textos representativos da Comédia, Tragédia e Farsa. Estudo de novas formas dramáticas como: Teatro-Jornal, Didático, Épico e Teatro-Procissão, e estimula o estudante a ter uma maior flexibilidade na escrita dramática incluindo a realidade da vida contemporânea. Espera-se que os alunos preparem relatórios sobre peças selecionadas, escrevam exercícios dramáticos de diálogo, caraterização etc., e pelo menos uma peça curta". THE NEW SCHOOL ARCHIVES AND SPECIAL COLLECTIONS/ SERIES 7. DRAMATIC WORKSHOP AND STUDIO THEATRE.

As aulas previam, além da escrita, a crítica das peças em classe. E tinham a participação direta de diretores e dramaturgos, como Philip Barry, S. N. Behrman, Harold Clurman, Marco Connelly, Clifford Odets, Elmer Rice e Robert E. Sherwood, que ajudavam na leitura e nas escritas das peças feitas pelos alunos. A aula obrigatória "Pesquisa Geral", com assistência de Paolo Milano, tinha a proposta de focar na leitura e no estudo de diversas peças, suas histórias e as forças sociais da conjuntura de sua época.

A cada ano, o Dramatic Workshop estudava e encenava várias peças e autores. Analisando os programas realizados durante esse período de mais de dez anos, pode-se observar que, em alguns anos, incluem-se entre as peças sugeridas as mesmas realizadas pelo Teatro de Arena: 1956, *Ratos e homens*, de John Steinbeck; julho de 1957, *Juno e o pavão* (Tradução Manuel Bandeira), de Sean O'Casey; 1958, *A mulher do outro*, de Sidney Howard; 1962, *A mandrágora*, de Maquiavel; 1964, *Tartufo*, de Molière; e 1966, *O inspetor geral*, de Gogol. Alguns desses autores e peças estão em livros que Gassner organizou, como *The treasury of the theatre*, dividido em três volumes com praticamente todos os autores que ele trabalhava em aula, incluindo peças dos gregos, teatro oriental, medieval, renascença, século XVII e XVIII, romantismo e início do realismo, teatro moderno europeu e estadunidense. A mesma variedade pode ser encontrada em *Master of theatre* e em vários artigos de Gassner que estão presentes na bibliografia que ele passava para os alunos.

Em *March of drama* [*Mestres do Teatro*], Gassner trabalhava autores dos mais diversos períodos e países, incluindo o Oriente (Índia, China, Japão e Tibet): Aristófanes, Menandro, Plauto, Terêncio, Maquiavel, Lope de Vega, Calderon, Marlowe, Shakespeare, Bem Jonson, Racine, Corneille, Molière, Congreve, Sheridan, Beaumarchais, Lessing, Goethe, Victor Hugo, Dumas Fils, Augier, Ibsen, Strindeberg, Zola, Hauptmann, Schnitzler, Molnar, Zuckmayer, Maeterlinck, Rostand, Benavente, Giacosa, Dánuzio, Gogol, Tolstoi, Tchekhov, Gorki, Wedekind, Kaiser, Toller, Capek, Brecht, Piscator, Shaw, Galsworthy, Barker, Barrie, Masefield, Eugene O'Neill, Anderson, Howard, Rice, Paul Green, Bherman, Barry, Hellman, Odets, Tirso da Molina, Lope de Rueda, Cervantes, Wycherley, Congreve, Regnard, Marivaux, Gozzi, Goldoni, Voltaire, Diderot, Beaumarchais, Büchner, Kleist, Holdberg, Griboiedov, Ostrowsky, Scribe, Labiche, Nestroy, Becque, O'Casey, Rice, Katajev, Erdmann, Schweik, George S. Kaufman e William Saroyan.

```
                    PRESIDENT THEATRE

  Dramatic Workshop              247 West 48th St.,
  of the New School              New York 19, N.Y.
                                 CIrcle 5-7287
  Erwin Piscator, Director       October 26th and 27th, 1946


             MARCH OF DRAMA REPERTORY

                      PRESENTS

            " O F   M I C E   A N D   M E N "
                   by John Steinbeck

                 Staged by Peter Frye

              Set designed by Peter Frye


                        CAST

  BALLAD SINGER . . . . . . . . . . . . . . . . JERRY REED
  GEORGE  . . . . . . . . . . . . . . . . DOUGLASS PARKHIRST
  LENNIE  . . . . . . . . . . . . . . . . . . JAMES MORLEY
  CANDY . . . . . . . . . . . . . . . . . . NEHEMIAH PERSOFF
  THE BOSS  . . . . . . . . . . . . . . . . ROBERT OSTERLOH
  CURLEY  . . . . . . . . . . . . . . . . . . . HAL VINSON
  CURLEY'S WIFE . . . . . . . . . . . . . . . . JANE WHITE*
  SLIM  . . . . . . . . . . . . . . . . . . RICHARD ROBBINS
  CARLSON . . . . . . . . . . . . . . . . . . . SY TRAVERS
  WHIT  . . . . . . . . . . . . . . . . . . . LEONARD BARRY
  CROOKS  . . . . . . . . . . . . . . . . . . MARTIN BALSAM
                 *Alternative with Hildy Parks
       TIME: The present.
       PLACE: An agricultural valley in Northern California

  NOTE: All the stylistic elements of this production are the
  result of conscious selection. The bareness of the stage, the
  meagerness of settings...meant to be that way. However, for
  the quality of execution of the settings, props, lighting, cost-
  umes..we work with student technicians and a limited budget. We
  ask that your imagination supply the deficit.
```

Montagem de *Ratos e Homens* pelos estudantes. Interessante observar ao final a nota: "todas as características estilísticas dessa produção são o resultado de uma solução consciente. A simplicidade do palco, a mistura dos cenários foi planejado para ser assim. Entretanto, pela qualidade da execução dos cenários, adereços, iluminação, figurinos nós trabalharmos com técnicos estudantes e um orçamento limitado. Pedimos que sua imaginação supra o déficit."

THE NEW SCHOOL ARCHIVES AND SPECIAL COLLECTIONS/ SERIES 7.
DRAMATIC WORKSHOP AND STUDIO THEATRE.

Gassner levou novas formas de fazer teatro para as suas aulas: Farsa Atelana, Commedia dell'Arte, os Mímicos da Antiguidade, Drama Social, Teatro Jornal, Teatro Épico etc. Havia também aulas de cenário, que incluía "Projeto e Encenação" — com o estudo das formas cênicas de diferentes períodos e suas evoluções, coordenada por Mordecai Gorelik[12] — e "Construção de Cenário como parte integral da peça", com Paul Zucker,[13] que começou a dar vários outros cursos. No programa de 1947, ele assume "História e Sociologia do Teatro". Havia, ainda, o "Seminário em Prática Avançada de Teatro", no qual se estudava os mais diversos mecanismos de palco (esteira, escada rolante, elevador, mesas giratórias de palco e plateia) e tipos de projeções, muitas delas usadas por Piscator no Teatro Piscator, em Berlim, e que fariam parte do sonho do Teatro Total,[14] projetado (mas não realizado) com Walter Gropius.

Nas aulas de "Técnica de Direção", muitas ministradas diretamente por Piscator, os alunos escolhiam as peças, o elenco, faziam leituras, montagens e também a direção; o conjunto do trabalho era criticado em aula e poderiam participar apoiando as montagens profissionais do Studio Theatre. No "departamento de atuação" se trabalhava com o que havia de mais atual: método Stanislavski — "durante os primeiros três ou quatro anos, as aulas de representação estiveram a cargo de Stella Adler, já uma importante defensora do método Stanislavski... e em 1947 Lee Strasberg veio ensinar nos cursos de representação e direção" (Willet, 1978a, p. 6) —, Meyehold, o simbolista Tairoff, Louis Jouvet, George Pitoeff e Jacques Copeau. Trabalhava-se entre o "teatralismo" e o naturalismo, mas pontuando sempre o Teatro Épico.

---

12. Importante cenógrafo de esquerda que trabalhou com grupos de teatro político. Encontrou Brecht em 1935, que influenciou profundamente suas teorias e projetos e se tornou um defensor de Brecht e Piscator.
13. Outro exilado pelo nazismo, Paul Zucker fez parte do Novembergruppe (Grupo de Novembro), fundado em dezembro de 1918, em resposta à Revolução Socialista de Novembro, na Alemanha. Fizeram parte deste grupo de artistas: Walter Gropius, Kurt Weill, Brecht, Otto Muller, George Grosz, John Heartfield, Hannah Hoch, entre outros.
14. Teatro Total, de Walter Gropius. Disponível em: https://www.youtube.com/watch?v= 3zPq5R9It2U. Acesso em: 15/01/2015.

"The action must be clear," says Stella Adler.

II Acting
STELLA ADLER
Chairman

Acting can best be taught in small groups of equally accomplished students. All student actors are required to take a minimum of ten hours of supervised class work each week: on the basis of demonstrated ability, they are variously assigned to work in the following courses:

1 II TECHNIQUE OF ACTING.
Stella Adler
Assistant to be announced

The actor is his own material; he must learn to control it so that he can use it at will, finally to create a character.

When the actor has trained himself in the fundamentals of action, imagination, improvisation, characterization, etc., he has done the basic work, and is prepared to proceed with the study of a role, to analyze it from the standpoint of the play as a whole and of its own main line of action.

Programa do curso coordenado por Stella Adler. nele se lê: "A atuação pode ser melhor ensinada em pequenos grupos de alunos igualmente talentosos. Todos os estudantes de representação têm de frequentar um mínimo de dez horas de trabalho supervisionado por semana (...). O ator é seu próprio material; ele deve aprender a controlá-lo para que possa usá-lo à vontade para criar um personagem. Quando o ator está treinado ele próprio nos fundamentos da ação, da imaginação, da improvisação, da caraterização etc., ele fez o trabalho básico e está preparado para prosseguir com o estudo do personagem e analisá-lo do ponto de vista da peça como um todo e de sua própria linha de ação principal".THE NEW SCHOOL ARCHIVES AND SPECIAL COLLECTIONS/ SERIES 7. DRAMATIC WORKSHOP AND STUDIO THEATRE.

Piscator respeitava o teatro de Tchekhov e Stanislavski, mas depois de sua experiência com a guerra e sua militância no marxismo lutava contra um sentimentalismo e uma mentalidade burguesa dos teatros românticos e realistas. Ele buscou juntar elementos de diferentes métodos e criou o que chamava de "atuação objetiva", em que se deveria representar não somente por meio dos sentidos, mas afastar-se do indivíduo, como em Brecht, porém sem chegar ao método da alienação. Para Piscator, o ator deveria contar uma história de forma instrutiva ao público e, estando consciente da presença deste, concentrar-se nele e não no meio do palco: "Na representação objetiva, não julgamos. E colocamos mais ênfase no poder do gesto do que no Método/Strasberg. Estamos interessados em transmitir ideias mais do que emoções".[15] Piscator e Strasberg debatiam abertamente as diferentes formas de representação, mas Piscator criticava o método de Strasberg dizendo ser "realismo açucarado, não realismo real", assim também como Boal. Maria Piscator dizia que o dramaturgo "achava que um ator devia ser capaz de fazer tudo, de interpretar qualquer estilo, de ser um bailarino, um coreógrafo, um acadêmico" (Hirsch, 1984, p. 118-119). Para Piscator, o objetivo do trabalho com os atores é substituir a atitude/pensamento individual pelo espírito coletivo (2013, p. 67). As classes de "Teatro Épico" estudavam desde suas origens chinesas e gregas até como foi reconfigurado de forma crítica para o teatro moderno, sendo fortemente baseado em conteúdo histórico ou eventos da atualidade.

Existia, ainda, uma aula específica chamada de "Laboratório de Teatro Comunitário", cuja proposta era que alunos fizessem produção de peças, dramaturgia, iluminação, maquiagem, figurino, cenário, tudo o que se faz necessário para criar uma peça em centros comunitários, igrejas, escolas públicas, faculdades, reformatórios, hospitais, e agências sociais, entre outros espaços alternativos e não profissionais. Pode-se dizer que é muito semelhante ao que um curinga do Teatro do Oprimido deve saber e fazer em seus grupos populares.

Depois foram incluídos cursos de rádio, cinema e televisão, com o corpo docente formado por vários críticos de Hollywood — alguns, inclusive,

---

15. "Eu vim assim meio embalado com o Actors Studio, com Stanislavski e tudo — o que eu fazia era o seguinte: 'Olha, é a emoção que vai dar a forma, sim, mas vamos primeiro ver a ideia. Qual é a ideia que vai gerar essa emoção, e essa ideia, concreta, gera uma emoção que então vai dar sua forma'. Eu insistia na ideia" (Boal, 2001, p. 29-30).

estiveram na famosa "lista negra de Hollywood":[16]Arthur Knight, Erik Cripps, Paul Falkenberg, Leo Hurwitz,[17] Lewis Jacobs, Paul Petroff, Harry L. Robin, Nathan M. Rudich e Ira Wit.

O programa aplicado no Dramatic Workshop, portanto, abrangia uma diversidade de conhecimentos e culturas, não se limitando ao teatro europeu. Alguns autores consideram que Piscator abriu mão de suas opiniões marxistas, de alguma forma, para poder se adaptar aos Estados Unidos. Esse é um debate que não farei aqui — porém, mesmo que ele tenha cedido em alguns pontos, para mim é muito óbvio que havia um programa de teatro de esquerda, que teve, entre seus professores, vários marxistas, outros não, mas todos críticos de uma sociedade conservadora. Piscator buscava realmente mobilizar e criar grupos não somente de atores, no sentido convencional da palavra, mas de militantes. O Dramatic Workshop foi muito importante na formação de trabalhadores da cultura do movimento de teatro *off-Broadway*. No programa de 1949-1950, há o seguinte ponto:

> Atividades de Graduados e Estudantes, 1947-1949
>
> Desde o princípio, o Dramatic Workshop encoraja seus alunos a construir e se juntar a grupos de repertório. Estamos orgulhosos em anunciar o Décimo Aniversário de um dos mais importantes grupos formados em Nova York (organizado recentemente como a Liga de Teatro Experimental da Broadway — The off-Broadway Theatre League). Foi não só fundado por alunos do Dramatic Workshop, mas a maioria dos seus membros (atores, diretores, técnicos) é constituída por graduados da escola.

Destaco também alguns depoimentos de Judith Malina, aluna do Dramatic Workshop que criou um dos grupos de teatro político mais conhecidos e que continua até hoje em atividade, o Living Theatre:

> Nossa classe começava às 10 da manhã e terminava às 11 da noite, ou depois da peça de sexta. Era o March of Drama, que provava ser a semente da 'escola que era um teatro'. Uma ideia linear e pedagógica.

---

16. A "Lista Negra" de Hollywood era composta de artistas estadunidenses simpatizantes do comunismo. Seu objetivo era negar-lhes emprego e alguns chegaram a ser presos.
17. O nome de Leo Hurwitz também estava no livro anticomunista *Red Channels*.

O March of Drama apresentava o panorama da história do teatro desde Ésquilo até o presente. A Escola de Piscator não poderia apresentar um curso de história sem relacioná-la especificamente com os tempos modernos, na perspectiva de Marx e Toynbee, por meio de lições do fascismo e do socialismo, das duas grandes guerras e sobre nossa esperança no futuro. Nas noites de sexta-feira, John Gassner ou Paolo Milano discutiam um período específico e suas perspectivas históricas. Eles analisavam o trabalho específico a ser mostrado como um exemplo do estilo e da política de cada época. Gassner e Milano apresentavam cada período em seu contexto econômico e cultural. Demonstravam para nós a qualidade épica que coloca a dramaturgia no curso das mudanças históricas e como ela aprofundava nossa compreensão do entretecer dos tempos. Depois de uma palestra de Milano ou Gassner, um dos estudantes de direção apresentava uma leitura dramática da peça escolhida pelos estudantes. (Malina, 2012, p. 203)

19 de fevereiro de 1950

Ele fala, desapontado com o trabalho do Dramatic Workshop, que não construiu uma vanguarda de teatro político por todo os EUA.

'Eu [Piscator] desejo fazer cada ator um pensador e cada dramaturgo um lutador'.

Ele [Piscator] fala da necessidade de ações de massa: 'Ação individual não é o bastante no nosso tempo atual'. Ele fala sobre Marx: 'Nós devemos fazer o nosso trabalho, e como uma contribuição pessoal nos juntar ao partido cuja política mais próxima expresse nossa possibilidade de contribuição social'. (Malina, 1984, p. 100)

Adiante, Judith Malina comenta os processos de criação de Piscator, bem como a participação de Gassner e outros. No caso, ela aborda a montagem de *As Moscas*, de Sartre, realizada em 17 de abril de 1947:

> Piscator me pediu para escrever uma cantata... Escrevi a cantata, mas no final Piscator teve uma ideia melhor — como prólogo, projetou filmes documentários dos nazistas marchando pela avenida do Champs Ëlyse e sob o Arco do Triunfo de Napoleão. No entanto, o uso do filme na produção de Piscator causou controvérsia. Durante o ensaio geral, várias pessoas, John Gassner entre elas, objetaram ao prólogo dizendo que seu impacto enfraqueceria a estrutura clássica. A notícia da controvérsia

chegou até Sartre, que enviou Simone de Beauvoir como seu emissário para Nova York. Piscator sugeriu que eles apresentassem duas versões, com e sem o filme. Era evidente que o público estava mais entusiasmado quando a peça foi precedida pelo filme.[18] E Simone de Beauvoir, também, aprovou-o, chamando a produção de 'uma das poucas experiências teatrais que elevam o teatro para além de sua insensatez autocomplacente, restituindo ao público seu papel ativo'. De Beauvoir veio aos bastidores para louvar o nosso trabalho, e em seguida posou para fotos com a gente sob a estátua de papel machê de Zeus, com Piscator e Maria Ley. [...] Esperando o posicionamento da câmera, eu ouvi Beauvoir dizer para Piscator:

> 'Esta peça não aconteceu no passado, mas no nosso futuro — é a crise moral do nosso futuro'. E Piscator educadamente a contradisse: 'Não creio, é a crise moral do nosso presente que estamos representando aqui'. (Malina, 2012, p. 203)

Pode-se ver que existe uma grande interação entre o processo do March of Drama e a criação coletiva dos alunos e a direção de Piscator. A parceria e a admiração entre ele e Gassner podem ser ainda confirmadas a partir das cartas trocadas, que começaram com o trabalho no Dramatic Workshop e continuaram até o fim de suas vidas. Em 16 de maio de 1940, Piscator escreveu a Gassner: "Eu ainda estou procurando alguém que pudesse me ajudar nos diálogos de *Guerra e paz*. Eu hesitei em pedir a você por causa de seu excesso de trabalho/agenda, naturalmente eu ficaria feliz se você pudesse" (Piscator, 2012, p. 173). Em 27 de maio de 1942, Gassner deu sua opinião sobre a produção de *Guerra e paz* ao amigo:

> Eu não tenho o hábito de escrever cartas de congratulações, mas eu não posso deixar de expressar a minha profunda admiração pela produção. Pareceu-me mais verdadeiramente criativa, inteligente, e engenhosa do que qualquer coisa que eu já vi na Broadway em 15 anos. (Piscator Papers).

---

18. "(Piscator) exibiu, antes do espetáculo, um filme sobre a guerra, sobre a ocupação, a tortura e outros males do capitalismo. Piscator não queria permitir que se pensasse que a obra tratava dos gregos, que eram aqui simples elementos simbólicos de uma fábula que contava coisas pertinentes do mundo atual" (Boal, 1991, p. 106).

Piscator, Simone Beuavoir e os atores da montagem de *As Moscas* de J. P. Sartre.

THE NEW SCHOOL ARCHIVES AND SPECIAL COLLECTIONS/ SERIES 7. DRAMATIC WORKSHOP AND STUDIO THEATRE.

Um dia depois da morte de Piscator (30 de março de 1966), Gassner escreveu uma carta de condolências para a viúva, Maria Ley Piscator, e família: "Eu sei que eu nunca conheci alguém igual em visão dramática, verve teatral, consciência social e graça pessoal, bem como a integridade artística" (Piscator Papers).

Gassner publicou uma verdadeira biblioteca de teatro que focava justamente no debate sobre o teatro contemporâneo, os limites do realismo e do drama, e suas possíveis alternativas: *Dramatic sounding, The theatre in our times*, entre outros. Contudo, um dos livros que teve mais importância na formação de Boal foi *Producing the play*, um compêndio sobre teatro que contém textos do próprio Gassner, escreve sobre diferentes estilos teatrais e até de agitprop, e de vários colaboradores em diversas áreas específicas, e a presença de muitos professores do Dramatic Workshop, como Lee Strasberg, sobre atuação e treinamento de atores;[19] Harold Clurman, sobre os princípios

---

19. É nesse livro que Lee Strasberg escreve, num capítulo de 34 páginas, a primeira sistematização formal de seu *O Método*. São 36 páginas divididas em "A representação e a formação do ator, -Natureza e desenvolvimento da representação/ O surgimento da moderna representação. -A Formação do Ator: Armadilhas. Uma abordagem à representação/Problemas Físicos, Exercícios para Alívio de Tensão/Caracterização. Formação moderna: Sentido e memória afetiva. Trabalho sobre si próprio/Trabalho mental Trabalho físico, Trabalho emocional, Exercícios dos Sentidos, Exercícios de Grupo, Exercícios de Concentração, Ativação do Ator, "Viver-através-de".

da interpretação; Aline Bernstein, sobre figurino; Abe Feder, sobre iluminação; George S. Kaufman e Worthington Miner, sobre direção; e Mordecai Gorelik, sobre cenário e muitos outros. Os textos abordam os tipos e estilos de teatro — simbolismo, expressionismo, formalismo, construtivismo, teatralismo e Épico —, com um artigo de Piscator chamado *O teatro pode pertencer ao nosso século*. Esse livro discorre sobre teatro comunitário, iluminação, produção, direção, figurino, maquiagem, música, dança, e rádio, entre outros assuntos. Foi, sem dúvida, marcante para Boal, tanto que ele o cita em uma entrevista a Fernando Peixoto, mostrando um pouco de seu cotidiano em Nova York:

> Mas o que eu mais fazia neste período era ler, estudar. Lia da manhã à noite. Passava dias nas bibliotecas. Foi a partir daí que realmente comecei a encarar o teatro como uma coisa séria. Comecei a compreendê-lo como um fenômeno social. Senti uma verdadeira importância. E explorei Gassner, até o fim: eu escrevia, ele lia, discutia, não concordava etc. Eu queria que ele dissesse tudo, e realmente aprendi muito. Ainda hoje mantenho correspondência com ele. E penso em traduzir um de seus livros, *Elements of production* [aqui acredito que seja um equívoco do próprio Boal ou talvez da própria transcrição, pois o nome do livro é *Producing the Play*]. (Peixoto, 1980, p. 29)

Dando continuidade à pesquisa sobre as aulas de Gassner, por meio de informações de arquivos de Columbia e Yale, pude ver modelos de suas aulas de dramaturgia. Nelas, inclusive, é possível ver a bibliografia usada por Gassner, que era composta pelos dois primeiros volumes de *Treasury of the theatre* e quatro livros de Gassner ou organizados por ele — *Form and idea in Modern Theatre, The theatre in our times, Best european plays on the american stage, Producing the play* (citado acima) —; o livro de Francis Fergunson *The idea of a theatre; European theories of the drama,* de Barret H. Clark (o mesmo que Boal havia lido no Brasil e que o fez se interessar por Gassner); e dois livros de Eric Bentley — *The playwright as thinker* (*O dramaturgo como pensador*) *e In search of theatre*. Também pode-se ver uma lista grande das peças que eram lidas, numa divisão histórica e de estilo muito semelhante à feita por Gassner e Piscator em *March of drama/Dramatic workshop*, incluindo duas das principais peças do *Living Newspaper*/Teatro Jornal, as já citadas *Power* (*Poder*) e *One-third of nation* (*Um terço da nação*). Além dessa bibliografia, havia um plano de aula específico, realizado em seu período em Yale, pós-Columbia.

Gassner cita que também usava a metodologia de trabalho de G. P. Baker, um professor de dramaturgia, formado em Harvard, que começou, no ano de 1905, uma metodologia chamada *47 workshop*. A ideia era que os próprios estudantes pudessem debater suas criações, ajudando a revisar e reescrever, de modo que depois pudessem ver o trabalho encenado, trabalhando também a concepção de palco, iluminação, figurino etc.

> Eu (Boal) dei o *Martin Pescador* para o John Gassner ler. Normalmente os alunos leem as peças em aula (depois do Gassner ter lido) pra comentar depois. Na aula seguinte o Gassner mesmo leu a minha peça em classe, e modéstia à parte eu me senti como se estivesse no Rio em dia de estreia de peça minha (que como nós bem sabemos ainda não aconteceu). Todo

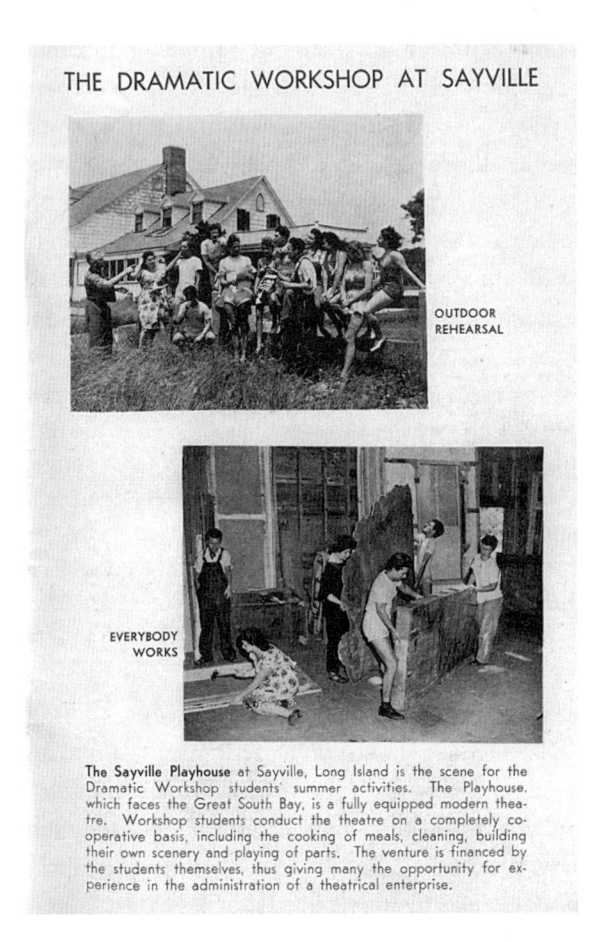

O Teatro Sayville Playhouse é onde acontece as atividades do curso de verão dos alunos do *Dramatic Workshop*.
O teatro é perto da praia, moderno e equipado.
Os alunos organizam as atividades teatrais de forma cooperativa, incluindo a preparação de refeições, limpeza, construção de seus próprios cenários e interpretação de papéis.
O empreendimento é financiado pelos próprios, tendo assim a oportunidade de aprender sobre produção e administração de um teatro.

THE NEW SCHOOL ARCHIVES AND SPECIAL COLLECTIONS/ SERIES 7. DRAMATIC WORKSHOP AND STUDIO THEATRE.

mundo veio falar comigo, perguntar sobre coisas do Brasil. Eu acho que nessa altura o governo brasileiro devia me conceder uma medalha (Ordem do Cruzeiro do Sul, qualquer coisa assim) pela obra meritória (meritória!) de divulgação das coisas e valores nacionais! (Boal, 1954).

Voltando à bibliografia indicada por Gassner, o fato de ela conter livros de Eric Bentley só confirma sua visão aberta a críticas e novidades. Bentley foi um dos principais estadunidenses responsáveis pela entrada de Brecht nos Estados Unidos, tendo traduzido e dirigido peças deste, além de se tornar seu amigo. Bentley também era amigo de Gassner, inclusive em alguns livros este agradece sua ajuda (Bentley, 1981, p. 248).

Bentley começou a dar aula na Universidade de Columbia em 1953, ano em que Boal chegou aos EUA. O brasileiro o cita em uma entrevista para um jornal argentino, sem data precisa, talvez 1971, em que comenta sobre sua formação nos Estados Unidos: "John Gassner e Eric Bentley tiveram a culpa", não se sabe se diretamente, por meio de aulas, ou pelos livros indicados por Gassner. Outro ponto em comum entre Gassner e Bentley foi Brecht. Numa carta de 19 de junho de 1947, de Gassner a Bentley, ele fala sobre sua admiração pelo autor alemão e diz que Bentley fez uma bela tradução do *Círculo de giz caucasiano*, precisando de pequenos ajustes, mas que a está recomendando ao grupo Experimental Theatre para sua montagem, que acaba não acontecendo.

> Mas a história acabou sem um final feliz. Brecht não soube que seu nome chegou até Gassner e de sua avaliação positiva, e então não se conseguiu uma produção para montar *Círculo de giz caucasiano*. Mas o entusiasmo de Gassner por Brecht, sem dúvida, influenciou a decisão do (Grupo) Experimental Theatre de 3 meses depois escrever para Brecht sobre produzir uma outra peça dele que estava prestes a começar a ensaiar. Foi quando o grupo escreveu a Gassner para falar sobre a versão estadunidense de (A vida de) *Galileu*. (Lyon, 1980, p. 166)

Na verdade, Gassner conheceu Brecht pessoalmente muito antes, ainda em 1935, quando este esteve nos Estados Unidos para participar do simpósio *Poetry and music in the labor theatre* (*Poesia e música no teatro do trabalhador*). Desde essa época, Gassner tornou-se um admirador de Brecht, apesar de sua crítica desfavorável à montagem estadunidense da peça *A mãe*, que o próprio Brecht também não havia gostado e criticado (Lyon, 1980, p. 16).

Outro autor que Gassner indicava na bibliografia e que era seu conhecido foi o já comentado John Howard Lawson, famoso militante comunista. Sobre um dos livros clássicos de dramaturgia de Lawson, *Teoria e técnica da dramaturgia [Theory and technique of playwriting]*, Gassner diz: "O livro de Lawson é de extraordinário valor para dramaturgos, estudantes e professores de teatro" (Lawson, 1960, contracapa). Nessa obra, o autor passa pela história da teoria da dramaturgia desde Aristóteles, Renascença, séculos XVIII e XIX, chegando aos modernos. Fala sobre o teatro de hoje e as regras da estrutura dramatúrgica: lei de conflitos, ação dramática, unidade nos termos do clímax, processo de seleção, conjuntura e contextualização social, composição dramática, continuidade, exposição, progressão, cenas obrigatórias, clímax, caracterização, diálogo e público. Todo o livro é construído de forma a deixar claro que as alterações e ações dramáticas têm conexões diretas e indiretas com suas realidades políticas, sociais e econômicas, com uma linguagem literalmente marxista, mas sem ser sectário. Lawson apresenta no livro a importância das obras de Marx e Engels para a arte e critica aqueles que enxergam o marxismo de forma dogmática e com um determinismo econômico. Ele defende a herança da dialética hegeliana no marxismo e a sua recusa pela metafísica de Hegel, indicando que os fenômenos do mundo real não são absolutos e definitivos e apontando a importância permanente da pesquisa nos processos da sociedade por meio do materialismo dialético (Lawson, 1960, p. 45). Boal absorveu vários pontos das regras colocados por Lawson e fez uma proposta própria, que desenvolveu, praticou e ensinou na Escola de Arte Dramática de São Paulo (EAD), nos anos 1960.

Gassner é realmente um teórico de mão cheia, detentor de uma riqueza impressionante e aberto a novas formas de teatro, que lamenta o avanço do niilismo dramático pós-Primeira Guerra Mundial e considera o realismo socialista um teatro realista elementar "de menino que ama trator", e, assim, reforça que os dois movimentos que foram contrários ao niilismo do modernismo pós-realista foram o existencialismo e o realismo épico — reconhecendo neste segundo os dois líderes, Erwin Piscator e Bertolt Brecht, que fazem um teatro carregado de objetividade em que tipos de Teatro Documentário são desenvolvidos. Para Gassner, o Épico rejeitou o estilo realista como limitado, apontando um desejo de teatralizar a realidade social, criando um estilo próprio e um método. Gassner sabe que a peça épica tem cenas interdependentes que podem ser conectadas por elementos não realistas para quebrar o vínculo emocional e destruir a ilusão da quarta parede com narrações, músicas, coros, *slides*, projeções, tabelas, *slogans* e explicações voltadas para o público em uma lógica didática — *Lehrstück (Brecht)* —, e aponta variações do Épico, como ópera cômica (Ópera dos 3 vinténs), o Teatro Jornal do Federal Theatre Project, biográfico (*Galileu)*, e parábola (*A alma boa de Setzuan*), afirmando que o Épico é antirrealista e antiaristotélico e que foi o estilo mais efetivo que qualquer dos desvios subjetivistas primários do realismo (Gassner, 1968a, p. 661).

Gassner achava o trabalho de Brecht coeso e acreditava que ele transformou e mostrou o seu antiaristotelismo de forma prática na sua dramaturgia, na direção de palco e de atores, desenvolvendo um meio teatral moderno para uma moderna realidade social. Considerava, ainda, que Brecht passou pelo idealismo e pelo materialismo, ou pelo romantismo e pelo marxismo, sem nenhum senso particular de desconforto ou incongruência. Fez um teatro que diverte, mas sem iludir. Brecht foi o dramaturgo que mais radicalizou ao extirpar a pena, o terror, a catarse, a unidade e a ilusão de Aristóteles como principais valores dramáticos. Ele conseguiu ampliar e renovar o realismo e, ao mesmo tempo, produzir um teatro da imaginação e poético, resolvendo a maior oposição do teatro moderno. Para Gassner, Brecht deixa explicito que seu objetivo não era eliminar as tensões e os conflitos, mas, ao contrário, fazer-nos conscientes destes processos estruturais, provocar-nos, e, a partir desse conhecimento, fazer-nos agir na vida, na sociedade, e transformá-la concretamente (Gassner, 1954, p. 89-96). Assim como Boal iria propor no Teatro do Oprimido.

Gassner usa o conceito "teatralismo/teatralista" (depende da tradução), em que expõe claramente o Teatro *Épico* e o Teatro Jornal como sendo possibilidades dessas novas formas. Ele sempre se mostra aberto e em busca, fazendo afirmações precisas sobre os limites do realismo, mas não dando respostas fechadas, embora demonstre, sem sombra de dúvida, uma admiração pelo Épico. Gassner, já no período em que Boal estava na Universidade de Columbia, tinha esse debate afiado, ainda mais depois de dez anos trabalhando com Piscator e tendo visto, debatido e contribuído com suas montagens. Era um liberal de esquerda, embora não identificado com o marxismo. É importante lembrar que o país se encontrava em pleno período de caça às bruxas — o macarthismo.

Gassner enxerga o dilema que o teatro vive, nos anos 1940-1950, de como representar essas realidades, e tem ainda um certo lado nacionalista, buscando a maior valorização de autores estadunidenses. Nos documentos das aulas do

Dramatic Workshop aparece como um dos objetivos a criação de autores e peças estadunidenses (da mesma forma que Boal, mesmo antes de viajar para os EUA e depois no Arena, teve essa preocupação em relação ao Brasil). Mas como o movimento de esquerda do teatro nos EUA não conseguiu "chegar" ao Épico, a "vanguarda" teatral e política local — como o Theatre Union, o Group Theatre, alguns da *Partisan Review* e até do Partido Comunista estadunidense — criticava a opção por essa forma de teatro (Farrel, 1936). Uma exceção foi Stanley Burnshaw, no *New masses* (1935), que viu na peça de Brecht um tipo diferente de realismo e criticou a esquerda estadunidense, que ainda estaria presa a uma estética tradicional que a levava a fazer uma crítica limitada.

Talvez Gassner não tenha dado esse salto para o Teatro Épico, mesmo que o identificasse como uma possibilidade, não só por conta de suas limitações, mas por partilhar da visão de praticamente todo o teatro de esquerda nos EUA, como Odets, Clurman, Strasberg e outros que não chegaram ao Épico — fizeram até a velha crítica de que ele seria só propaganda, "não é teatro". Não houve nos EUA um movimento de massa como na Alemanha e na Rússia, que provocou novas criações. Nesse sentido, o Teatro Épico é filho dessa conjuntura histórica.

Nessa linha de raciocínio, Gassner é um legítimo descendente da tradição inglesa. Em seus textos, quando utiliza "classe média", essa expressão está associada à própria burguesia na língua inglesa. Seu pensamento não só não é marxista como também poder-se-ia dizer que seu reconhecimento do valor da obra de Brecht é pré-brechtiano. Isso fica mais claro quando são colocadas questões como o "moralismo em Brecht", que é uma ideia extremamente conservadora, e já se estava no século XX. Brecht se distancia de qualquer ideia de moralismo: ele foi diretamente para a questão política, passando a estudar o marxismo e entrar na arena da luta de classes.

Essas questões estavam completamente fora do horizonte de Gassner. O que não o impediu de entender o Teatro Épico melhor do que quase todos os outros críticos estadunidenses, pois era um estudioso e crítico sério, que conseguiu avançar em vários pontos. Considerando sua postura liberal, ele não atinou para a dialética dos gêneros. Acreditava, nesse período, em formas do fazer teatral diferentes e críticas ao capitalismo, como o Épico, mas optou pelo drama — por isso mostrava seu interesse pela questão da catarse e de toda sua recepção, ficando, dessa forma, em um meio-termo. Avançou, mas não radicalizou. Faltou-lhe a dialética. Gassner não tinha a mesma percepção que Brecht da suprassunção (*Aufheben*) do drama pelo Teatro Épico. Quando ele usa "estender" quase se aproxima do "superar" ou mesmo do "suspender", que é outra tradução possível para o termo *Aufheben,* visto que o verbo no texto dele é *"to extend"* (Gassner, 1954, p. 82), que também pode ser traduzido por "ampliar, alargar, prolongar". Em outras palavras, Gassner não "suspende", ele não "se eleva", ele não sai do nível, como se achasse que poderia fazer a "superação", ficando no mesmo nível da realidade que se oferece (sabendo, obviamente, que para se ter a realidade da conjuntura épica da Alemanha, isso não dependeria somente dele). Para isso precisava enfrentar o conflito, não o negar; não somente ampliar, mas passar de nível do próprio processo da luta de classes e avançar na crítica.

Em alguns textos de Gassner ainda há uma indefinição em relação ao conceito de realismo. Não se tem a clareza do Teatro Épico como resposta, apenas como possibilidade. Então, inclui ainda a questão do teatralismo, que foi o truque do teatro francês para esvaziar a luta verdadeira que estava em andamento (Teatro Épico = aliado da revolução x teatralidade = um esteticismo a mais). Gassner foi mais profundo do que outros autores, que acreditavam dogmaticamente que tem de ser UM (empatia) ou OUTRO (distanciamento). Mesmo não sendo um marxista, mas, digamos, um "hegeliano de esquerda", provocador, ele estava aberto às experimentações.

Brecht e Piscator tiveram como referência a revolução de outubro de 1917 e os movimentos na Alemanha dos anos 1920; e Gassner, a realidade estadunidense. Por isso, os pontos de vista dele e de Brecht/Piscator podem ser tão diferentes — mas não inconciliáveis, desde que sejamos dialéticos e não percamos o horizonte, que ainda é o da revolução, ou da suprassunção propriamente dita.

Poder-se-ia dizer que Gassner está no campo do idealismo inteligente, como diz Lenin nos *Cadernos filosóficos*: "O idealismo inteligente está muito mais próximo do materialismo inteligente do que o materialismo tacanho" (Lenin, 1973, p. 260). Gassner forneceu ferramentas, textos, conhecimentos e teorias para que aqueles que aprenderam com ele tivessem a capacidade de enxergar, identificar e realizar a partir de uma realidade, uma conjuntura com terreno fértil (por exemplo, o Brasil nos anos 1950/1960). Assim, poderiam concretizar uma síntese, criar uma forma artística que pudesse ou não, com a realidade posta, ter sua suprassunção, ou, melhor dizendo, sua revolução. E é essa possibilidade que vai ser abordada no próximo capítulo (processo do Teatro de Arena, CPC e outras iniciativas).

LANGSTON HUGHES, "THE BEST OF SIMPLE" OU, SIMPLESMENTE, "O MELHOR"

Em sua autobiografia, Boal contou sobre seu encontro com o famoso poeta Langston Hughes:

> Descobri que a Universidade tinha um programa cultural. Langston Hughes, famoso poeta negro, ia fazer uma conferência. Me lembrei de uma carta que Abdias queria que eu lhe entregasse. Fui. No fim dos aplausos, cumprimentos. Fila. As pernas começaram a tremer e eu me lembrei da tremedeira que tive quando vi Nelson Rodrigues. Imaginei a emoção que teria apertando aquela mão, celebridade mundial. 'Mr. Hughes... my friend... Abdias, you know... my very good friend... a brother... this letter... see? It is for you... He wrote himself... by himself... for you... for himself... não sei. It is yours! Take it' — as palavras estavam, na maioria, certas; o estilo, sincopado. A sintaxe, aleatória. (Boal, 2000, p. 125)

Após esse encontro, Hughes convidou Boal para ir ao Harlem, onde conheceu locais culturais e políticos do movimento negro em NY. Nesse período, já era possível sentir a efervescência do movimento dos direitos civis, que começaria nos anos 1950. Langston Hughes foi um dos principais artistas do movimento cultural Harlem Renaissance (Renascimento do Harlem), que ocorreu de 1919 a 1940 e influenciou o país com seus artistas e propostas políticas. É lembrado, especialmente, por conta de poetas como Contee Cullen, Jean Toomer e Claude McKay (comunista e bissexual), e deixou um estopim que explodiu no movimento dos direitos civis. O Harlem Renaissance foi uma semente no movimento dos direitos civis e este provocou uma organização comparável aos movimentos operários na Europa, onde também houve uma grande mobilização e auto-organização com objetivos socialistas, como aponta C.L.R. James (1996). Havia conexões diretas com uma proposta anticapitalista desde os anos 1930, o Partido Comunista (PC) organizou e formou muitas pessoas dos movimentos pelos direitos civis. Apesar dos movimentos dos trabalhadores estarem em declínio, o movimento negro estava em ascensão. Nos anos 1950 a luta dos negros tomou uma proporção revolucionária: "O objetivo de uma sociedade sem classes é exatamente o que esteve e que está hoje no coração da luta dos negros. São os negros que representam a luta revolucionária por uma sociedade sem classes" (Boggs, 1963, p. 136).

Hughes foi um admirador do comunismo. Vários dos seus poemas refletem sua ideologia e foram publicados nos jornais do PC dos EUA. Em 1932, visitou a União Soviética. Apoiou várias iniciativas de organizações comunistas, como a Liga Comunista criada pelo John Reed Club e a Liga pela Luta dos Direitos dos Negros (LSNR). Em 1953, foi chamado perante o Senado estadunidense, na Subcomissão Permanente de Investigações liderada pelo senador Joseph McCarthy (Hughes, 1953, p. 973).

Em 1951, lançou um de seus principais livros de poesia, *Montage of a dream deferred* [*Montagem de um sonho adiado*], que incluía *Harlem*, um de seus poemas mais famosos, usado na luta pela igualdade racial. Em 1961, escreveu o poema *Lumumba's grave* [*O túmulo de Lumumba*], um protesto pelo assassinato do líder revolucionário e anticolonial Patrice Lumumba. Em 1962, escreveu *Fight for freedom: the story of the NAACP*, que conta a história de uma das organizações mais antigas na luta pelos direitos dos negros nos EUA. Seu último livro, de 1967, chama-se *The panther and the lash* [*A pantera e a chibata*], publicado postumamente e dedicado a Rosa Parks. No livro, ele reflete e se engaja com o movimento Black Power e com o Black Panther Party (Partido dos Panteras Negras) e reafirma sua luta antirracista e anticapitalista.

SCOTTSBORO LIMITED

Hughes, além de poeta, foi dramaturgo. A peça *Scottsboro limited* foi escrita no outono de 1931 e publicada na *New Masses*, uma revista marxista estadunidense ligada ao Partido Comunista dos EUA. Sua primeira apresentação foi em Los Angeles, em 8 de maio de 1932 — a estreia era para ter sido em Nova York no final de 1931, mas foi interrompida pela censura policial. No mesmo ano, a peça foi produzida em Paris e Moscou e traduzida para o russo. *Scottsboro limited* é baseada em um caso real: a prisão de nove jovens negros acusados sem provas (mais uma vez) de estuprar duas mulheres brancas, no Estado do Alabama, em 25 de março de 1931. O PC dos EUA assumiu a defesa dos jovens negros e o caso levou a debates sobre racismo e luta de classes. Rosa Parks, por exemplo, envolveu-se com política a partir da defesa organizada pelos comunistas aos *Scottsboro boys*. O PC era bastante envolvido no debate sobre raça e classe.

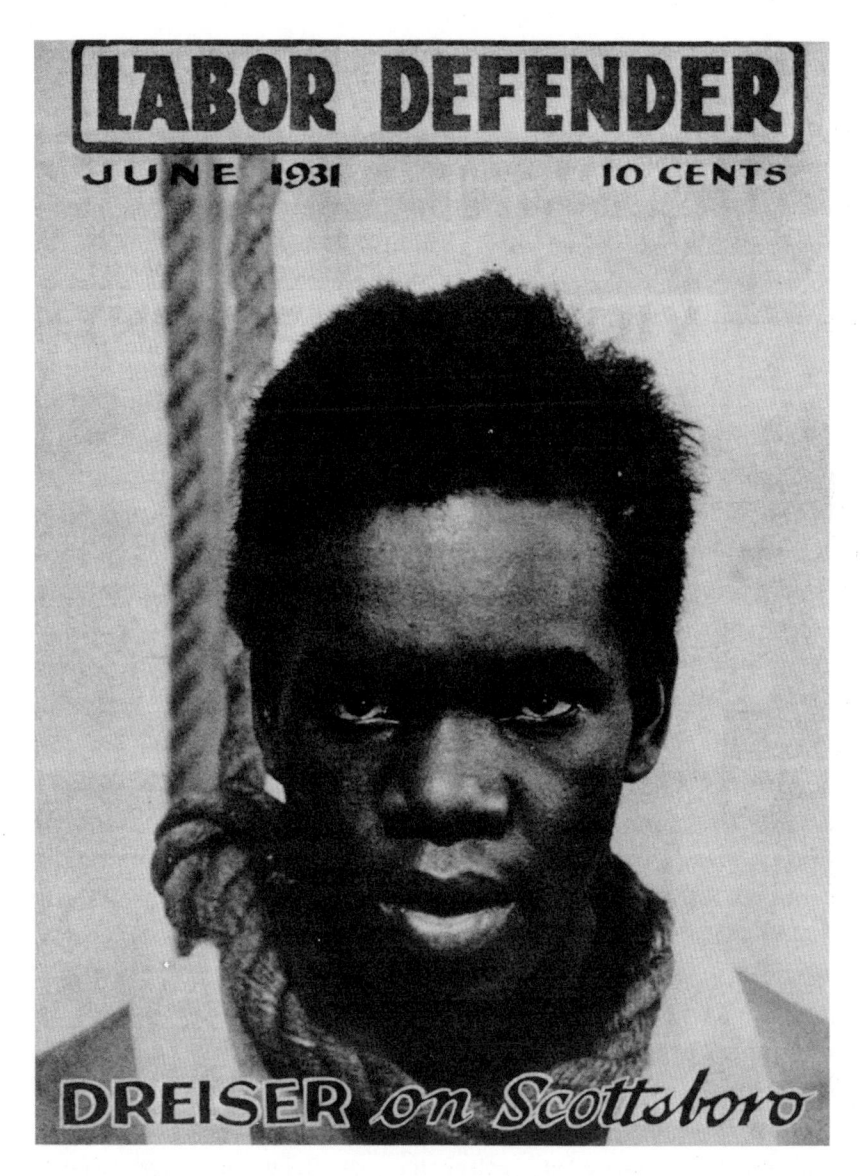

Capa do *Labor Defender* volume 6, de junho de 1931, editado por William L. Patterson, Sasha Small e Sender Garlin. A publicação durou de 1926 a 1937 e era apartidária e de defesa da classe trabalhadora contra as perseguições do sistema legal capitalista. Fez forte oposição aos racistas em especial da Ku Klux Klan. Langston Hughes escreveu em dezenas de números da revista e foi seu editor entre abril de 1936 e dezembro de 1937. Vários outros artistas também participaram da revista, como Upton Sinclair, Theodore Dreiser, John Howard Lawson e John dos Passos.

MIA: HISTORY: USA: PUBLICATIONS: LABOR DEFENDER.

A peça usava diversas técnicas de *agitprop*, como os grupos de vozes/coros que, de repente, gritavam do público e apoiavam o personagem branco racista. Havia, ainda, as "vozes vermelhas" que contra-atacavam, também vindas da plateia. A peça terminava com os personagens avançando, as mãos se unindo no palco e na plateia, gritando "Lute, Lute, Lute, Lute!" e cantando a *Internacional*. Um outro elemento era a rotação de personagens e atores. Na peça de Hughes temos oito personagens negros que representam os protagonistas dos *Scottsboro Boys* e um único ator branco faz diferentes personagens antagonistas: um membro do público racista, um xerife, um juiz, um guarda prisional e um pregador. Assim, os oito jovens negros têm sua fala individual e como coletivo, mas um ator branco interpreta diferentes personagens que representam diferentes instituições, teatralizando o racismo estrutural.

Brecht, um ano antes, na peça *A Decisão* — escrita entre 1929 e 1930, que estreou dia 13 de dezembro de 1930, em Berlim —, uma peça didática (*Lehrstück*), tinha três corais de operários e chegou a aplicar um questionário anexado ao programa para avaliar a aprendizagem política entre espectadores e atores e poder buscar ideias e sugestões, inclusive introduzirem novas cenas. Na história temos quatro agitadores que retornam a Moscou, vindos da China, onde colaboraram com o processo revolucionário. A missão foi bem, mas perderam um Jovem Camarada, morto por eles próprios. A peça aponta que a transformação da realidade está dialeticamente conectada entre a parte e o todo, o individuo e o coletivo. E assim as pessoas poderiam aprender a lutar contra a exploração indo para além do espetáculo em si. No inicio, os 4 agitadores falam ao "coro de controle": "Muitas vezes fez o que era certo, algumas vezes o que era errado, mas por último colocou em risco o movimento. Ele queria o certo e fez o errado. Exigimos sua sentença" (Brecht, ,p. 237) e durante a peça mostram diferentes situações "erradas e certas" onde existe uma troca dos atores que fazem o mesmo personagem: o *jovem camarada*. Semelhante ao que fez Hughes e o que faria Boal no sistema curinga

Boal, em 1º de maio de 1965, estreia na peça musical *Arena conta Zumbi* o que chamou de Sistema Curinga, no qual acontece a rotação de pessoas diferentes fazendo diferentes personagens. É interessante que a estreia dessa proposta acontece numa peça onde vários atores (negro, branco, mulher) interpretam o mesmo protagonista negro, Zumbi dos Palmares, e outros personagens. É como se Boal partisse do mesmo princípio, mas de maneira inversa. Em *Scottsboro limited*, assim como Zumbi, Hughes aponta a necessidade de uma musicalidade das falas: "O julgamento é conduzido no ritmo do *jazz*: as vozes brancas em *staccato*, altas e estridentes; as vozes negras profundas como o estrondo de tambores" (Hughes, 2000, p. 41). A peça explicita também os negros como trabalhadores, mostrando que é uma luta dos trabalhadores negros contra o capitalismo, não caindo em uma questão somente de raça ou de classe, mas abordando que uma está totalmente vinculada à outra.

HARVEST, 1934

O retorno de Hughes aos EUA o levou a São Francisco. Ele se tornou um participante ativo do John Reed Club local, onde conheceu Caroline Decker, ativista do Partido Comunista e organizadora sindical nos campos de algodão locais, que contou sobre o processo de organização dos trabalhadores.

Depois do depoimento de Decker, Hughes e Ella Winter se entusiasmaram e começaram a trabalhar em uma peça organizada de forma documental, baseada nas histórias dos próprios trabalhadores do campo, processo semelhante ao que Boal e Nelson Xavier fariam no Teatro de Arena na peça *Mutirão em novo sol* (1961). Hughes e Winter mantiveram uma grande coleção de recortes de jornais sobre a greve, da qual extraíram os detalhes da trama. Além dos jornais, os diálogos foram inspirados nas entrevistas feitas por eles com os trabalhadores do campo — Hughes pode ter conhecido essas técnicas em Moscou. *Harvest* seria como um documentário muito fiel à greve.

Hughes começou a sofrer ameaças e declarações racistas. A violência dirigida aos grevistas por "fazendeiros vigilantes" aumentava. Armados como milícia, passaram a ameaçar também Hughes e Winter. Os vigilantes são citados na peça, fazendo uma conexão com a Ku Klux Klan. Hughes descreve a conjuntura e a repressão contra os grevistas em um texto chamado *The vigilantes come knocking at my door* [Os vigilantes vêm batendo à minha porta]:

> Pouco antes de 4 de julho, com o patriotismo em alta... As armas dispararam, os cassetes da polícia bateram, as bombas de gás voaram. Dois homens morreram. Houve um funeral em massa. E a Guarda Nacional colocou atiradores no topo dos píeres para pegar mais trabalhadores. 'Atire para matar', disse o tenente-coronel Mittelstaedt. A Associação Industrial trouxe fura-greves profissionais do Leste, *gangsters* e bandidos. Mas, estranhamente, os jornais os chamavam de verdadeiros americanos e os elogiavam pelo que foram contratados para

fazer... Em São Francisco, os trabalhadores convocaram uma greve geral. Eles PROCURAM DERRUBAR A AMÉRICA, gritaram os jornais da Califórnia... Comitês de Cidadãos Ultra-patrióticos foram formados em São Francisco e nas cidades próximas para proteger o governo e a Constituição. Com grande simpatia pelos bandidos importados e fura-greves contratados, esses comitês foram elogiados pelos jornais e instados a começar a defender a lei e a ordem. Então, eles começaram imediatamente — sob a proteção do departamento de polícia — a destruir corredores dos trabalhadores, os escritórios dos trabalhadores do oeste, a sede do Sindicato dos Trabalhadores da Marinha, o Salão dos Trabalhadores Finlandeses, a Escola dos Trabalhadores... E mais do que nunca eles começaram a falar sobre a América, o americanismo, a Constituição e a bandeira. (Hughes, 1934, p. 12)

As instruções do palco no início do roteiro deixavam claro que qualquer produção deveria usar técnicas de *agitprop* semelhantes às empregadas em *Scottsboro limited*, com parte do elenco na plateia. Algumas técnicas usadas em *Harvest* lembram as produções do Living Newspaper/Teatro Jornal do Federal Theatre Project. A peça apresentava direitos trabalhistas não cumpridos; trabalhadores negros, mexicanos e brancos; e mostrava diferentes conflitos e contradições entre eles e a dificuldade de se organizarem e agirem em conjunto. Mais uma vez, Hughes abordou a delicada relação entre raça e classe, aqui incluindo os latinos.

ANGELO HERNDON JONES, 1935

Angelo Herndon Jones aborda a questão do recrutamento de trabalhadores afro-americanos para o comunismo. De todas as peças de Hughes, esta recebe a menção mais consistente dos estudiosos quando tratam dos laços do autor com a esquerda. *Angelo Herndon Jones* também usa a história de um personagem verídico para abordar os conflitos e contradições de formas de organização sindical entre brancos e negros em um processo de luta de classes. Herndon, um jovem militante negro do Partido Comunista, foi acusado de insurreição e preso em 1932 por organizar trabalhadores negros e brancos desempregados. Ele foi condenado, por um júri todo composto por brancos, a 20 anos de prisão. Uma das provas da promotoria foi o fato de encontrar "literatura comunista" em sua casa.

"**You Cannot Kill the Working Class**" by Angelo Herndon

Angelo Herndon, 1936. Panfleto com os dizeres "Não é possível matar a classe trabalhadora", publicado pelo *International Labor Defense* (ILD) e a *League of Struggle for Negros Rights*/Liga de Luta pelos Direitos dos Negros (LSNR). A LSNR foi organizada pelo Partido Comunista em 1930 e foi muito ativa na organização do apoio aos *Scottsboro Boys*. Langston Hughes foi seu presidente de 1934 até a sua dissolução em 1936.
MIA: HISTORY: USA: PUBLICATIONS: LABOR DEFENDER.

> Eu digo a vocês, eles podem fazer o que quiserem com Angelo Herndon. Eles podem me indiciar. Eles podem me colocar na prisão. Mas virão milhares de Angelo Herndons. Eles podem ter sucesso em matar um, dois, até mesmo 20 organizadores da classe trabalhadora. Mas você não pode matar a classe trabalhadora. Nós somos a classe trabalhadora. Negros e brancos se unam para lutar (gritos de "Herndon! Herndon! Herndon!"). (Hughes, 2002, p. 159)

Hughes ainda teve a peça em estilo *agitprop Don't you want to be free?* feita a partir de poesias de *The weary blues* e *The dream keeper*, que pontuam questões trabalhistas e políticas de esquerda, mas principalmente abusos contra negros.

DE ORGANIZER

De organizer — opera blue em um ato é uma peça de teatro político fruto de parceria entre Langston Hughes e o músico James P. Johnson. Houve outras parcerias entre os dois, como a peça *Class struggle in swing*.

De organizer é uma peça *agitprop* curta, musical, proletária. O tema da organização é central, tendo também uma proposta de conexão entre público e atores, mais uma vez com a inclusão da música. Hughes usava estruturas e sons de blues em sua poesia, estava na vanguarda do "movimento de performance de poesia". Em 1927, contratou um pianista de *jazz* para tocar *blues* como acompanhamento de suas leituras de poesia, uma técnica frequentemente atribuída aos poetas da Geração Beat nos anos 1950. Hughes usou elementos religiosos na estrutura da peça, incluindo a chamada-resposta, que fornece um poderoso apelo retórico e busca juntar o público e os atores. A resposta à chamada traz uma lógica de ação coletiva em vez de individual.

Langston Hughes foi o primeiro autor a utilizar o *blues* e o *jazz*, formas imediatamente reconhecíveis da tradição oral negra, como fonte e motivo de inspiração poética. Ele conectou a história negra ao ritmo do *blues*, desafiou velhas formas que foram recriadas dos elaborados improvisos que a irreverência do *jazz* sugeria, e provocou mudanças em textos líricos.

Em 1953 Boal se encontrou com ele, em um momento de antistalinismo e críticas à União Soviética, mas, ao mesmo tempo, permanecendo fiel à luta contra o racismo e o capitalismo. Ainda nos Estados Unidos, Boal trocou vários diálogos artísticos e políticos com Langston Hughes. Entre estas, suas peças *O santo e o cavalo* — que escreveu para o TEN antes de ir para os Estados Unidos e estreou com o grupo em novembro de 1954 em São Paulo — e *Martim Pescador*, em carta de 8 de junho de 1954 (Hughes Papers. Box 439, f. 10163; f. 10162). Em sua própria autobiografia e em cartas trocadas com Abdias, Boal relata as idas ao Harlem, a experiência de conhecer as atividades artísticas locais e fala sobre aquele importante momento político e cultural do movimento negro. Boal continuou amigo de Hughes e eles permaneceram trocando cartas entre 1954 e 1961; a última de que se tem notícia está datada de 8 de julho de 1961.

Por meio de Hughes, Boal teve contato com Louis Peterson, um dos principais dramaturgos negros estudados por ele e que era próximo de Clifford Odets. Também conheceu William Branch, outro importante dramaturgo negro da década de 1950 e Raoul Abdoul, autor, cantor clássico e assistente editorial de Hughes. Nas cartas também há indicações de encontro com George Lamming, importante escritor de esquerda de Barbados, Herbert Greegs e Raoul Abdoul.

Em outra carta de 1955, Boal trata da instabilidade política depois do suicídio de Vargas e da possibilidade de um golpe de estado no Brasil. Na carta de 18 de julho de 1956, ele fala de sua ida para o Teatro de Arena e afirma que ficará "por cerca de dois meses. Eu estou dirigindo John Steinbeck, *Of mice and man/Ratos e homens*", e conta da tradução que estava fazendo do livro *Simple speaks his mind*, de Hugues. Na carta de agosto de 1956, Boal conta ter visto uma bela montagem de O'Casey de *Juno e o pavão*, quando em NY.

Em sua carta de 1959, Boal comenta sobre a escrita de uma peça fazendo referência a *Simply heavenly,* e diz:

> estou escrevendo uma peça sobre uma personagem que está de alguma forma relacionada com o Simple (personagem da peça de Hughes). O ambiente é diferente, os seus problemas são diferentes, mas senti uma certa influência do fato de gostar muito dele. Espero que a peça também seja boa. A peça chama-se *Revolução na América do Sul*. Mas, claro, nenhum tiro é disparado. (Hughes Papers, Box 15, f. 357).

Essa peça de Hughes é uma comédia musical sobre o racismo e a luta dos personagens que são trabalhadores negros e pobres do Harlem. O protagonista Simple (Simples) é um personagem chaplinesco, inocente, um herói negativo, no melhor estilo brechtiano. Simple é a criação cômica mais memorável de Hughes. Boal tem uma opinião semelhante expressa num texto de jornal. (Boal, *Diário de Notícia*, 22/01/1956)

Essa vivência com Hughes e toda a atmosfera do Harlem naquele momento foram o lado não acadêmico de Boal. Ele teve a oportunidade de experimentar o contato com a organização dos movimentos pelos direitos civis pulsando fortemente, prestes a explodir. Sabemos o quanto foi importante para a sua perspectiva teórica uma experiência complementar e semelhante a que teve com o TEN no Brasil. O Teatro do Oprimido sem conexão com a realidade, com movimento social, não é Teatro do Oprimido.

AUGUSTO BOAL, O CRÍTICO

Como Boal aponta em sua autobiografia, ele escrevia para o jornal *Correio Paulistano*. Nessa época, com 23 anos, já era possível observar o fruto de seu conhecimento teatral. Ao comentar o teatro *off-Broadway*, que seria um teatro experimental do Greenwich Village com grupos amadores, disse: "O que é importante nas produções de Greenwich News é a 'mensagem', embora o termo esteja tão corrompido" (Arquivo Público de SP/Jornal Correio Paulistano). Em meio a tanta diversidade de peças, de autores desconhecidos a *Hamlet*, Boal cita a montagem da *Ópera dos 3 vinténs*, de Brecht:

> Dos contemporâneos, comecei a me interessar por Brecht. [...] Não vi *Ópera dos 3 vinténs* [apresentada em 10 de março de 1954, em Nova York], Brecht era uma novidade. [...] Mais tarde comecei a ler seus textos teóricos e suas obras e eu gostei muito. Ainda em NY, eu li *Mão coragem*, *Vida de Galileu*, *O círculo de giz caucasiano* e outras. Estudei melhor Brecht quando voltei ao Brasil. (Abellan, 2001, p. 177)

O *Actors Studio* e Boal, um momento de prática

O Actors Studio, fundado em 1947 por Elias Kazan, Cheryl Crawford e Robert Lewis, foi um centro de ensino de representação que marcou época, tendo formado muitas estrelas de teatro e cinema, entre elas Marlon Brando, Geraldine Page, Al Pacino, Marylin Monroe, e Dustin Hoffman. Entre seus professores estavam Harold Clurman e Lee Strasberg. Assim, o Actors Studio pode ser considerado um fruto do Group Theatre e do Dramatic Workshop.

Um dos principais legados dessa escola foi o chamado Método Stanislavski, desenvolvido mais por Lee Strasberg. Nos anos 1950, ganhou enorme reconhecimento por causa das peças em Nova York e foi utilizado também no cinema. O método foi desenvolvido a partir do sistema criado por Stanislavski, por meio de aulas dadas por Richard Boleslavsky, Maria Ouspenskava e, posteriormente, Maria Germanova (todos integrantes do Teatro de Arte de Moscou), que aconteceram no American Laboratory Theatre, fundado em 1923. Entre os estudantes estavam Harold Clurman, Stella Adler e Lee Strasberg — que assistiu, em 1923, às peças do TAM em sua primeira turnê e sonhava em fazer algo similar.

A obra de Stanislavski teve diferentes interpretações. Existe um grande debate até hoje sobre as diferenças dos métodos de Brecht e Stanislavski e dos "herdeiros" dos dois mestres. Acredito que seja importante marcar essas "interações", pois muitas vezes se pretende, principalmente os herdeiros destes, contrapor Brecht a Stanislavski mais do que os próprios autores o fizeram. Brecht tem textos em que critica, mas também elogia, Stanislavski:

> É interessante notar como Stanislavski admite a ação racionalizada... nos ensaios! Da mesma maneira admito a identificação... nos ensaios! (E tanto ele como eu temos que admitir ambas as coisas na representação definitiva, ainda que em diferentes proporções). (Brecht, 1970, p. 147)

> Aliás, essa dicotomia Stanislavski *versus* Brecht jamais existiu: é impossível conhecer um personagem, criá-lo, interpretá-lo... sem emoção. A emoção é parte do conhecimento e Brecht jamais falou contra a emoção; falou, sim, contra aquela emoção que se origina na ignorância, mas quem não se emociona diante da descoberta e do entendimento? Mesmo Einstein, quando formulou sua mais célebre equação, $E=mc^2$, tinha lágrimas nos olhos: tenho certeza, eu vi. (Boal, 2013)

Para ilustrar essas pontes, é importante mostrar um pouco da história de como Stanislavski foi apropriado nos Estados Unidos. Vale lembrar que Strasberg e Adler, dois seguidores que tinham uma visão diferenciada de Stanislavski, foram professores de interpretação no Dramatic Workshop, que tinha a direção de Piscator, e onde houve uma tentativa de combinação de formas de interpretação.

Uma das grandes diferenças que se apontava é que Strasberg havia se fixado exclusivamente nas primeiras etapas do sistema de Stanislavski, que estaria totalmente pautado pela memória emotiva/afetiva. Mas a principal "acusação" para a insuficiência de Strasberg é que seu método não teria as chamadas "ações físicas", que são relativas aos últimos trabalhos de Stanislavski, nos anos 1930. Lembre-se que esses integrantes do Group Theatre estiveram em Moscou nesse período, conhecendo o trabalho do Teatro de Arte de Moscou. Para Strasberg, os atores devem criar sequências de ações para teatralizar algo do seu dia a dia, simples movimentos, enquanto interpretam os seus textos. Essas ações podem ser imitação ou indicação desse fazer teatral. Segundo Strasberg, essas ações são feitas com a ajuda dos sentidos e da concentração, pelas intenções do personagem vivido. As ações físicas estão diretamente relacionadas às ações emocionais do personagem, indicando mais do que somente as palavras ditas. São físicas, motivacionais e emocionais, só surgem depois que o ator estiver preparado para reagir e sentir, tornando-se a forma pela qual o ator se aprofunda no tema central da peça (Strasberg, 1987).

> Embora Stanislavski tenha insistido sempre que as ações eram psicofísicas, existe uma grande confusão e erro de interpretação, até mesmo quanto ao significado de um termo simples como ação. A formulação infeliz das ideias de Stanislavski como sendo a 'teoria ou método das ações físicas' é baseada em seus escritos posteriores, os quais devem sempre ser vistos em conjunto com suas descobertas iniciais. Alguns 'experts', que se baseiam somente em seus últimos trabalhos, acreditam que o conceito de ação não era conhecido por nós no American Laboratory Theatre. Essas pessoas criaram teorias imaginárias altamente elaboradas sobre as diferenças entre a maneira como entendi a técnica de Stanislavski e suas próprias formulações posteriores. (Strasberg, 1987, p. 106)

> Eu [Lee Strasberg] acredito que as emoções e os sentidos funcionam exatamente da mesma maneira. Há apenas uma diferença. A emoção é a sensação em um grau de maior intensidade. [...] Qual é a diferença? É uma diferença de grau. Isso é difícil de entender, mas devido à minha experiência russa com Stanislavski, fui educado de forma dialética. (Strasberg, 2010, p. 33)

Strasberg mostra que nunca ficou preso somente à teoria ou mesmo ao que aprendeu na prática com o American Laboratory Theatre. Ele desenvolveu sua própria forma de encenar a partir da realidade prática de utilização dentro de um grupo estável de teatro, o Group Theatre. Boal viveu algo semelhante ao chegar ao Teatro de Arena e encontrar os jovens atores do Teatro Paulista do Estudante (TPE), "um grupo que estava louco para fazer as coisas. Queria [atuar] e estudava. Se você mandasse eles virem de madrugada para trabalhar, eles viriam, não tinham problema nenhum. O tempo todo queriam fazer teatro. O time todo era assim" (Boal, 2004). Outra pessoa importante que Boal entrevistou em NY foi um professor do Actors Studio: Harold Clurman. Este discute também sobre suas experiências, deixando explícito que nenhum sistema é fixo. Stanislavski estava sempre criando e experimentando coisas novas. É isso que todo bom diretor tem de fazer, não se dirige só por meio de leitura. E deve ter, ainda, a compreensão de que o sistema Stanislavski trabalha para um coletivo, na interpretação da peça como um todo.

Outro diretor e professor do Actors Studio que usava o método Stanislavski era o e Elias Kazan. Boal assistiu a estreia mundial (24/03/1955) de *Gata em Teto de Zinco Quente,* do Tennesse Williams, dirigido pelo Kazan.

> Costumávamos dizer no teatro: 'Para que você está no palco? O que você quer conseguir quando anda no palco? O que você quer?'. Sempre perguntei isso aos atores; o que eles querem obter na cena, o que alcançar. A vantagem disso é que todos os meus atores vêm com força, estão todos vivos, são todos dinâmicos — não importa o quão silenciosos sejam... Outra coisa no sistema Stanislavski que sempre enfatizo muito quando dirijo atores é o que aconteceu pouco antes da cena. Não só falo sobre isso, às vezes improviso... Outra coisa que tentei enfatizar é a simplicidade básica; ouça a pessoa que está falando com você e fale com ela, não declame. (Murphy, 1992, p. 12)

Esse elemento do *querer* do ator em cena — que não fosse uma mera ação, mas uma ação dramática com um significado, um objetivo, um desejo — era muito utilizado na forma com a qual Boal dirigia conosco o CTO, além da vivacidade e da interpelação entre os atores — forma que agora aprofundamos e damos continuidade na ETP. Stanislavski era a principal influência no trabalho do Actors Studio, mas Elia Kazan também trouxe o método do psicodrama, de Jacob Moreno, para seu trabalho (Moreno, 1973, p. 16). No Brasil, o Teatro Experimental do Negro, por meio de Guerreiro Ramos, foi um dos pioneiros no uso do psicodrama. "A técnica social do TEN pode ser chamada de grupoterapia. Ela encontra similar na técnica do psicodrama e do sociodrama de J.L. Moreno, que dirige dois teatros psicoterapêuticos em Beacon Hill e em Nova York" (Ramos, 1949, p. 7). Durante a pesquisa, não consegui confirmar se Boal chegou a participar dessa experiência no TEN.

Strasberg dizia que muitos achavam que as peças de Brecht seriam sem emoção, chatas e frias, mas depois de vê-las viam como eram coloridas e excitantes. Para ele, Brecht não é o oposto de Stanislavski e do método. Considera que o primeiro aplicou muitos dos mesmos princípios de verdade e credibilidade em seu trabalho, preocupado com que o ator distinguisse a realidade das ações do seu personagem, criando uma forma de atuar não mecânica e caricatural, mas usando a sua realidade para conectá-la com a interpretação do seu personagem. Para Strasberg, o "efeito de alienação" de Brecht não eliminava a veracidade, o que também está presente na proposta de Stanislavski. Embora este não usasse a plena alienação, uma de suas sugestões era que o ator buscasse sempre o oposto, e de maneira dialética trabalhasse seus elementos contrários — semelhante ao que Boal apontaria. Strasberg enxerga grande semelhança entre os dois, na apreciação e em atitudes no trabalho e na busca por meios adicionais para fortalecer e mostrar o caráter social e teatral de uma peça. As montagens do Berliner Ensemble, especialmente *O círculo de giz caucasiano*, são consideradas das melhores já vistas por Strasberg. Para ele, a melhor parte do trabalho de Brecht com os atores deriva de Stanislavski:

> Em 1936, algumas pessoas do Group Theatre me procuraram para que eu [Strasberg] trabalhasse com elas uma das 'peças didáticas' de Brecht. Como aquele problema estava me intrigando, concordei prontamente. Brecht esteve presente àqueles ensaios... As pessoas sentaram-se em círculo e iniciaram a leitura da peça. Interrompi-os quase que imediatamente. Com alguma timidez, aventei a opinião de que não era aquilo o que o sr. Brecht queria. Não estavam lendo da maneira que teriam feito nas circunstâncias normais de um ensaio do Group Theatre, mas esforçando-se para demonstrar o que presumiam ser o 'efeito de alienação'. Voltei-me para Brecht pedindo sua confirmação. Ele sacudiu a cabeça, concordando comigo. Novamente emiti minha opinião, dizendo acreditar que o sr. Brecht desejasse que o ator fosse real, verdadeiro. Outra vez ele sacudiu a cabeça, confirmando intensamente. Expliquei ser possível que o sr. Brecht não desejasse ver o ator totalmente absorvido com a vivência daquele papel no momento, e sim que desejaria obter o tipo de realidade que uma pessoa vive depois que uma coisa já tenha acontecido e ela a descreve a alguém. Não estávamos naquele momento preocupados com a intensidade emocional do acontecimento, mas com a realidade e a verdade exatas do que aconteceu... O 'efeito de alienação' de que falara não significava negar a realidade. (Strasberg, 1987, p. 233)

Acrescento aqui a carta de Brecht para Strasberg sobre o mesmo ensaio:

> Querido Sr. Strasberg, infelizmente nós tivemos de parar o ensaio *Die Maßnahme*(A Decisão)[20] por razões políticas. Isso foi uma grande pena, porque eu tinha a impressão de que nosso trabalho junto ia muito bem. Em geral, não é muito fácil para mim expressar o que eu penso ser necessário para salvar o teatro aqui do tráfico de drogas burguesas e de emoção agitada/barulhenta. Os poucos ensaios que tive com você e seu grupo pelo menos me mostraram que uma proposta de teatro pedagógico revolucionário é possível aqui também. Devo-lhe muitos agradecimentos e eu lhe peço que expresse minha gratidão aos atores também. Bertolt Brecht. (Brecht, 1936)

Sabemos que há diferenças entre Stanislavski e Brecht, talvez menos do que os seus discípulos postulam, talvez mais. Porém, acredito que, pelas trocas apresentadas anteriormente, pode-se não concordar com todo entendimento sobre Brecht que Strasberg coloca, mas ele mostra minimamente identidades possíveis quando se deseja fazer algo diferente, algo novo, quando se aceita o desafio de estar em um momento de transição para um teatro mais participativo e crítico.

Mesmo que Strasberg e o próprio método tenham se tornado mais uma mercadoria na enorme indústria de cinema de Hollywood, vê-se que se buscava algo diferente. Sabemos que, hoje, muitas técnicas desenvolvidas por Brecht são mercadorias. Afinal, vivemos no mundo da mercadoria.

Essa etapa na formação de Boal se fez não somente a partir das aulas de "Dramaturgia" de Gassner e outras disciplinas ligadas ao teatro — "Iluminação", "História do Teatro", "Shakespeare", "Drama Moderno", "Direção" e "Sociologia" (Boal, 1960a). Ele também tinha de frequentar aulas de química, acordadas com seu pai: "Shakespeare, *of course*... Teatro Grego e Playwriting com Mr. John Gassner... precisava de tempo e espaço para aulas de Química: Plásticos e Petróleo" (Boal, 2000, p. 123).

Chegou o momento da direção. Boal já estava envolvido com o Writers' Group, grupo de dramaturgos do Brooklin, o que levou, inclusive, a produzirem a primeira peça dirigida pelo brasileiro, seguindo a mesma lógica do Dramatic Workshop, ou seja, tendo toda uma produção coletiva. O elenco,

---

20. Interessante saber que nos Eua estavam nessa época(carta de 29/01/36) ensaiando essa peça que envolve de maneira dialética um debate sobre os rumos teóricos e práticos do partido revolucionário e a relação com seus militantes na construção do socialismo.

cenários, luz e figurinos foram feitos pelos próprios dramaturgos, assim como todo o trabalho de produção, limpeza e recepção — como era feito nos grupos populares do CTO e hoje no nosso trabalho na Escola de Teatro Popular (ETP).

> Sem querer comecei a dirigir. Como não era diretor, não tive medo de dirigir. Não temi o fracasso... Me encantava a metamorfose: uma coisa, o texto escrito; outra, no espaço, no cenário, na luz, no movimento, no corpo e na voz. Tudo ganhava sentido, nova escritura. Aprendi que o diálogo, no papel, tem jeito calmo, leva o tempo da leitura — lido é tempo passado. Voando entre gente viva, no palco, é diferente — vivido, tempo presente! [...] Alugamos o Malin Studio — o mesmo onde se reunia temporariamente o Actors Studio — e fizemos 3 espetáculos lotados de amigos. Não apareceu um único incauto espectador desconhecido [...] espetacular sucesso! Estreei na Broadway, como diretor e autor — que luxo! (Boal, 2000, p. 132)

Essa etapa da montagem de sua peça pelo Writers' Group foi como o coroar de um processo de aprendizagem de cerca de dois anos. Agora ele estaria voltando para o Brasil para dar continuidade ao seu sonho de criar um teatro diferente. Em um pequeno texto, provavelmente de 1953, Boal explica qual seria a forma do seu futuro grupo de teatro:

> Como também escrevi em minha 'declaração de autobiografia', me formei em Química Industrial no ano passado, mas pretendo viver de teatro, quero fundar um pequeno grupo dramático com amigos meus. Nós pretendemos nos apresentar no interior do Brasil, como uma companhia ambulante, e depois, aqui no Rio de Janeiro. A experiência que tenho nesse assunto, dirigindo, é só de ouvir e ver alguns diretores em ação, especulando sobre e falando com eles. Eu tenho algumas ideias de direção também, principalmente sobre minhas próprias peças. E em nossa companhia ambulante, cada um será obrigado a fazer de tudo que puder, desde a varredura do palco até atuar em algumas peças, conforme suas possibilidades. Claro que vou ampliar minhas possibilidades o mais que posso, então quero estudar Direção, Curso Fundamental, primeiro, e Seminário e Laboratório, depois; Cenário — Curso Fundamental, Maquiagem e Iluminação e Atuação e impostação de fala para atores. (Boal, 1953)

Momentos de práxis revolucionária para o teatro: germinando uma construção periférica-épica

No dia 24 de junho de 1955, Augusto Boal desembarca no Brasil — "No avião cheio, vim vazio" (Boal, 2000, p. 133) —, voltando de sua estada nos Estados Unidos. Em 28 de dezembro de 1955, escreve uma carta para Langston Hughes dizendo que estava dirigindo para o TEN uma versão de *Soul gone home,* do próprio Hughes, e comenta sobre a situação política delicada no país e a possibilidade de haver um golpe. Muitos historiadores, inclusive, consideram que o golpe de 1964 tem início já no governo Vargas, tencionando seu suicídio, com a sociedade já em uma situação dividida, vários conflitos e uma luta de classes em progressão a partir da recente industrialização do Brasil, aliada a uma estrutura fundiária superconcentrada e conservadora que perdura até hoje.

Iniciamos, então, o capítulo referente ao Teatro de Arena. Reforço aqui que esta não é uma biografia de Augusto Boal, pelo menos não do ponto de vista convencional. A proposta é historicizar o processo de formação do dramaturgo e, por conseguinte, a sua sistematização do Teatro do Oprimido. O importante é saber que esse processo não incluiu só o que foi lido por ele, mas, principalmente, como o próprio Boal disse, sua "vida social". Sabe-se que a prática acadêmica, muitas vezes, deixa de fora todo o processo da "vida social" e prioriza a busca de influências, quase sempre de forma muito limitada.

A seguir veremos depoimentos e entrevistas de diversas pessoas ligadas a Boal. Não se pretende uma divisão cronológica, procura-se apontar para fatos que vão desde 1955, com o dramaturgo já de volta ao Brasil, e que irão mostrar como foi o seu trabalho no Arena.

> Boal veio dos Estados Unidos, onde a discussão sobre teoria da arte e estética marxista era viva. O Brecht tinha acabado de sair de lá, é claro que ele deve ter visto e deve ter entrado em contato. A turma do Actors Studio tinha conhecimento. Boa parte deles estava ligada com o movimento de esquerda. Só por aí é evidente que, se optaram por Stanislavski, não por Meyerhold, ou se optaram por Brecht e não por Piscator… depois você tem que ver a influência de Piscator nos Estados Unidos, que é enorme. Boa parte do movimento teatral americano, cultural, político veio de imigrados russos. Então, Nova York tinha esse caldo. Se você pegar as publicações da *Partisan Review*, tinha já a crítica, a crítica trotskista e a crítica de posturas ortodoxas do partido comunista. O Boal veio desse caldo, e desse caldo ele foi para Marx, ele não veio de Marx para o caldo. (Jacó Guinsburg, crítico teatral, em entrevista ao autor, janeiro de 2015)

Em 1956, Boal quer conhecer mais sobre os conceitos de um teatro popular, épico, pois havia toda essa preocupação sobre o que era um teatro popular. O que significava fazer teatro para uma plateia popular? Como, se viviam de bilheteria? E o povo não viria a lugar burguês. Ir até o povo? Talvez. Então, o Arena queria fazer teatro em sindicatos e praças públicas, mas se preocupava se seria entendido.

> Boal convidou o Anatol Rosenfeld para uma conversa no Arena. O Anatol era um grande conhecedor do teatro e tinha visto Brecht na Alemanha. A conversa foi só entre nós três e se discutiu a questão do teatro popular. A vantagem do Boal é que ele sabia o que era o teatro. Para propor um teatro é preciso saber o que é teatro. Mas não havia uma orientação, as definições que o Boal tomou posteriormente não tinham sido tomadas ainda. Estava-se discutindo a amplitude do termo, e não uma definição que veio posteriormente em função de acontecimentos políticos e também do próprio envolvimento do Boal com a prática e com as concepções brechtianas. Porque você tem, no que o Boal fez, um pós-brechtianismo. E teatro didático levado por um viés político muito mais, digamos, brasileiro, muito mais amplo, muito menos rigoroso na definição, e que acabou levando depois ao fim do Teatro do Oprimido. (Jacó Guinsburg, entrevista ao autor, janeiro de 2015)

Algo importante que o Teatro de Arena já tinha antes de Boal e desde seu inicio era o próprio formato em arena. A ideia surgiu por sugestão de Décio de Almeida Prado, quando professor da EAD, que sugeriu, no início dos anos

50, para seu aluno e criador do Arena, o José Renato. A experiência deste formato é muito antiga e veio até Décio pelo livro de Margo Jones Teatro de Arena (*Theatre-in-the-Round*. New York: Rinehart & Company, 1951). Margo no fim dos anos 40 lança importante movimento de teatro regional nos Eua e introduz o conceito de teatro de arena. Um desafio da forma sem fundo e que também diminui os custos, poucos cenários, sem cortina e etc. E no caso do Arena de São Paulo que tem um tamanho de pouco mais de 100 lugares dá uma conexão grande com a plateia, estando quase dentro do palco com inúmeras histórias de ator pedir isqueiro emprestado, o cheiro do café, do público as vezes debater com os atores uma situação de cena ou até mesmo do medo de atuar em certas situações como conta Lima Duarte.

> Os dez anos que eu passei no Arena (1961 a 1971) eram anos de guerra, era uma trincheira .... eu nao pensava em teatro, pensava em guerra. Toda noite tinha alguém que telefonava "hoje vai morrer um aí no teatro", do CCC[21], da TFP[22], "hoje vai morrer um aí" ... e a gente trabalhava, era Arena ... esperando o tiro. Atores trabalhar esperando o tiro é uma experiência única e avassaladora. Foi isso que aprendi no teatro." (Duarte, 2006)

Algumas pessoas, no tempo do Arena, diziam que Boal era alienado e despolitizado. "Nessa época, Boal não tinha qualquer compromisso político ou social, apenas artístico. Boal era um amante de teatro que vinha da Universidade de Colúmbia, em Nova York, com seu aprendizado artístico", me disse em entrevista a atriz Vera Gertel, em dezembro de 2014. E Boal respondia que isso não era verdade, que ele tinha tido uma fundamental experiência prática e teórica com o TEN (Teatro Experimental do Negro); a vivência da Penha Circular, como já apontado; e que seus primeiros textos eram sobre essa realidade injusta e que ele já tomava posição contra essa exploração. Boal fez a sua primeira peça, *Ratos e homens*, no Arena, ganhando vários prêmios,

---

21. Comando de Caça aos Comunistas (CCC). Organização de extrema-direita e de caráter paramilitar, o CCC nasceu na cidade de São Paulo pouco antes do golpe de 1964. Formado por estudantes da Mackenzie e da Faculdade de Direito do Largo de São Francisco. O grupo foi composto também por policiais do DOPS e recebia treinamento do Exército Brasileiro.
22. Tradição, Família e Propriedade - Organização civil de inspiração católica e conservadora fundada em 1960. Sua pauta é o combate as ideias maçônicas, socialistas e comunistas.

mas depois ele renegou um outro texto de sua autoria, e que pode ter dado essa impressão de despolitizado. A peça rejeitada foi *Marido magro, mulher chata*, sobre a juventude de Copacabana — que ele nem conhecia, pois saiu da Penha praticamente para Nova York. O entrosamento com Vianinha, Vera Gertel e Guarnieri, do PCB, deu liga justamente porque tinham a preocupação de fazer um teatro popular, do proletariado.

> Boal não era militante de esquerda quando veio, coisa que ele se tornou depois. Boal podia ser cru na política brasileira, porque ninguém vive em Nova York, em um movimento teatral lá, sendo cru politicamente. Para os militantes do Partidão, todos os que não pensavam exatamente como eles eram trotskistas ou eram divisionistas. O que estava em jogo era: Lukács e Brecht, Hegel, a concepção hegeliana do herói. E o Partidão estava ao lado do Lukács. Mas qual era o nível de consciência estética e filosófica? O pessoal rezava pela cartilha, pela bula marxista, stalinista, leninista etc. É isso. Então era aquele formulariozinho. Boal não, ele tinha também uma ideia fixa do negócio da dialética, do contrário, da síntese dos contrários. (Jacó Guinsburg, entrevista ao autor, janeiro de 2015)

> Boal em 1959 já era bem esquerdista, usava muita literatura marxista. No entanto, não tinha vínculo partidário. Essa foi uma fonte de atrito com seus amigos do Arena, ligados ao Partidão. Inclusive, o mínimo que se pode dizer é que o consideravam ingênuo. Eles não acreditavam em independentes de esquerda e o criticavam por não entrar no PCB. (Albertina Costa, atriz e primeira companheira de Boal, entrevista ao autor, janeiro de 2015)

O PCB usava o Arena para reuniões e várias de suas atividades, mas Boal não concordava com o Partido Comunista: "Eu não acreditava muito na história de que havia duas burguesias brasileiras, entreguista e nacionalista. Eu achava que os oprimidos não deviam entrar nessas nuances, deviam lutar pelos seus direitos, que eram — e são — legítimos" (Brasil, 2008, p. 56). Segundo o ator e diretor Paulo José, em entrevista realizada por mim em janeiro de 2015, "é que o Partido Comunista tinha uma cartilha marxista do militante principiante. Algo muito básico, era como um catecismo. Só repetia, só reproduzia o que vinha da União Soviética". Havia, ainda, as divergências internas no próprio Arena.

Boal continuava em contato com Abdias e o TEN, que ensaiavam no Arena nos anos 1950[23], e também tinha muita conexão com os intelectuais da Universidade de São Paulo (USP). Havia como um triângulo subversivo entre a sede da Filosofia da USP, a Faculdade de Direito da USP e o Teatro de Arena, que ficavam próximos da Rua Maria Antônia. Na USP foi criado o Centro Karl Marx, tendo o historiador Boris Fausto como um dos responsáveis (quase todos de origem trotskista, ou trotskizante). O espaço teve um momento em que juntou muita gente, porque todo mundo queria saber o que era marxismo, e ali ocorriam aulas e debates. O pessoal do Arena ia e Boal também deve ter frequentado, pois os estudantes, na época, eram um dos grupos mais mobilizados. Como me disse o professor Ottaviano de Fiore, em janeiro de 2015:

> A Revolução Cubana tinha uma característica especial, ninguém aguentava mais os stalinistas, eles carregavam uma carreira de criminosos que não era brincadeira. O Boal já era radical nessa época, em 1960. Todo mundo estava apostando em uma solução revolucionária, o que incluía luta armada. A Revolução Cubana nos tornou todos radicais. Boal era de uma geração de transição entre o pessoal do Francisco Julião (Ligas Camponesas) e o foquismo. Mas Boal nunca foi para o foquismo, ele queria fazer a revolução.

Nesse período, o Arena começou a organizar debates depois das peças, grupos e espaços de estudos — que Boal ajudou a formar. Lia-se Marx, Brecht, Piscator e Lukács, entre outros. Os textos que não existiam em português eles buscavam traduzir:

---

23. Solano Trindade, com seu Teatro Popular Brasileiro, também ensaiou e apresentou seu Festival Afro-Brasileiro no Arena, em agosto de 1960

> *Revista da Civilização Brasileira, Cahiers de Cinema, Le Temps Modernes*, do Sartre, coisas que Boal havia trazido dos EUA. E eu levava coisas do meu curso de Letras na USP, pois teatro era pauta extensa:– *Note sul Machiavelli, Sulla politica e sullo stato moderno* [Maquiavel, *A Política e o Estado Moderno*] do Gramsci — evidentemente fundo para a *Mandrágora*, do Maquiavel (1962); dois Lukács — *Saggi sul Realismo* [*Ensaios sobre Realismo*], italiano, e o básico *Histoire et conscience de classe* [*História e consciência de classe*], francês; do Palmiro Togliatti — *La via italiana al socialismo* [*O caminho italiano para o socialismo*]; e o ótimo prefácio de Sartre e o próprio *Les Damnés de la Terre* [*Condenados da Terra*, Fanon]. Todo mundo levava publicações de esquerda relacionadas com as peças. (Cecilia Thompson, atriz, entrevista ao autor, janeiro de 2015)

> Aconteciam vários eventos, debates depois das peças, alguns abertos, outros não. Muitos intelectuais vinham palestrar. Carlos Estevam Martins veio trazido pelo Vianinha para falar de cultura popular — esse foi fechado, Boal discordava muito dele.[24] O Paul Singer[25] deu curso de economia marxista, Otávio Ianni falava sobre conjuntura brasileira e outros intelectuais. (Albertina Costa, entrevista ao autor, janeiro de 2015)

> O pessoal da USP ia muito ao Arena. Principalmente o Anatol (Rosenfeld). A Faculdade de Filosofia ficava pertinho (800 metros). O Zé Dirceu, ainda líder estudantil, era frequentador assíduo também. (Sylvio Zilber, ator, entrevista ao autor, janeiro de 2015)

---

24. Carlos Estevam Martins foi um dos responsáveis pela escrita do antimanifesto do CPC (Centro Popular de Cultura), que tinha uma perspectiva autoritária e paternalista em relação à capacidade de fazer arte da população. O texto dizia que a arte do povo é "de ingênua consciência", sem outra função que "a de satisfazer necessidades lúdicas e de ornamento". Por meio da adequação da produção artística à "sintaxe das massas", o CPC "pretendia tirá-las da alienação e da submissão". Mas essa não era a visão hegemônica do CPC, e Boal também já discordava dessa perspectiva "evangélica". Os CPCs — organizados por artistas, estudantes e intelectuais — eram dezenas de coletivos de ação cultural, organizados em vários estados do Brasil, que duraram menos de três anos. O fechamento dos centros foi uma das primeiras ações do golpe empresarial-militar, no próprio dia 31 de março de 1964.
25. Autor do livro *Curso de introdução à Economia Política*, Paul Singer me disse, em entrevista realizada em janeiro de 2015, que a partir dessas aulas é que nasceu a proposta da economia solidária: "O curso foi organizado pelos alunos, que me pediram para dar essa aula. É um curso de introdução à Economia Política, está publicado como livro".

Diferentes autores marxistas eram lidos e estudados no Arena.

Vários intelectuais do período e de diversas áreas faziam palestras no Arena. Havia o pessoal ligado à área de Filosofia e de Ciências Sociais da USP: Heleny Guariba, Antonio Candido, Roberto Schwarz, Fernando Henrique, e o (José Arthur) Giannotti, que estava discutindo o Brasil, a sociedade, a arte. E Boal estava participando de todos esses movimentos. (Jacó Guinsburg, entrevista ao autor, janeiro de 2015)

Acreditamos que as entrevistas e o material exposto dão conta de que o PCB era a principal referência da esquerda brasileira, apesar de não ser a única, e mostram suas contradições e seus conflitos. Boal conheceu essa prática antes de ir para os Estados Unidos, com os conflitos e o racismo dos comunistas, de intelectuais, da universidade e da própria sociedade contra as propostas do Teatro Experimental do Negro. Ao chegar aos EUA, também teve contato com o antistalinismo de Hughes, o marxismo não economicista de John Howard Lawson e até mesmo o "idealismo inteligente" de Gassner. Essa orientação de querer definir e criar uma regra única para todo e qualquer processo e projeto revolucionário estava presente na política do "de cima pra baixo" do Partido Comunista Soviético e em toda a prática stalinista: o chamado etapismo. Nesse período do Arena, um importante interlocutor de Boal foi Anatol Rosenfeld.

> O Anatol fazia palestras no Arena e tinha uma formação filosófica da pesada. Mas não se tratava de discussão de filosofia, de estética, mas de teoria da arte. Eles tiveram uma relação muito constante entre eles. E mesmo se você pega o livro *O mito e o herói no moderno teatro brasileiro*, é resultado de todo uma discussão e uma troca de opiniões. Havia visões diferenciadas, mas eu acho que um dos principais interlocutores do Boal foi o Anatol, que tinha uma bagagem que interessava ao Boal na medida em que ele estava preocupado com teatro popular político. Esse é o viés. Aliás, toda discussão estética naturalmente tem um componente fundamental, que é o aspecto ideológico ligado com esse aspecto político. O Anatol não era um adversário, politicamente ele estava inteiramente próximo da visão do Boal. O teatro do Boal define do ponto de vista de um teatro político brasileiro. Então, a discussão do Anatol com o Boal está nisso. Até que ponto a redução política, que leva à formalização de certas condições teatrais, pode funcionar naquele contexto. Funciona para fora, é geral? Não. (Jacó Guinsburg, entrevista ao autor, janeiro de 2015)

Desenvolvimento estético desigual e combinado

Vou apontar aqui para uma hipótese de entendimento do processo político e estético do Arena, em especial sobre o trabalho de Boal que vai desembocar no Teatro do Oprimido. Vou esmiuçá-lo tratando mais de algumas peças e alguns momentos do que outros. O foco não é uma análise sobre as diferentes montagens e críticas que aconteceram, pois o que se busca são as relações estéticas e políticas de Boal e o que dessa experiência o impregnou para a sistematização do Teatro do Oprimido. Nesse período, de 1956 a 1971, da mesma forma que não se tem um "etapismo" político, não se pode impor um "etapismo" estético-teatral, que muitas vezes quer criar um ordenamento de Naturalismo, Drama, Realismo e Épico.

Como já mencionado, Boal era uma pessoa de esquerda e marxista. Contudo, tinha divergências grandes com o grupo da esquerda majoritária da época, em especial o PCB. Boal era totalmente crítico à proposta política do partido no sentido de considerar a burguesia nacional, e até mesmo outros setores ditos nacionais, uma aliada da revolução, um conceito dualista/etapista de revolução, como aponta o Projeto de Resolução do Comitê Central do PCB sobre os ensinamentos do XX Congresso do Partido Comunista da União Soviética.

> [No Brasil] são melhores as condições que permitem modificações na correlação de forças políticas favoravelmente à democracia, à independência e ao progresso. Tendem a unir-se as amplas forças patrióticas e democráticas, desde a classe operária até importantes setores da burguesia. As reivindicações específicas da pequena burguesia, da intelectualidade e da burguesia nacional devem merecer da parte dos comunistas a maior atenção. Em relação aos grandes capitalistas brasileiros, nosso ataque deve ser dirigido somente contra aqueles que traírem os interesses nacionais, pondo-se de lado dos imperialistas ianques. Mesmo em relação aos latifundiários, nossa posição deve depender de suas atitudes concretas diante da luta pelas reivindicações e direitos do nosso povo. Concentrando o fogo sempre contra os imperialistas norte-americanos e seus agentes no Brasil, nosso dever é cooperar com todos os que desejam lutar pela soberania nacional, pelas liberdades democráticas, por melhores condições de vida para o povo, por um Brasil próspero independente. (Carone, 1982, p. 144-148)

Sabe-se que o Brasil não estava fora do capitalismo, pois este fez do mundo um espaço único, uma totalidade, e não países isolados. Mas os países periféricos têm suas especificidades, em que se combinam condições atrasadas com outras mais avançadas — não somente na política e na economia, mas também na cultura. Boal, como Trotsky, era contra um princípio evolucionista, uma ideologia de progresso linear conectada com um eurocentrismo. Assim, a hipótese inclui o conceito da lei do desenvolvimento desigual e combinado (Löwy, 1998) formulada por Trotsky, mas aqui no processo vivenciado pelo Arena, que vou chamar de *desenvolvimento estético desigual e combinado*.

Nos anos 1950, São Paulo vive um enorme crescimento econômico e da classe trabalhadora. Em 1953, com cerca de 3 milhões de habitantes, acontece uma greve de 300 mil trabalhadores. Em 1957, outra de 400 mil. O capitalismo é mundial, mas com suas contradições. E os países da periferia não estão condenados a repetir o que ocorre no centro. Eles incorporam suas conquistas materiais, principalmente a classe dominante, e ideológicas antes e têm a possibilidade de saltar etapas que foram necessárias aos países centrais. Seria o "privilégio dos retardatários" (Löwy, 1998, p. 73).

> Renunciam os indígenas ao arco e à flecha e tomam imediatamente o fuzil, sem que necessitem percorrer as distâncias que, no passado, separaram estas diferentes armas. Os europeus que colonizaram a América não recomeçaram ali a História desde seu início. (Trotsky, 2017, p. 31)

O Arena, na fase com Boal e o Teatro Paulista do Estudante (TPE), em 1956, não se inicia como um teatro alienado/burguês, como o Teatro Brasileiro de Comédia (TBC). O Arena já tem uma proposta de vanguarda a partir da sua própria forma de atuar, em arena, dos atores militantes do TPE etc., e realiza vários saltos na busca por um teatro popular, mas com suas contradições. Porém, como busca o mais avançado, em termos de interpretação, usa Stanislavski.

> As leis racionais da história não têm nada em comum com os esquemas pedantes. A desigualdade do ritmo, que é a lei mais geral do processo histórico, se manifesta com o máximo vigor e complexidade nos destinos dos países atrasados. Sob o látego das necessidades externas a vida retardatária é constrangida a avançar aos saltos. Desta lei universal da desigualdade dos ritmos decorre outra lei que, na ausência de uma denominação mais apropriada, chamaremos de lei do desenvolvimento combinado, expressando a aproximação das diferentes etapas, da combinação das fases distintas, do amálgama das formas arcaicas com as mais modernas. (Trotsky, 2017, p. 31)

O Teatro de Arena tem diferentes elementos de um estilo que se combinam com outros visando construir sua especificidade e fazendo com que, na periferia ao sul do Equador, se crie algo novo com suas próprias características. Seria como se tivéssemos de defender que o desenvolvimento de todo grupo teatral teria de passar primeiro pela etapa do teatro alienado/burguês do

Teatro Brasileiro de Comédia (TBC), que todos deveriam ter esse modelo de atuação, dramaturgia e estética, em geral, e somente depois passar para o teatro de grupo político nos moldes do Arena.

> Cada sociedade elabora as suas formas particulares de arte, teatro, interpretação e seleciona a sua temática necessária. A nossa sociedade já era economicamente alienada: o nosso teatro tornou-se alienado no sentido em que nos foi imposto de fora. Não houve um trabalho de pesquisa sobre nosso expectador, procurando estabelecer as nossas formas e selecionar os nossos temas [...]. O teatro formalmente alienado inaugurado pelo TBC [proporcionava] apenas um contemplativo prazer estético [...]; assim se faz em Paris, Londres ou Roma. Portanto é certo, é bom, é belo! [...]. O TBC veio satisfazer a plateia para a qual fora criado, plateia que enfeitava as noites de gala que marcavam cada estreia.(Boal, 1960a)

Assim, além das heranças conservadoras políticas — racismo escravocrata, latifúndio, injusta distribuição de renda e machismo, entre outras —, no teatro se combinam diferentes situações nos diferentes grupos e coletivos teatrais. Sabemos que nenhum estilo é puro, mas, por sua especificidade periférica, neles se combinam naturalismo, realismo e épico. No próprio Arena temos peças com conteúdos épicos, mas com forma dramática (*Black tie*); interpretações de Stanislavski com Brecht (Sistema Curinga); e Teatro Revista Musical com Piscator (Série Arena Conta); entre outras diferentes "combinações" próprias da nossa realidade nacional, mas não simplesmente brasileira, no sentido essencial, folclórico.

Da mesma forma que a burguesia periférica estava atrelada ao conservadorismo e se contentava em replicar fórmulas e ser "capacho" das burguesias centrais, o mesmo acontecia no teatro, replicando interpretação, dramaturgia, estética e critérios de crítica e beleza, em geral, dos países centrais. Sua proposta estética e seu teatro também são dependentes e colonizados, mas sendo o reflexo de um espelho em que não nos reconhecemos.

A partir desse *desenvolvimento estético desigual e combinado* é que defino como se deu o processo do Arena nessa conjuntura política e estética e, consequentemente, de Boal na sua construção periférica-épica rumo ao Teatro do Oprimido. Os processos vão se transformando a partir da sua própria realidade, realizando-se a *Aufhebung*/suprassunção (Inwood, 2007, p. 380), ou seja, acontece a tríade "anular", "preservar" e "elevar". Assim, a cada período, se aprende, se incorpora o que pode ser útil, mas se eleva e se avança na possibilidade de romper com a engrenagem.

Brecht criou o conceito de "refuncionalização" para caracterizar a transformação de formas e instrumentos de produção por uma inteligência progressista e, portanto, interessada na liberação dos meios de produção a serviço da luta de classes. Brecht foi um dos primeiros a confrontar o intelectual com a exigência fundamental: não abastecer o aparelho de produção sem o modificar, na medida do possível, em um sentido socialista (Benjamin, 1994, p. 127). O Arena vai começar a se deparar com o desafio de criar formas novas de se fazer teatro, e nesse percurso vão acontecer "avanços e recuos". Há também a problemática que envolve o conceito do que é teatro, para quem fazê-lo, como fazer, e tudo que envolve o "técnico", que obviamente não é neutro, tem também sua ideologia.

Seria muito mais fácil já buscar conceitos e formas poéticas e dramáticas prontas e encaixá-los. Contudo, o grupo teve a coragem de abrir mão de uma poética sistemática, normativa, e, diria, pura para mergulhar em uma pesquisa teórica e prática, uma verdadeira práxis teatral, em que usava e adaptava o que fosse útil àquele momento. Até porque sabemos que essa pureza não existe, toda obra considerada própria de determinado gênero contém mais ou menos traços de outros estilos. A pureza só existe na teoria.

Essa proposta periférica-épica, que não é a mesma de Brecht nem de Piscator, tem o espírito épico no sentido de exercitar e promover uma experimentação, dá os seus "saltos" e foca seu desenvolvimento estético desigual e combinado na construção de uma forma teatral crítica, política e popular. O Arena não chega ao épico para copiar Brecht ou Piscator, mas Brecht e Piscator, e seu experimentar, chegam até o Arena por conta da conjuntura política do Brasil.

Augusto Boal chega ao Arena em 1956, não leva ideias prontas, mas tem muito conhecimento "acumulado". Ao encontrar o grupo do TPE, houve uma afinidade com suas aspirações. Esses jovens já sabiam o que desejavam, conforme indica o documento de fusão entre o TPE e o Arena escrito no programa da peça *Essas mulheres* (1956, p. 7):

> Tendo por objetivo a formação de um amplo movimento teatral de apoio e incentivo ao autor e às obras nacionais, visando à formação de um numeroso elenco que permita a montagem simultânea de duas ou mais peças, o que permitirá levar o teatro a fábricas, escolas, faculdades, clubes da capital e do interior do Estado [...] contribuindo assim para a difusão da arte cênica em meio às mais diversas camadas de nosso povo.

A partir dessa nova configuração, o Arena busca ser contra o fetiche da mercadoria e oferecer outro produto que não seja simplesmente o teatro importado e alienado. Inicialmente não existiam textos nacionais que atendiam a essa proposta, então buscaram-se textos realistas estrangeiros que pudessem, de alguma forma, alterar minimamente e dar uma resposta ao Teatro Alienado. Afinal, teatro não é só texto. Então começou-se pela forma de atuar, mas, ao mesmo tempo, com textos que tinham uma carga crítica. Assim veio a sequência de autores de "qualidade", que atendiam ao conceito burguês de arte, mas que, ao mesmo tempo, tinham um tempero político.

Com isso, veio a opção por uma sequência de textos realistas: *Ratos e homens*, de Steinbeck; *Juno e o pavão*, de O'Casey; e *A mulher do outro*, de Howard — três autores reconhecidamente de esquerda.[26] Importante frisar que esses mesmos autores e suas peças foram trabalhados por Gassner no Dramatic Workhop com Piscator. Então essa escolha não foi à toa. Boal certamente já havia estudado essas peças. Nada como começar com *Ratos e homens*, como diz a professora Iná Camargo sobre o texto de Steinbeck:

> Expõe o beco sem saída em que o proletariado rural americano se encontra durante a Depressão. Steinbeck expõe a luta de classes em seu caráter mais clamoroso no aparentemente gratuito ódio de Curley, o patrão, por Lennie, o trabalhador gigante que lhe esmaga os dedos da mão. Como a crítica não se interessa por metáforas cênicas, não se dá conta de que o gigante inconsciente — Lennie — é uma metáfora da classe trabalhadora e que ele aterroriza o patrão baixinho por

---

26. Ainda pairam algumas dúvidas sobre John Steinbeck e sua relação com a CIA nos anos 1950; Sidney Howard também apoiou o Partido Comunista nos EUA; Sean O'Casey foi um socialista comprometido e o primeiro dramaturgo irlandês a escrever sobre a classe trabalhadora. Suas peças fizeram sucesso no Abbey Theatre, conhecido como Teatro Nacional de Dublin — onde, em 2008, Boal recebeu o prêmio Crossborder Award for Peace and Democracy.

sua simples existência, bastando-lhe dar um golpe em legítima defesa para aleijar e fazer recuar o pequeno fanfarrão, que só domina pela violência e pelos direitos que a propriedade lhe confere. (Costa, 2012)

Mas qual seria a diferença mais radical em relação ao TBC? Ter somente um texto mais político não seria uma grande ruptura. A proposta foi justamente fazer os textos estrangeiros, usando a versão de Stanislavski que Boal encontraria para o Brasil a partir dos laboratórios internos e populares (ida à rua, ao circo, praças e sindicatos), as adaptações que realizou, e a própria lógica de transformar o Arena em uma escola, um local de estudos e um centro cultural, bem como as experiências nessa linha, que o próprio Boal conheceu. Mas, para mudar, primeiro é preciso entender e conhecer o que se quer mudar.

> As pessoas hesitam em chamar poetas como Hasek, Silone [O'Casey], e eu de burgueses, mas isso está errado. Nós podemos tornar nossas as preocupações do proletariado; por um certo período de tempo podemos até ser os poetas do proletariado. Em determinadas fases do desenvolvimento, quando o proletariado venceu, mas ainda continua sendo proletário, a função do defensor burguês... Será formalista. Depois disso, os novos poetas e soldados entram em cena. Eles encontram nas obras de seus predecessores — nossas obras — não só o meio mais altamente desenvolvido de expressão, mas também os elementos da nova cultura. Também importante em nosso trabalho é a técnica do novo começo, desenvolvida por aqueles que dominarem a tradição, porque o novo começo que não domina a tradição acaba facilmente dominado por ela. (Brecht, 1973, p. 143)

Brecht e Piscator, assim como Boal, defendiam a experimentação artística argumentando que a inconstante realidade social podia ser desmascarada a partir da utilização de novas técnicas artísticas formais, que incluíam a montagem, a música e a alienação/distanciamento, entre outras. Elas poderiam, dessa forma, ser usadas para objetivos críticos e transformadores. Muitas das técnicas do épico não são invenções de Brecht ou Piscator, mas novas formas de se utilizarem técnicas antigas de forma diferenciada — assim como o próprio Teatro do Oprimido, herdeiro de várias técnicas de *agitprop*. Para novas descobertas sobre as questões que buscava compreender, o Arena necessitava de formação e organização de estudos práticos e teóricos.

Nessa época fizemos um curso de filosofia, um de inglês dado pelo próprio Boal, um de voz e dicção dado pela Maria José de Carvalho e um curso de balé e expressão corporal comandado pela Alda Slon. Montamos uma escola de teatro no Arena. (Depoimento de Chico de Assis *apud* Almada; Assis, 2004, p. 78)

Quando Boal chegou, ele instituiu nessa história do estudo, fez um pequeno seminário sobre dramaturgia e depois um curso de interpretação. Décio Almeida Prado, Anatol Rosenfeld, Sábato Magaldi, Beatriz Segall... A chegada do Boal foi a primeira revolução, introduzindo nos ensaios, na preparação, nas escolhas de peças, estudos, preliminares, coisa que não se fazia. (Maria Thereza Vargas, pesquisadora, entrevista ao autor, janeiro de 2015)

Boal não participou como ator do Actors Studio, mas pôde observar os diretores trabalhando diretamente no processo de criação de personagens e que era um espaço semelhante ao Arena, aplicando o que aprendeu na peça *Ratos e homens*, que foi um grande sucesso. Todo o elenco estava animado e comprometido com os processos dos exercícios de Stanislavski e outros que Boal inventava. Exercícios esses que foram e são a base de um de seus principais livros, *Jogos para atores e não atores*. Ele usava muito Stanislavski quando estudavam os capítulos de *A preparação do ator*, analisando o texto teatral e aplicando, nunca de forma mecânica, sempre a partir da realidade brasileira, popular, uma forma de contraponto ao estilo do TBC. A partir daí se institucionalizou o Laboratório de Interpretação do Arena.

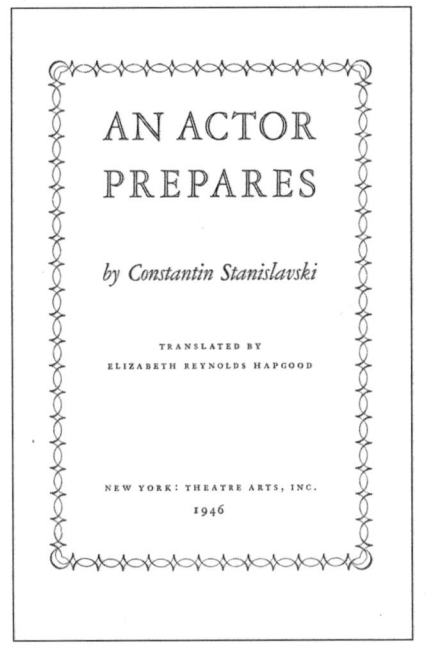

Livro *A preparação do ator*, em inglês, de 1946, Provavelmente a edição que Boal teve acesso.

[Usavam] o Stanislavski, mas com temas brasileiros, improvisação... Aí a observação do comportamento das pessoas na rua. Era ali perto da Praça da República, eles iam lá, tinha um movimento muito grande de todas as classes. Aqui precisava ter um antagonismo ao Teatro Brasileiro de Comédia, vamos fazer o Brasil que eles não fazem. Um ator, eu não sei quem foi, se foi Cacilda Becker, se foi Walmor Chagas, foi e disse: 'Vocês são muito bons, vocês são bons atores, mas vocês não representam, vocês são...'. (Maria Thereza Vargas, entrevista ao autor, janeiro de 2015)

Boal adaptava tudo, ele não levava nada ao pé da letra. Pegava alguma coisa que o interessava do Stanislavski e dos outros que ele usava e recriava. (Albertina Costa, entrevista ao autor, janeiro de 2015)

A influência de Boal foi muito importante, sim. Isso muito em relação ao método Stanislavski que ele trouxe dos EUA. E foi um avanço para nós, até então se dominava aquela coisa do TBC, diretores italianos; o cara no palco e repetindo tudo que o diretor mandava, inconsciente, feito boneco, na hora de representar. E o Boal trouxe pra nós um método mais crítico e mais elaborado de representação. Uma maneira de analisar a dramaturgia que mostrava e desvendava o mecanismo. E com isso você ia conhecendo o mecanismo, você podia criar mais, improvisar, usar a imaginação. (Correa, 1998, p. 295)

Aí chega o Boal [...]. Formou-se então essa patota, esse conjunto feito lá dentro, e nosso contato passou a ser de 24 horas por dia [...]. A discussão era desde a hora de se encontrar até cair de sono [...]. A proposta dele [Boal] foi montar *Ratos e homens*, de Steinbeck, que nos permitiria fazer um trabalho de aprofundamento em nível de interpretação. Era uma peça realista, que dava elementos para este trabalho de laboratório e aprofundamento. Foi aí que começamos a definir novas linhas de trabalho para o Arena. O espetáculo (*Ratos e homens*) nos permitiu pôr em questão tudo o que era feito antes. Questionava o método de trabalho. Aprofundou-se uma discussão e se encontrou uma metodologia para examinar criticamente o que vinha sendo feito. O que era antes encarado apenas de maneira subjetiva passou a ser alvo de uma investigação objetiva, não intuitiva, mas coerente e mais organizada. (Guarnieri, 1981, p. 85)

O Arena trouxe para dentro do teatro 'os estrunchos': aqueles atores que não seriam atores em lugar nenhum. Não tem cara de ator, não tem voz de ator, não tem nada de ator. E aqui também começa a acontecer um realismo de outra ordem, um realismo brasileiro. Colocando em cena um outro tipo de personagem, você colocava também um outro tipo de interpretação. A forma brasileira de interpretar colocando atores que não cabiam no TBC, um teatro europeu, e depois começou no Arena a dramaturgia brasileira. Peças brasileiras. Principalmente brasileiros com forte influência política. Era uma época muito política... Então, dessa fusão do Augusto Boal com Vianinha e com o Guarnieri nasceu o tripé básico do Teatro de Arena de São Paulo. E havia outros elementos que se juntaram a esse grupo. Atores como Milton Gonçalves, que era negro, e Flávio Migliaccio, um ator brasileiro. Não podia ser mais brasileiro. (Paulo José, entrevista ao autor, janeiro de 2015)

> O Boal foi meu mestre, pai, mãe, tudo no teatro. Ele me tirou da situação de ser o pior do (Teatro) Oficina e, com os ensaios e a afinidade que senti por seu método de trabalho, acabei passando a primeiro da classe. As técnicas que ele aplicava havia aprendido nos EUA. Era um método do tipo Actors Studio, meio modificado, meio marxista... É verdade! Porque não havia só uma busca estética, mas paralelamente a toda a dramaturgia do Teatro de Arena, cada um dos autores, e também cada um dos atores, era como que treinado a pensar a realidade de uma forma dialética (Depoimento de Fauzi Arap *apud* Garcia, 2002, p. 29).

> Paralelamente à criação de uma dramaturgia brasileira, precisamos desenvolver os nossos estilos de representação. Realismo é realismo, em qualquer parte do mundo. Mas em cada país ou região, tem a sua fisionomia diferente. Estamos procurando a fisionomia do nosso realismo teatral. Valemo-nos da experiência de Stanislavski, de Kazan. Porém, tenha os defeitos que tiver, o nosso trabalho não será nunca uma reprodução, uma cópia. Erraremos os nossos erros. (Boal, 1960)

É importante entendermos: por que usar Stanislavski? Qual conexão ele teria com esse grupo que queria trazer o Brasil real para o teatro? O próprio Brecht pode nos ajudar:

> O sistema de Stanislavski é um progresso pelo simples fato de ser um sistema. O jogo que ele desenvolve produz a identificação de maneira sistemática; esta, portanto, não é efeito do acaso, nem do humor, nem da inspiração. O grupo [*ensemble*] alcança uma alta qualidade técnica que tem o objetivo de provocar uma identificação total do espectador. *O progresso em questão fica particularmente visível depois*

> *que essa identificação começa a acontecer com personagens que até então não tinham nenhum papel no teatro: os proletários.* Não é por acaso que na América foram justamente os teatros da esquerda que começaram a se apropriar do sistema de Stanislavski. Esse modo de representar tem a possibilidade de permitir uma identificação com o proletário, até então impossível. (Brecht, 2011)

Stanislavski pode ser considerado o sistematizador da forma moderna de representar. Mas são "esquecidos" sua atuação crítica na transformação do teatro e seu apoio à revolução bolchevique. Vale observar que o primeiro nome do seu teatro seria Teatro de Arte de Moscou (TAM) Acessível a Todos, cujo estatuto de fundação contém, entre os objetivos,

> a criação de um novo tipo de teatro, ao alcance do público democrático que desejasse tomar consciência dos problemas de seu país e de seu povo. [...] Em segundo, a formação de um repertório 'sério', que abrisse a possibilidade de reflexão sobre os problemas mais atuais e profundos da realidade russa e sobre o lugar do ser humano na história e no mundo. (Vássina; Labaki, 2015, p. 31)

E podemos ver o desejo de transformação nas palavras de Stanislavski:

> A fundação de nosso novo Teatro Popular de Arte de Moscou teve a natureza de uma revolução. Protestamos contra a maneira costumeira de atuar, contra a teatralidade, contra o páthos, contra a declamação, contra o exagero, contra a má forma de produção, contra o cenário habitual, contra o estrelismo que estragava o conjunto, contra o repertório leve e farsesco que estava sendo cultivado no palco russo naquela época. [...] Como todos os revolucionários, quebramos o velho e exageramos o valor do novo. Tudo o que era novo era bom simplesmente porque era novo. Isso era verdade não apenas para coisas importantes, mas também para pequenas coisas [...]. Mas o mais importante é que todos os outros teatros praticavam a verdade teatral convencionalizada, e queríamos outra, uma verdade real, artística, cênica [...]. A fermentação revolucionária e a própria revolução que vinha medrando trouxeram para a cena do teatro várias peças que refletiam o clima político-social, os descontentamentos, o protesto, e os sonhos como o herói que dissesse a verdade de maneira ousada [...]. Aconteceu que em 1917 explodiu a Revolução de Fevereiro e, em seguida, a Revolução

de Outubro. O Teatro recebeu uma nova missão: devia abrir as suas portas às mais amplas camadas de expectadores, aqueles milhões que até então não tiveram a oportunidade de usufruir dos prazeres culturais [...]. Nos vimos em estado de impotência diante da massa enorme que invadia o teatro. [...] Compreendíamos que as pessoas não vinham ao teatro para distrair-se, mas para aprender. Estourou a Revolução de Outubro. Os espetáculos foram declarados gratuitos, durante um ano e meio não houve venda de entradas, que eram enviadas a repartições e fábricas, e tão logo o decreto saiu nós nos víamos cara a cara com espectadores totalmente novos para nós, muitos dos quais, talvez a maioria, desconheciam não só o nosso, mas qualquer outro teatro. (Stanislavski, 1989, p. 264; p. 338; p. 496)

Como podemos ver, guardadas as devidas proporções, as propostas do estatuto e da ação do TAM eram semelhantes às do estatuto e das ações que o TPE se propunha a realizar ou mesmo às dos Termos de Acordo entre TPE e o Teatro de Arena.[27] A partir desses depoimentos, pode-se entender melhor como os conhecimentos de Boal, somados àqueles dos jovens da Juventude Comunista do TPE, começaram a mudar os métodos de trabalho de produzir teatro. E estruturam o estudo não somente da teoria teatral, mas também das teorias filosóficas, estéticas e políticas. Nesse período, Anatol Rosenfeld estará presente em vários momentos.

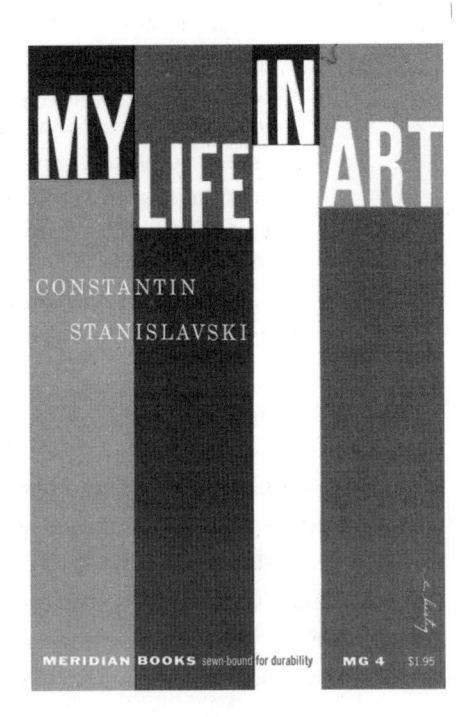

Capa de *My Life in Art*, de Constantin Stanislavski, Meridian Giants, edição de 1956. ESTATE OF ELAINE LUSTIG COHEN

---

27. "Objetivo D) Divulgação das artes cênicas em fábricas, escolas e cidades do interior do Estado" (Neiva, 2016).

> Cursos diversos: 26 de setembro de 1956, estreia *Ratos e homens*, e nesse período Boal inicia o Curso Prático de Dramaturgia, incluindo: Introdução, Teorias, Estrutura Teatral e Dinâmica Dramática, Caracterização Psicológica e Diálogo, Análise de Peças. (Lima, 1978, p. 42)

> Em 1957, o Teatro de Arena [tinha] aulas [no] 1º semestre: Curso Prático de Teatro — responsáveis: Sadi Cabral (Interpretação), Bernardo Blay (Psicologia), Décio de A. Prado (Estética), Sábato Magaldi (História do Teatro). Aulas especiais: Jose Renato (Método de Ensaio), Beatriz Segall (Jogos Dramáticos), Barbosa Lessa (Folclore Gaúcho), Alice Pincherle (Empostação de Voz). Aulas 2º semestre: História do Teatro — Ruggero Jaccobbi e Edoardo Bizarri, Direção — Giani Ratto, Dramaturgia — Augusto Boal. (Programa de *Só o faraó tem alma*, 1957)

> No início do nosso trabalho com o Stanislavski, criávamos lagoas de emoção, profundas lagoas emocionais, mas a empatia, a ligação emocional personagem-espectador, é necessariamente dinâmica. Um excesso de proustianismo e subjetividade pode levar à ruptura das relações entre as personagens e à criação de lagoas de emoção isoladas. Mas nós precisamos criar rios em movimento dinâmico e não mera exibição de emoção. Teatro é conflito, luta, movimento, transformação e não simples exibição de estados de alma. É verbo, e não simples adjetivo. A partir dessa constatação, começamos a dar mais valor ao conflito como fonte de teatralidade: a emoção dialética. (Boal, 2015, p. 86)

Dessa forma, Boal ia construindo, no constante diálogo de ensinar e aprender com os atores, uma proposta de interpretação e de pedagogia. E também a ideia do espetáculo conectando conceitos de Stanislavski[28] com dialética hegeliana e criando o que chamou de "Estrutura Dialética de Interpretação" (Boal, 2015, p. 88). O texto era estudado na sua relação dialética com a encenação, o que implicava experimentação por parte dos atores e do diretor. Não havia mais espaço somente para o chamado "trabalho de mesa" nos moldes dos ensaios do TBC.

---

28. Podem-se identificar, inclusive, conceitos de "Análise Ativa" e "Super objetivo" que vão confluir bem com a proposta do Teatro do Oprimido. Aqui caberia um estudo específico sobre essa hipótese.

> O método de (Adolfo) Celi (italiano e diretor artístico do TBC) implicava, primeiro, 'leituras de mesa', momento em que os atores liam seus textos até atingir as inflexões desejadas pelo diretor. Depois, passavam a decorar os papéis para, por fim, fazer os ensaios e as marcações das cenas. (Prado, 2002, p. 293)

> A direção de Boal era muito pouco atuante no sentido de imposição de alguma coisa. Era uma direção interrogativa, de aberturas de possibilidades. Na verdade, quem fazia o espetáculo eram os atores, o Boal fazia a crítica. Esse método interrogativo é um método interessante. No Teatro de Arena começa a aparecer uma negação da figura do *metteur en scène*, do diretor como criador do espetáculo; no Teatro de Arena, o espetáculo, as pessoas é que criavam. (Depoimento de Paulo José *apud* Roux, 1991, p. 92)

As adaptações feitas por Boal com base no Método Stanislavski — vide sua vivência com Kazan, Clurmann, Strasberg e o Actors Studio — e a própria experiência que teve ao ver variados espetáculos no circuito *Off-Broadway* mostram uma diversidade de possibilidades. Assim, a meu ver, isso impede de classificar, simplesmente, o Stanislavski usado por Boal como reprodução do Método de Strasberg.

Existia toda uma proposta dialética entre forma-ideia-ação, e tudo isso estava associado e conectado ao que acontecia fora do teatro. O Arena não era um mero grupo de teatro que buscava uma técnica vazia para conectar com uma forma. Essa proposta em criação tinha de atender ao ideal presente naquele período, naquela conjuntura histórica e política, em busca do "ser brasileiro", de romper, e não reproduzir, a lógica europeia do TBC.

Estava em jogo justamente a arte enquanto mercadoria. Foi sendo apresentado um novo produto, uma busca de uma nova forma de produção.

> Quanto mais se recua na História, mais dependente aparece o indivíduo, e, portanto, também o indivíduo produtor, e mais amplo é o conjunto a que pertence [...]. A produção do indivíduo isolado fora da sociedade [...] é uma coisa tão absurda como o desenvolvimento da linguagem sem indivíduos que vivam juntos e falem entre si. (Marx, 1974, p. 110).

Então, o Arena começa a questionar certas especializações e funções dentro da estrutura teatral visando a uma democratização na forma de interpretar e dirigir. Cria uma ideia coletiva e integrada de trabalhar, mas ainda insuficiente para quebrar a engrenagem. Existe toda uma estrutura de produção que está dentro de uma sociedade capitalista. "Quando se fala de produção, sempre se está falando de produção em um determinado estágio de desenvolvimento social — da produção de indivíduos sociais" (Marx, 2011, p. 40).

Seminário de Dramaturgia: a práxis germinando

É fundamental radicalizar o fazer teatral, ou seja, democratizar os meios de produção. Nesse aspecto, um ponto essencial é a própria dramaturgia e quem detém seus conhecimentos, sua técnica, seu conteúdo e sua forma. Nesse momento, tornam-se importantes o fortalecimento do trabalho de equipe e a noção (e a necessidade) de que todos poderiam contribuir nas diferentes etapas da produção teatral.

O Laboratório de Interpretação começou quebrando um tabu, mostrando que todo mundo pode ser ator, um dos princípios do Teatro do Oprimido. Agora, há a necessidade de dar um segundo passo: suprassumindo (*Aufhegung*) o já acumulado, cria-se o Seminário de Dramaturgia. O objetivo é mostrar que todos não somente podem atuar, mas também podem e devem escrever. Assim se fortalece um grupo, uma identidade, mesmo que seja micro, mas que se potencializa. "Finalmente, a produção também não é somente produção particular. Ao contrário, é sempre um certo corpo social, um sujeito social em atividade em totalidade maior ou menor de ramos de produção" (Marx, 2011, p. 41).

Para se entender melhor como se deu esse processo, uso parte de uma entrevista de Boal Boal para o Jornal do Brasil. Nela, o dramaturgo apresenta um esquema do desenvolvimento do Teatro em São Paulo e quase uma análise da conjuntura político-artística:

> *1) Desenvolvimento econômico de SP (variação quantitativa)*
> Maior disponibilidade financeira, cosmopolitização são paulina, economia e cultura alienadas, formação do T.B.C.
>
> *2) T.B.C (salto qualitativo)*
> Teatro como fenômeno estético, diretores estrangeiros;
> O teatro alienado: temática e formas importadas;
> Aparecimento da plateia burguesa.

3) A plateia burguesa (variação quantitativa)
Composição: parte alienada fundadora, parte alienada pelo teatro imposto, parte autêntica ainda que superficial;
Aparecimento do Teatro Simplesmente Brasileiro.

1) O Teatro Simplesmente Brasileiro (segundo salto qualitativo)
Pesquisa de estilos (Laboratórios e Interpretação);
Pesquisa temática e formal em dramaturgia (seminários de dramaturgia);
Aparecimento da plateia popular.

2) A plateia popular (variação quantitativa)
Inclusão da pequena burguesia através de suas associações;
Inclusão do proletariado através dos seus sindicatos;
Inclusão dos estudantes através de seus grêmios;
Formação de teatros operários, estudantis e de associações;
Aparecimento do Teatro Popular.

3) O teatro popular (terceiro salto qualitativo)
A temática popular;
As formas populares;
[...] o TBC não surgiu como um fenômeno isolado, havendo que relacioná-lo ao desenvolvimento econômico que se processou em São Paulo, há 15 ou 20 anos. [...] Importávamos geladeira, ciência e arte. Por que não haveríamos de importar teatro? [...] E o subdesenvolvimento econômico gera o cultural. [....] A nossa sociedade já era economicamente alienada: o nosso teatro tornou-se. [...]

1) O teatro simplesmente brasileiro
Atualmente, estamos na fase em que se procura criar o teatro reclamado pela plateia da qual dispomos, ao mesmo tempo que procuramos criar também a plateia popular que virá mais tarde exigir o teatro popular. [...] E já se iniciou a penetração no proletariado através de espetáculos esporadicamente realizados em sindicatos, embora essa tentativa tenha dado apenas um ou dois passos tímidos e reticentes. A rigor, a plateia atual é apenas classe média. [...] O teatro no Brasil encontra-se na fase em que se pretende 'nacionalizá-lo', satisfazendo uma exigência claramente preliminar. É necessário que apareçam autores brasileiros. [...] Esta é a fase em que necessariamente deveriam surgir os Seminários de Dramaturgia [...]. Fazer teatro para quem? E por quê? O Arena também se coloca nesta fase. [...] Vamos criar as condições materiais para o surgimento do teatro popular. Esse teatro 'simplesmente brasileiro' conseguirá penetrar em classes sociais mais vivas. A nossa plateia,

que está se formando, criada pelo teatro 'simplesmente brasileiro', crescerá bastante para negá-lo também, impondo sua própria temática e sua própria forma [...] penetrará nas classes economicamente inferiores, [...] que por sua vez reclamarão o seu próprio teatro, a sua própria dramaturgia, a sua própria forma.

1) O teatro popular:
Já existem indícios do aparecimento de uma plateia popular. Mas tudo ainda está no começo. Mesmo a nossa experiência com plateia operária pode ser enganadora. Os operários reagem e analisam não apenas a peça, mas, sobretudo, a própria forma teatral. A grande maioria viu teatro pela primeira vez. O que para eles pode parecer certo hoje já não o será amanhã, talvez, quando se tiverem habituado ao teatro. [...] é preciso também fixar melhor o que se entende por teatro popular [...], significa que, prosseguindo o seu desenvolvimento dialético, o teatro brasileiro incorporará, pela primeira vez, uma plateia operária. A inclusão de uma nova plateia e o surgimento de uma nova dramaturgia não virão eclipsar o já existente. A nova classe, transformada em plateia, trará uma riqueza maior de ideias, impossíveis de serem solicitadas pela plateia burguesa. Não virá empobrecer os nossos dramaturgos, limitando-os a um pequeno número de formas e fórmulas, mas, ao contrário, virá enriquecê-los com a exigência de ideias necessárias ao desenvolvimento da própria sociedade. Queremos dizer ainda que, e sempre em nossa opinião, esses três saltos qualitativos (Teatro Alienado, Teatro Autêntico e Teatro Popular) não são compartimentos estanques, com data certa, cronológica. Eles se interpenetram, podendo aparecer contemporaneamente. [...] Além do teatro operário, já se pensa na experimentação com o teatro político, que é um dos meios de acelerar o aparecimento de uma plateia popular. [...] Os temas universais, sejam quais forem, ou são também brasileiros ou não são universais. Escrever sobre a realidade brasileira não significa qualquer redução temática. O amor é tão brasileiro quanto o subdesenvolvimento econômico. Podemos escrever sobre um ou sobre outro, mas é necessário verificar que o segundo tema só se tornará urgente com o advento da plateia operária, que é a que mais agudamente o sente. [...] Para cada conteúdo, devemos procurar a sua adequação formal correta. [...] se vamos demonstrar criticamente que o 'ser social' condiciona o pensamento social, devemos recorrer a formas épicas. Porém, não necessariamente.

> Creio que, apesar da enorme liberdade e dos amplos caminhos abertos pelo teatro épico, qualquer conteúdo épico pode ser transcrito dramaticamente. Portanto, à medida que o nosso teatro vai incorporando novas plateias, não vai jamais reduzindo o seu campo de ação, mas ampliando-o, e buscando uma adequação formal mais enérgica. Por isso, mais do que nunca, requer-se uma definição exata do artista como homem e como ser social. (Boal, JB, 13/02/1960)

Nas palavras de Marx:

> Fome é fome, mas fome que se sacia com carne cozida, comida com garfo e faca, é uma fome diversa da fome que se devora carne crua com mão, unha e dente. Por essa razão, não é somente o objeto de consumo que é produzido pela produção, mas também o modo de consumo, não apenas objetiva, mas também subjetivamente. A produção cria, portanto, os consumidores. (Marx, 2011, p. 47)

O texto acima — quando *Revolução na América do Sul* ainda não havia estreado —, já mostra um Boal bastante consciente do momento em que se encontra, dos desafios e da relação dialética que estão em curso para conseguir, senão quebrar a engrenagem, ao menos alterá-la substancialmente. Existia um grande debate sobre o processo de formação e a disputa de uma plateia e que isso não poderia ficar restrito à pequena capacidade de 150 lugares do Arena, havendo a necessidade de ir para as ruas, os sindicatos e outros espaços. E, como apontado no texto de Marx — o que indica as leituras e influências e os conhecimentos marxistas que Boal e o Arena tinham já naquele período —, a possibilidade dessa nova forma de produzir, alcançando novas plateias. Aliás, essa perspectiva da limitação de ação e de plateia foi uma das críticas feitas por Vianinha:

> O Arena era porta-voz das massas populares num teatro de 150 lugares. Não atingia o público popular e, o que é talvez mais importante, não podia mobilizar um grande número de ativistas para o seu trabalho. A urgência de conscientização, a possibilidade de arregimentação da intelectualidade, dos estudantes, do próprio povo, a quantidade de público existente, estavam em forte descompasso com o Teatro de Arena enquanto empresa. (Artigo de Vianna Filho *apud* Peixoto, 1983, p. 93)

Boal mostra consciência desse risco, mas se apresenta otimista com a possibilidade de criar novos autores nacionais. *É importante frisar que antes de o seminário existir havia o seu embrião, ao qual Boal chamou de curso de dramaturgia, já em 1956. Era um curso prático com teoria de estrutura teatral, dinâmica dramática, caracterização psicológica, diálogo, estudo e análise de peças.*

> O elenco (do Arena) me pediu para contar como eram as aulas do Gassner. Queriam que eu fizesse um curso de dramaturgia, aberto ao público. Achei a ideia boa. [...] Durante semanas, reuniam-se 50 pessoas assíduas e eu dava aulas mostrando que as leis em dramaturgia são instrumentos de trabalho, para serem utilizadas, não obedecidas. Leis extraídas de obras-primas: Sófocles, Shakespeare, Moliére. Se quiser, use; senão, corra riscos [...]. No ano seguinte, 1957, organizamos outro curso de dramaturgia, aberto. Em 1958, depois da estreia de *Black-Tie*, resolvemos fundar o Seminário de Dramaturgia para aprofundar o nosso estudo, agora em pequeno grupo. O seminário seria para convidados, o curso para todos. Reunimos 12 futuros autores profissionais, alguns já tendo escrito, outros nem uma linha. Reuniões aos sábados de manhã para analisarmos peças, no mínimo dois relatores — um dos quais sempre eu... Os relatores tinham de ser minuciosos, prestando informações nos debates. Os outros participantes ouviam a leitura e debatiam. As reuniões terminavam quando se sentia fome. Almoçávamos num botequim da Consolação onde nos esperava suculenta feijoada apesar do calor! Discussões suadas. Difícil combinar Hegel, Brunètiere, Aristóteles com torresmo e costela de porco — no verão, Sófocles, Ibsen e Shakespeare com couve, laranja e chouriço. Heroicos: caipirinha com Maquiavel e Eurípides. Delícia. (Boal, 2000, p. 147-149)

O ensinamento de Gassner e Piscator estava presente mostrando que um dramaturgo não está isolado do mundo, mas precisa escrever com os pés dentro de sua realidade. Por isso a necessidade do debate sobre a conjuntura nacional, as temáticas trazidas pela rua não podiam ser separadas dos processos de criação. E nada mais exemplar que essa metáfora de Boal, misturando-os com feijoada e caipirinha.

O Laboratório de Interpretação e o Seminário de Dramaturgia envolveram todo um processo coletivo de conscientização não só do produto final, mas dos meios de produção, e que para se quebrar a engrenagem não basta trocar uma peça, mas toda a máquina. O Seminário, em março de 1958 e 1961, produziu peças[29] como: *Chapetuba Futebol Clube*, de Vianinha (estreia em março de 1959), *Gente como a gente*, de Roberto Freire (estreia em julho de 1959), *A farsa da esposa perfeita*, de Edy Lima (estreia em outubro de 1959), *Fogo frio*, de Benedito Ruy Barbosa (estreia em abril de 1960), *Revolução na América do Sul*, de Boal, estreia em São Paulo em setembro 1960), *Pintado de alegre*, de Flavio Miggliaccio (estreia em janeiro de 1961), *O testamento do cangaceiro*, de Chico de Assis (estreia em julho de 1961) e recentemente tem o indicativo da peça *Sucata*, de Milton Gonçalves, fevereiro de 1961, feita para o TEN. (*Diário da Noite*, 15/02/1962, p. 18)

> O Arena [...] teve que tomar uma atitude decisiva que apareceu com a chegada de Augusto Boal: a mobilização de todo o teatro de Arena para criar o espetáculo. Deixou de haver funções estanques de ator, diretor, iluminador etc. O Arena tornou-se equipe, não no sentido amistoso do termo [...], mas no sentido criador. Todos os atores do Arena tiveram acesso à orientação do teatro: orientação comercial, intelectual, publicitária. Boal mobilizou toda a imensa capacidade ociosa existente; Flávio Migliaccio, que só fazia pontas e carregava material de contra-regragem, praticamente inventou um novo ator no Brasil. Guarnieri, Boal, Chico de Assis, Milton Gonçalves, Nelson Xavier escreveram peças. Todos participamos de um laboratório de atores. E todos estudamos e debatemos em conjunto. (Depoimento de Vianinha *apud* Peixoto, 1983, p. 92)

> Nós [do Arena] tínhamos combinado entre nós uma porção de regras a respeito de pagamentos, como, por exemplo, de como que a gente queria dividir o dinheiro, que era cada um de acordo com sua necessidade,[30] então quem tinha filho ganhava mais, quem não tinha ganhava menos. (Depoimento de Chico de Assis *apud* Villares, 2012)

> Quando Zé (Renato) foi pra Paris, nós fizemos regras no Arena, que eram regras comunistas. (Depoimento de Chico de Assis *apud* Teixeira; Nikitin, 2004)

---

29. Em alguns documentos e programas de peças do Arena(Pintado de Alegre) se inclui a peça "Eles não usam black-tie" como fruto do Seminário, mas ela foi escrita antes do seu inicio oficial. Em 1956, como Boal aponta acima houveram cursos de dramaturgia que poderia dizer que Guarnieri pode ter se beneficiado destes para sua escrita.
30. "De cada qual, segundo sua capacidade; a cada qual, segundo suas necessidades" (Marx, 2012, p. 28).

> Na verdade, o Teatro de Arena foi o primeiro elenco permanente de teatro profissional no Brasil a postular e planejar o seu trabalho e a organizar sua administração coletivamente, segundo uma política cultural de confrontação da realidade brasileira. A arte por ela mesma era alienação infame. O Brasil era descoberto todos os dias e era preciso denunciá-lo. E nós fazíamos teatro como se fôssemos salvar o mundo com ele [...] enquanto as outras companhias, sem muito para dizer de autêntico, comercializavam a sua forma, o Arena comercializava seus conteúdos, usando no público sua área mais urgente de indagações pelo mundo. Os problemas que menos distância possuíam da realidade social foram abordados. As mediações longínquas foram abolidas. (Depoimento de Nelson Xavier *apud* Guimarães, 1978, p. 74)

Fazer teatro é também lutar pela transformação. Se isso podia estar apontado desde o início com a criação do TPE e sua fusão com o Arena, agora é o momento de se aprender como fazer.

O seminário vem somar e complementar as outras atividades de formação que estavam em plena realização, radicalizando a proposta coletiva da criação artística. Essa ação coletiva vai ser um marco não somente no seu produto, mas no fazer, na democratização dos meios de produção dramatúrgica.

> [...] o lugar do intelectual na luta de classes só pode ser definido — ou melhor, escolhido — por sua posição no processo produtivo.
>
> [...] para o autor como produtor, o progresso técnico é a base de seu progresso político.
>
> [...] Seu trabalho não envolverá apenas os produtos, mas sempre, simultaneamente, os meios de produção. Em outras palavras, ao lado do caráter de obra, seus produtos devem ter uma função organizadora. E de modo nenhuma sua utilização organizativa pode limitar-se à propagandística. Só a tendência não garante nada.
>
> [...] Um autor que não ensina nada aos que escrevem não ensina nada a ninguém. Dessa maneira, o caráter de modelo da produção é decisivo: primeiro, deve-se orientar os outros produtores na produção e, em segundo lugar, disponibilizar-lhes um aparelho melhorado. E esse aparelho é tanto melhor quando mais consumidores levar de volta à produção; ou seja, quanto mais for capaz de transformar leitores ou espectadores em colaboradores. (Benjamin, 2017, p. 102)

Boal trazia seus conhecimentos de aplicação em bases dialéticas, que já acontecia no Laboratório de Interpretação, para o Seminário de Dramaturgia. Assim como na interpretação, Boal aprendia ao ensinar e, dialeticamente, passava o que sabia e também se formava. Agora impregnado pela conjuntura brasileira dos anos 1950/1960 e pela mundial, a qual envolvia as mobilizações dos trabalhadores e estudantes, a Revolução Cubana e a Argelina, o debate feminista e a luta anticolonialista. Assim, visava produzir um texto que tivesse o processo de debate e participação coletiva como fundamento. Não bastava apenas atuar, era preciso escrever de forma coletiva. Desse modo, dramaturgia, interpretação, cenografia etc. se conectavam desde antes do primeiro ensaio.

Importa observar que o processo de criação coletiva das peças do Teatro do Oprimido acontece de forma semelhante, a exemplo do que diz Piscator sobre o processo de criação de sua peça *Apesar de tudo!* (1925), que se pode definir como uma das primeiras chamadas de "drama-documentário", usando documentos reais como jornal, filmes e fotografias:

> O espetáculo nasceu de um trabalho coletivo: os diversos processos de trabalho de autor, diretor artístico, músico, cenógrafo e ator se entrosavam incessantemente. Com o manuscrito, nasciam, ao mesmo tempo, as construções cênicas e a música, enquanto em comum com a direção artística renascia o manuscrito. Em muitos lugares do teatro, simultaneamente, arranjaram-se cenas, antes mesmo de lhes estar determinado o texto. (Piscator, 1968, p. 80)

> O princípio de trabalho coletivo já demonstrou as suas grandes vantagens para o distanciamento intelectual e físico, inclusive para o diretor artístico e o gestor. Como numa máquina bem construída, as engrenagens das rodas se encaixam perfeitamente num teatro baseado neste princípio e desenvolve-se uma espécie de direção coletiva: o estilo de encenação é aplicado de forma mais lógica e simples. O cineasta, o dramaturgo, o cenógrafo e o diretor de cena sabem desde o início as intenções finais da direção artística e podem, portanto, apoiá-la mais facilmente e em maior medida do que era possível anteriormente no teatro. Contra o princípio ditatorial da empresa teatral habitual, que torna o diretor tão escravo quanto os seus subordinados, o princípio da coletividade democrática demonstra repetidamente a sua produtividade, bem como o seu significado humano e artístico (Piscator, 2013, p. 74).

Cartaz Grande teatro 1925. Imagens de filmes e projeções, incluindo o falecido Karl Liebknecht (assassinado junto com Rosa Luxemburgo) e Edmund Meisel (músico). PISCATOR, 1929, P. 49.

O desenvolvimento estético desigual e combinado se materializava na busca do Arena por uma prática de realismo dramático com herança naturalista, mas agora combinada com um "Stanislavki à brasileira", mais o ineditismo de haver um trabalho teatral de grupo dividindo funções, do estético ao administrativo, e com atores militantes com muita vontade de transformar a realidade e de não se limitar apenas ao fazer teatral: *tudo ao mesmo tempo agora*.

É muito importante entender a pequena revolução que está acontecendo nesse espaço teatral, as confluências de conhecimentos e desejos fermentando o questionamento da engrenagem. Esse processo começa a estruturar em Boal uma responsabilidade pedagógica. Antes, era aluno, agora professor, e de alunos entre os quais se instaurava um debate que apenas as questões técnicas, sabendo-se que estas também têm suas ideologias, não davam conta; e a conjuntura exigia o debate político e estético. Está presente a dialética, ao lado de todo o arsenal aprendido. O desafio é partir dessa nova realidade e radicalizar a metodologia de dramaturgia. É sua própria práxis sendo gestada, e cria-se, assim, um novo modo de criar.

> A práxis é a atividade concreta pela qual os sujeitos humanos se afirmam no mundo, modificando a realidade objetiva e, para poderem alterá-la, transformando-se a si mesmos. É a ação que, para se aprofundar de maneira mais consequente, precisa da reflexão, do autoquestionamento, da teoria; e é a teoria que remete à ação, que enfrenta o desafio de verificar seus acertos e desacertos, cotejando-os com a prática. (Konder, 1992, p. 115)

Boal vai sistematizando seu processo e podemos ver pontes com Engels nas definições sobre dialética. Esta é uma hipótese levantada pela pesquisadora Paula Autran (2019) a partir de uma palestra do dramaturgo e diretor teatral Sérgio de Carvalho, ao comentar o trabalho de Lauro César Muniz:

> Boal estruturou, a partir de seus estudos sobre drama nos Estados Unidos, e das experiências anteriores de cursos laboratoriais do Arena e Seminário de Dramaturgia, um método pedagógico, baseado na dialética hegeliana de explicação da técnica dramática. [...] O método de Boal-Muniz é uma síntese que se assemelha à explicação que Engels dá sobre a ciência da mobilidade de Hegel. Num primeiro nível, as contradições gerais entre A e B, duas personagens, ou dois grupos de personagens se dão como unidade em torno de um campo ou problema comum. Não se trata só do conflito de vontades opostas. A e B estão em uma unidade contraditória em torno de uma questão comum, em interação problemática, na medida em que existem também contradições internas de lado a lado: 'A' não é uma identidade fechada, trava uma luta interna que dificulta sua ação com B, e vice-versa. Nos termos do mundo do Drama pré e pós burguês, isso pode ser lido como hesitação, contra-vontade ou contra-dever, até a conquista da decisão. O processo se dá em etapas. Segundo a terminologia clássica da dialética, ocorrem as variações quantitativas da interação. Em um determinado momento em que quantidade se faz qualidade, o salto transformador: a variação qualitativa. O pressuposto desse esquema de compreensão

dinâmica das interações entre as personagens provém de Hegel: a "árvore que está aí e cresce" também realiza, em suas determinações, sua morte. "Toda determinação é uma negação", registra Engels no Anti-Duhring, repetindo Spinoza. (Carvalho, 2020)

Wissenschaft der Logik, de G. W. F. Hegel (Ciência da Lógica).
HERAUSGEGEBEN VON GEORG LASSON BD. 1. VERLAG VON FELIX MEINER IN LEIPZIG. 1932-34.

Outra pista sobre o esquema de dramaturgia estruturado por Boal vem de uma ex-aluna sua da Escola de Arte Dramática,[31] Renata Pallotinni (2006, p. 70), que afirma:

> Emergiu, então, para nós, alunos e professor, um conjunto de Leis do Drama, extraídas de Hegel e de sua Lógica Dialética por Augusto Boal e aplicáveis ao drama aristotélico.
>
> Pelo que eu me lembro, tentei adaptar, ou sistematizar, os conceitos hegelianos dentro das 4 leis da dialética e deu nisso:

---

31. Boal começou a dar aula na EAD em 1959.

1. Lei do Conflito;
2. Da variação quantitativa (ação dramática);
3. Variação qualitativa; e
4. Interdependência.

Podemos observar algumas semelhanças com o esquema apresentado por Lawson em seu livro *Theory and techinique of playwriting*, que era usado nas aulas de Gassner na Universidade de Columbia. Veja abaixo trecho de entrevista realizada pelo ator Chico de Assis com Augusto Boal quando da comemoração dos 50 anos do Teatro de Arena:

> CHICO DE ASSIS: Até que ponto Hegel continua ainda sendo a sua base filosófica?
>
> AB: Eu acho que quando a gente lê um autor, que pode ser Hegel, Marx, Brecht ou qualquer outro, a gente não pega aquilo como catecismo, acho que não é assim. A gente lê e absorve alguma coisa. E essa alguma coisa que a gente absorve se funde com outras. O processo da Imaginação está junto nisso também, porque às vezes, com a imaginação, você funde duas coisas que você leu com outras que você vivenciou, e o que sai depois é uma coisa que é nova. Uma coisa que é sua. Eu acho que o Hegel, para mim, foi um momento em que eu lia muito filosofia, que eu estudava muito [...]. Agora, por exemplo, você poderia perguntar se o meu teatro é marxista. Eu não gosto de dizer sim nem não. Eu falo assim: — Sei lá. (Entrevista de Chico de Assis com Augusto Boal *apud* Teixeira; Nikitin, 2004).

Para melhor entendimento do seminário, observemos sua estrutura:

I. Prática: a) técnicas de dramaturgia; b) análise e debates de peças.

II. Teoria: a) problemas estéticos de teatro; b) características e tendências do moderno teatro brasileiro; c) estudo da realidade artística e social brasileira; d) entrevistas, debates e conferências com personalidades do teatro brasileiro.

III. Burocrática: a) seleção e encaminhamento de peças escritas no Seminário; b) divulgação de teses e resumo dos debates competiriam à Secretaria do Seminário. (Magaldi, 1984, p. 33)

O Seminário de Dramaturgia foi um período crucial para o teatro brasileiro. Mais um ponto a avançar na proposta para alterar o modo de produção teatral não somente mudando os textos, ou seja, indicando uma alteração de seu conteúdo, mas ensinando a escrita, colocando a possibilidade de todo ser humano escrever. Afinal, como disse Walter Benjamin, que tinha seus textos estudados no Arena:

> Brecht foi o primeiro a confrontar o intelectual com a exigência fundamental: não abastecer o aparelho produtivo, sem o modificar, na medida do possível, num sentido socialista. [...] abastecer um aparelho produtivo sem ao mesmo tempo modificá-lo, na medida do possível, seria um procedimento altamente questionável mesmo que os materiais fornecidos tivessem uma aparência revolucionária. Sabemos [...] que o aparelho burguês de produção e publicação pode assimilar uma surpreendente quantidade de temas revolucionários, e até mesmo propagá-los, sem colocar seriamente em risco sua própria existência e a existência das classes que o controlam. Isso continuará sendo verdade enquanto esse aparelho for abastecido por escritores rotineiros, ainda que socialistas. Defino o escritor rotineiro como o homem que renuncia por princípio a modificar o aparelho produtivo a fim de romper sua ligação com a classe dominante, em benefício do socialismo [...]. Afirmo ainda que uma parcela substancial da chamada literatura de esquerda não exerceu outra função social que a de extrair da situação política novos efeitos, para entreter o público. (Benjamin, 1994, p. 128)

> Abastecer um aparelho produtivo sem ao mesmo tempo modificá-lo, na medida do possível, seria um procedimento altamente questionável mesmo que os materiais fornecidos tivessem uma aparência revolucionária. Isso continuará sendo verdade enquanto esse aparelho for abastecido por escritores rotineiros, ainda que socialistas. (Benjamin, 2017, p. 102)

Boal, Piscator e Brecht acreditavam que não bastava somente um "teatro rotineiro", mas que ele também deveria mudar e democratizar as formas de produção.

> Como estávamos na base de estudos e descobertas é lógico que cada um se agarrava naquilo que tocava mais sua sensibilidade. Eu, por exemplo, me agarrei à Commedia dell'Arte, embora sabendo que caminhávamos

ao teatro de Piscator. O tempo foi muito curto para se definir (formas de expressão prioritárias) alguma coisa. No entanto discutiu-se e se levantou muito problema, e principalmente discutiram-se, analisaram-se muitos métodos: Kabuqui, Commedia dell'arte, Shakespeare, Brecht, Piscator, Circo, tudo enfim. (Depoimento de Flávio Migliaccio *apud* Dionysos, 1978, p. 73)

Minha jornada de trabalho coincidia com o intervalo entre os ensaios e o espetáculo à noite. Estavam todos eles na porta, e ficávamos horas conversando sobre o teatro e suas teorias. [...] o Boal me convidou até para formar o Departamento Operário do Teatro de Arena [...]. A mesma pesquisa que se fazia em literatura, por meio dos Seminários de dramaturgia ou em Laboratórios de interpretação, eu procurava fazer com a imagem em cenografia, procurando estudar o comportamento do brasileiro, por meio de elementos visuais, vendo candomblé, carnaval, todas as manifestações populares e documentando o que via, da forma que me era possível. Os atores participavam de todos os Seminários. [...] os atores sabiam de tudo o que estava acontecendo [...]. Tínhamos uma disciplina de trabalho que ocupava o dia inteiro. Os atores chegavam no máximo às duas horas e ficavam até seis horas fazendo Laboratório, com ou sem Boal [...]. Eu participava, praticamente, de todos os Laboratórios [...]. Os atores trabalhavam com uma grande autonomia intelectual, porque todos tinham a mesma formação. [...] E de repente, o Teatro de Arena era um grupo de universitários, com formação diversificada, mas era um grupo que tinha treinado, principalmente a mesma cabeça, na observação sociológica, política etc. Tinha-se a mesma disciplina, lia-se os mesmos livros e o nível era idêntico, possibilitando as mesmas leituras. Líamos demais, demais [...] e o quanto a gente discutia o que lia. Tudo o que fazíamos parecia conter uma base teórica. [...] Um dos nossos assessores era o Anatol Rosenfeld, um teórico maravilhoso, judeu que chegou ao Brasil com uma grande formação marxista e que conhecia o Brecht de cor. Participava de alguns Seminários e estava sempre no Arena, discutindo com a gente. Acontecia também que o Boal e o Sábato Magaldi eram muito amigos... Reuníamos, em torno do Teatro, a crítica e a informação teórica de muitos setores e da própria Faculdade de Filosofia. O Roberto Schwarz era íntimo da gente. E muitos outros professores também: professores de Economia, Sociologia, Filosofia, Teoria Literária, Literatura. Tinha uma penetração e um intercâmbio, praticamente, com a *intelligentsia* da época. Era um dos grandes centros intelectuais. Cada vez que se estreava um espetáculo, todas as Faculdades vinham ver. E gostavam muito, porque o que se fazia correspondia ao pensamento da época. O pensamento mais refinado estava traduzido nos espetáculos do Teatro de Arena. (Blog do Flávio Império, 2012)

Ele [Boal] começou com o que era a dramaturgia. A gente pôde entender pelas leis da dramaturgia que na dramaturgia tinha as leis da dialética. Ou seja, todo mundo lá ia virar marxista. E mais ou menos virou, não todos, mas todo mundo meio que virou marxista. E o Boal misturava dialética com filosofia, com teatro atual, com teatro dos outros lugares. Aulas totalmente políticas. Ele citava grupos politicamente engajados, grupos camponeses lá da Califórnia, aqueles hispanos [Teatro Campesino], e falava também do casal de Nova York [Judith Malina e Julian Beck], do Living Theatre. Falou muito do Brecht, ele gostava muito de Brecht. (Ricardo Othake, artista plástico e participante Seminário de Dramaturgia para estudantes secundaristas em 1959, entrevista ao autor, janeiro de 2015)

O objetivo é a integração maior do teatro com a população. Vamos fazer, eu e elementos do Seminário (alguns, não todos), verdadeiro teatro político. Escolheremos temas e problemas sociais mais sérios, de maneira a atingirem o maior número de espectadores. Queremos uma plateia popular... Será uma tentativa de teatro não emocional. Semelhante ao trabalho de Piscator (mais do que ao de Brecht). Utilizaremos mesmo a maneira de espetáculos de Piscator: telas de cinema em cena etc. As peças serão escritas por equipes. Duas já estão certas: *O que sabe você sobre o Petróleo?* e *Vida, Paixão e Morte do Presidente Vargas*. (Entrevista com Augusto Boal *apud* Peixoto, 1980, p. 34)

Nós líamos e debatíamos naquele processo de aprendizado sobre como atuar politicamente dentro do teatro, era uma mistura impressionante. De Marx a Lukács, Brecht e Piscator, todos os mestres do chamado teatro atuante e popular. O teatro feito para pensar, sem perder de vista seu entretenimento. (Depoimento de Vera Gertel *apud* Lima, 2014)

Os processos pedagógico-estético (quebra de especialização das diferentes funções cênicas) e pedagógico-político (conjuntura nacional, grupo de estudos autores marxistas) se davam coletivamente. O aprender estético e o aprender político estavam conectados, e o que se produzia refletia essa realidade. Aqui vou falar diretamente de três peças que formavam a tríade do Arena, o seu cartão de visita, que muitas vezes eram apresentadas em viagens, sindicatos e movimentos sociais: *Eles não usam black-tie* (estreia em 22 de fevereiro de 1958), de Guarnieri; *Chapetuba Futebol Clube* (estreia em 17 de março de 1959), de Vianinha; e *Revolução na América do Sul* (estreia em 11 de maio de 1960), de Boal.

Eles não usam black-tie é um dos marcos do teatro brasileiro, ao trazer a temática da classe trabalhadora numa situação de greve. Ela não foi criada no seminário, foi escrita antes, mas já existiam os cursos de dramaturgia para os integrantes do elenco desde 1956, o que acredito que possa ter ajudado Guarnieri. O Arena, assim, inaugurou sua série com peças de autores nacionais, dialogando com a conjuntura e, ao mesmo tempo, dando seu recado ao TBC.

> Vamos fazer uma revanche contra o TBC. Todo mundo usa *black-tie* lá. Vamos fazer a peça 'eles não usam *black-tie*'. (Depoimento de Zé Renato *apud* Paradigmas, 2014).

Uma nova forma de se fazer teatro era forjada. O desafio era a própria busca de como concretizar o desejo de fazer um teatro transformador e participante naquele momento histórico. Teatralizar os conflitos brasileiros que explodiam naquele período, com a ascensão da luta de classes e suas contradições, enquanto se tentava superá-las pela política e pela estética.

As duas primeiras peças, *Eles não usam black-tie* e *Chapetuba Futebol Clube*, utilizavam uma dramaturgia realista para mostrar a realidade social e econômica brasileira. Não era a história de um grupo de oprimidos, como se faz no Teatro do Oprimido, mas histórias e personagens que se pode dizer reais e numa perspectiva do oprimido. As duas apontavam limitações justamente por sua forma dramática, onde se depositava uma ação individual *versus* uma luta que necessitava ser coletiva. Todas as fichas eram postas na capacidade de apenas indivíduos mudarem a história. Assim, o objetivo de teatralizar e debater a realidade social do Brasil não se dava por completo e caía em contradições devido ao limite da forma empregada. Contudo, o fato de trazerem explícita e fortemente a temática da luta de classes, seja por meio da história de uma greve ou de uma disputa futebolística/mercadológica, dava já uma guinada no rumo do Arena, que por meio dessas limitações aprendia na prática a necessidade do uso de formas épicas, que é o que acontece com a *Revolução na América do Sul*.

Capa do Programa da peça *Chapetuba F.C.* ARTE: Flávio Império.
ACERVO FLÁVIO IMPÉRIO, IEB-USP

Com essas duas peças vai se intensificando o aprendizado — laboratório e seminário — e a certeza de que, sendo artista, engenheiro ou médico, somos trabalhadores, e os meios e as formas de produção definem o mundo que nos envolve formando nossa visão e, consequentemente, nossa ação sobre ele. O grupo vai de forma integrada fazendo suas descobertas e identificando suas insuficiências na direção de atender às necessidades políticas e estéticas da realidade brasileira daquela época.

> O que era interessante lá no seminário é que aqueles atores que atuavam queriam escrever também os seus textos, participavam de todo o processo. Depois, no seminário, nas discussões sobre o *Chapetuba*, ele [Vianinha] fez várias versões. Ia, corrigia, voltava, ia, voltava, pá, pá. Era uma coisa teórica e prática o que se passava naquele teatro. Inventaram jogos de futebol, Arena contra não sei quem, a gente ia no campo, Vianinha suando, Décio de Almeida Prado era o juiz, apitava. O Arena tinha um time, deve ter tido umas três partidas só, em um campo de futebol. O Arena contra os outros elencos. (Maria Thereza Vargas, entrevista ao autor, janeiro de 2015)

> O Teatro de Arena tem uma característica que é a de equipe [...] por meio do trabalho que eu tenho tido no Teatro de Arena que nós pudemos chegar, realmente, a uma conscientização de uma série de problemas e das relações fundamentais que se estabelecem entre o teatro e uma sociedade numa determinada época. Eu acho que parece que foi o Boal que trouxe uma grande colaboração nesse sentido pro Teatro de Arena. [...] Eu [Vianinha] consegui por meio do processo, de ver o Boal dirigindo uma peça minha [*Chapetuba*], sentir muito mais de perto os defeitos dela, suas qualidades. Onde ela funcionava, onde ela se desenvolvia, onde ela brecava. [...] o trabalho em equipe do Teatro de Arena [a peça passou por quase sete versões no Seminário de Dramaturgia], isso tudo por meio da equipe discutindo permanentemente cena por cena, ideia por ideia, problema por problema. Esse tipo de trabalho, realmente, é imenso e é muito bom. É satisfatório, é ótimo, dá um resultado, assim excepcional. Nós terminamos o Chapetuba já sentindo toda a peça, todos os problemas dela. (Depoimento de Vianinha *apud* Peixoto, 1983, p. 39)

O Teatro de Arena de São Paulo, apoia sua existência na concretização de um objetivo perseguido exaustivamente: uma dinâmica e autêntica forma brasileira para um teatro alerta à fixação dos pontos motores da trajetória humana. Sòmente assim êle deixa sua história ligada à de seu povo. Nem sempre o Teatro de Arena preenche as condições materiais e intelectuais exigidas pela imensa tarefa, mas participa decisivamente, ao lado de tantas organizações, no processo de amadurecimento da consciência renovadora que desperta e se instala. "Êles não usam black-tie" inicia a sedimentação de idéias ainda anárquicas que vão se catalogando. O Seminário de Dramaturgia de São Paulo, gestado no teatro de Arena, mesmo incipiente, de calças curtas, é aquêle tímido início que pode resultar na deflagração do salto qualitativo. E espetáculos em praça pública, em sindicatos tantas outras experiências, tantas outras vitórias vão somando confiança. A certeza do caminho escolhido dá fôlego vivo ao espinhoso auto-didatismo, desenvolve a capacidade auto-crítica.

E' aí que se situa Chapetuba F. C.: nesta pesquisa, nesta vontade.

Sòmente com realização artísticas, apoiados na prática, é que poderemos chegar à formulações teóricas mais definitivas que permitam orientar e apressar o desenvolvimento do nosso teatro. Outro motivo para a linha de apresentação de peças nacionais. Chapetuba F. C. têm defeitos graves, de ordem essencial, causados pela ingênua satisfação de muitas vezes permanecer no pitoresco, no detalhe digestivo. Mas Chapetuba F. C. tem enorme importância atualmente por que, além de nacional, foi escrita numa tentativa de superar o melodrama jornalístico, a denúncia de efeito, a fala vazia. E' cedo para um rendimento satisfatório total. Mas fica a proposta. Tudo que na peça procura a reação fácil, o que fica superficialmente exposto, não é característico, é defeito. Falta de vida.

Chapetuba F. C. encara o futebol ligado a todo um processo humano e social de hoje. E' a história do futebol — suas côres, sua dança, os gritos, a ciranda enorme ao lado do comércio puro e simples, da barganha, do interêsse pequeno, do subôrno negado e difuso. Esta coexistência dramática que mente a pureza do futebol explode na vida de um punhado de homens. Onze. De um lado — Durval, Maranhão, Pascoal, Benigno, céticos, deturpados, comidos por suas próprias vidas. Gente que aceita o estabelecido, que admite o antecipado. Luta, se revolta, mas partiu, iniciou aceitando. Dêste outro lado — Cafuné, Zito, Fina, Bila, pesados de sonhos, começando hoje, que, puros, simples, não sabem ver. Desesperam, procuram e choram.

Nunca pretendi fazer de Chapetuba F. C. uma peça estática que imobilize o homem na sua fragilidade e na sua desconfiança. Talvez Chapetuba seja estática e só amargue. E' defeito, então. Gostaria de transmitir com esta peça exatamente o transitório, o eterno para a frente, o condicionamento destas vidas a todo um processo da realidade de hoje. Pretendi que fossem os personagens de Chapetuba F. C. os sem caminho. Não, o autor.

Uma última palavra de carinho e admiração. A' Boal. A' equipe.

Programa da peça *Chapetuba,* por Oduvaldo Vianna Filho.
ACERVO FLÁVIO IMPÉRIO, IEB-USP.

Os trabalhos têm ido bastante bem. Quer dizer, inicialmente, nós fundamos o Seminário só em São Paulo, foi o primeiro... depois foi fundado um outro Seminário com alunos da EAD, lá em São Paulo. Um terceiro em Porto Alegre, feito pelo Ruggero Jacobbi, que continua trabalhando bastante. E um quarto aqui no Rio, fundado por nós também. O trabalho tem ido muito bem. O problema é que como nós estamos, não apenas na dramaturgia, mas em todo o teatro brasileiro, numa fase de pesquisa, numa fase de experimentação, nós não podemos oferecer nenhuma fórmula ao autor novo — o autor é que tem, de alguma forma, de discutir o que é que os críticos de teatro disseram, o que é que os filósofos escreveram sobre teatro. Tem que discutir Hegel, tem que discutir Aristóteles, tem que discutir Brecht, mais atualmente Piscator e outros... Só que os autores têm que procurar estudar o que já se fez e procurar estudar a sociedade, e procurar então uma nova fórmula, uma nova maneira de escrever teatro atualmente — não existe o que vulgarmente se chamou de *playwriting* americano aqui? Nós não tentamos fazer 'peça bem-feita', não tentamos descobrir... uma receita... A peça (Chapetuba) tem um macrocosmo muito mais importante, que é o problema da própria sociedade. Evidentemente, a relação entre o microcosmo da peça e o macrocosmo social não está bem evidenciada. [...] E que se não é mais incisivo justamente pela forma adotada, a forma de teatro dramático, que não permitiria uma análise mais profunda do desenvolvimento de um processo que o Vianna quis fazer na sua peça. (Entrevista de Boal para a Rádio MEC, *apud* Peixoto, 1983, p. 41)

O CAMINHO

Sentimos que o teatro brasileiro cresceu em bases alienadas. O grande desenvolvimento econômico de São Paulo criou uma maior disponibilidade financeira: o supérfluo tornou-se inadiável. Tornaram-se necessários os cadillacs, boites, inferninhos, teatros. Não havia tempo para a lenta criação de um teatro verdadeiramente brasileiro, não havia tempo para pesquiza. Era preciso imediatamente fazer espetáculos como Barrault, Olivier, Guilgud. Seguimos o caminho mais rápido: importamos diretores. A maior parte deles demonstrou competência e talento. Fizeram grandes espetáculos. Renovaram o teatro brasileiro. Mas, êles próprios, não eram brasileiros. Seus talentos tinham sido educados na Europa. Os espetáculos que fizeram, eram espetáculos traduzidos. A pequena platéia, que criara êsse teatro, via e gostava; e tinha que gostar porque eram bons, embora alienados. A platéia foi crescendo, absorvendo gente vívida aqui, sem nenhum contacto com Paris ou Londres. O encanto inicial de uma peça montada com todos os requintos do bom gôsto europeu, foi-se desgastando. A platéia começou a exigir uma integração cada vez maior com o texto, com o seu conteúdo de idéia e emoção. Não mais apenas o prazer estético de uma estética importada, mas os nossos problemas, a nossa forma, a pesquisa da nossa realidade humana e social. E' preciso transcrever artísticamente, no teatro, os resultados dessa pesquiza. Chegou o momento de uma dramaturgia brasileira. O dilema do homem de teatro no Brasil é simples e definido: ser autêntico, ou terminar.

A PEÇA

CHAPETUBA F. C. enquadra-se nos objetivos simples do Seminário de Dramaturgia: transcreve, em forma de teatro, um setor da nossa realidade. Tem duas características fundamentais: é uma análise psicológica de alguns personagens, e é uma denúncia. No meio do futebol, Vianna escolheu os personagens mais ricos: Durval, Maranhão, Cafuné, Pascoal. Não escolheu a êsmo, pelo que têm de pitoresco: para servir uma idéia, procurou os mais típicos, e procurou pô-los em conflito. O ex-ídolo Durval (o interior de São Paulo está cheio de ex-ídolos) opõe-se ao jovem Maranhão. O colono Cafuné ao político Pascoal. Cafuné é o esporte simples e puro, e primitivo. Pascoal é a Federação, a política, o futebol dos escritórios. Pascoal e Cafuné são estados de coisas; Durval e Maranhão são as reações possíveis. Um se vende; o outro se humilha e bebe. E ambos estão errados. Essa caracterização por contraste, evidencia sempre a idéia temática: a importância crescente do futebol sacrifica os homens que o praticam, condiciona-os pelo prestígio, pelo dinheiro pela burocracia. A peça não oferece nennuma solução para o problema, mas tôda denúncia é positiva. Chapetuba denuncia ao mesmo tempo que analisa. Idéia e emoção estão conjugadas e não podem ser compreendidas isoladamente.

A DIREÇÃO

Quando dirigimos "Ratos e Homens" acreditávamos que o despojamento, a simplicidade, fôsse o objetivo final de todo artista. Agora acreditamos que se trata tão sòmente de um estágio. A simplicidade conduz apenas ao naturalismo. Chapetuba não é naturalista. Vianna, elaborando o seu texto, não hesitou diante dos golpes de teatro, como a cena de Durval no segundo ato. Não hesitou diante da necessidade de uma elaboração literária do diálogo. O seu texto ditou o estilo da encenação: o realismo teatral. De todos os estilos "ilusionísticos", este é o que pode mais enérgicamente atingir o espectador. E, transmitir o conteúdo de Chapetuba ao espectador, foi o princípio básico da nossa direção.

Paralelamente à criação de uma dramaturgia brasileira, precisamos desenvolver os nossos estilos de representação. Realismo é realismo, em qualquer parte do mundo. Mas em cada país ou região, tem a sua fisionomia diferente. Estamos procurando a fisionomia do nosso realismo teatral. Valemo-nos da experiência de Stanislavsky, de Kazan. Porém, tenha os defeitos que tiver, o nosso trabalho não será nunca uma reprodução, uma cópia.

Programa da peça *Chapetuba*, por Augusto Boal.
ACERVO FLÁVIO IMPÉRIO, IEB-USP.

Nessa entrevista, Boal fala de vários seminários em andamento. Podemos já ver aqui uma proposta inicial do processo de multiplicação para outros grupos, de democratização da dramaturgia. Fechando a tríade vem aquela que é considerada a primeira peça épica brasileira: *Revolução na América do Sul*. Seu processo de construção também passa pelo seminário, e é visível a transformação, o movimento que acontece de comprovação da insuficiência do dramático para refletir a realidade da época e, assim, a necessidade do épico: o uso de músicas, narrações, personagens negativos e farsa.[32] E podem-se ver inclusive as divergências dentro do próprio Arena. A peça pode ser vista como uma resposta a *Eles não usam black-tie*, que tem uma certa positividade na organização do PCB. A *Revolução* critica esse romantismo e mostra que fazer uma revolução é algo mais complexo e que existe um forte movimento contrarrevolucionário, que levará ao golpe empresarial-militar de 1964.

> Considero fundamental essa contribuição de preocupação política que vivíamos então no Brasil. Essa preocupação informou o *Black-tie*, informou *Chapetuba* e informou, principalmente, *Revolução na América do Sul*, a peça mais importante daquela época, a meu ver. Com ela realizamos, pela primeira vez, um teatro quase guerrilheiro. Isto é, um teatro em que misturávamos revista, comédia, música e a discussão política dos temas da época. (Renato, 1987)

> Quis escrever uma peça que não procurasse a análise de um personagem defrontado com um problema, e essa tarefa teria de se socorrer de elementos técnicos trazidos do cinema, pelas formas épicas e pelo circo. Tentei uma visão panorâmica incompatível com qualquer variação em torno da cena-gabinete. Embora a peça não seja em nenhum momento realista, foi a realidade, em todos os casos, o ponto de partida... Falta agora tentar uma ligação entre a forma e o conteúdo. Sartre, analisando Brecht, afirmou que pretende, como este, criticar a sociedade na qual vive o homem moderno, expondo os processos pelos quais essa sociedade e esse homem se desenvolvem. Mas quer também fazer o espectador participar integralmente da experiência do homem deste século, porque é ele, espectador, que o vive. Este me parece ser o grande caminho do teatro moderno. Pouco importa se vou para ele ou não: importa que gostaria de penetrá-lo. (Boal, 1960b, p. 8)

---

32. Logo depois, Boal escreveu outra peça nessa linha brechtiana de personagem negativo: *José, do parto à sepultura* (1961).

Programa da peça *Revolução na América do Sul*.
ACERVO AUGUSTO BOAL.

Esse aprendizado épico é visível em todo o grupo do ponto de vista técnico, estético e político. Boal já tinha um conhecimento de Brecht e Piscator que agora estava sendo retomado e reestudado em conjunto e com uma conjuntura política apimentada, que fazia a própria realidade impor peças não dramáticas. O popular e o épico eram chamados a contribuir. É o processo do desenvolvimento estético desigual e combinado. Afinal, quando a realidade se modifica é necessário modificar também os meios de representá-la. O épico se instaura, e Vianinha escreve logo depois *A mais-valia vai acabar, seu Edgar*, outra peça épica que busca teatralizar conceitos marxistas e também marca a ruptura com o Arena e a criação do CPC (Centro Popular de Cultura).

> O Seminário pode ter sido, por exemplo, o primeiro espectro desta mistura de tendências que vai aflorar no CPC. Muitas das posições discutidas no Seminário passam a ser o centro de debates internos do CPC e muitas passam a ser a linha de ação do movimento. (Depoimento de Gianfrancesco Guarnieri *apud* Peixoto, 1978, p. 106)

> O reconhecimento de que *Revolução na América do Sul* tem características de *agitprop* aconteceu de modo mais ou menos imediato. Uma das cenas da peça expõe a presença do imperialismo na vida cotidiana dos trabalhadores brasileiros e por isso foi incorporada ao repertório dos grupos do Centro Popular de Cultura (CPC) — a nossa agência mais conhecida de *agitprop* no início dos anos 1960. Esta cena pode ser classificada como peça de agitação, até porque adquiriu vida própria. (Costa, 2017)

A seguir, incluo depoimento de Paulo José para melhor compreensão do momento da conjuntura e de Boal:

> Não estamos sozinhos no caminho. Estamos no caminho que outras pessoas estão trilhando, procurando semelhantes. Quando eu comecei a dirigir o Arena, eu estava muito baseado na Joan Littlewood e também no Lukács. Debatíamos o livro *Realismo crítico*, do Lukács. E tinha o Benjamin, que não gostava do Lukács. O Benjamin era muito mais aberto. Nós líamos o texto dele em inglês. Pensamentos novos estavam chegando. Quem apresentou o Realismo para a gente foi o Lukács. Ele era um crítico. A crítica do Lukács era muito em cima da construção do personagem. Lukács estava mais envolvido na questão literária. Boal também debatia. Nós todos. Eram nossos livros de cabeceira. Debatíamos a polêmica do Lukács e do Brecht. Porque o Lukács era oriental, stalinista. O Benjamin era mais próximo do Gramsci, não sei se um foi pego pelo pensamento do Lukács, o pensamento do Walter Benjamin, o pensamento do Antônio Gramsci. Debatíamos. Havia cisão interna no próprio Arena. Havia os do Partido Comunista: o Guarnieri, o Vianinha, o Chico de Assis e eu. *O Boal era contra o partido* [grifo do entrevistado]. Ele era muito crítico em relação à linha dura. Você não pode colocar em discussão a linha do partido. Ele tinha uma linha independente. Boal era um marxista, um materialista dialético. Tem alguns pontos que eram indiscutíveis. Todos nós éramos materialistas dialéticos. Não havia nenhuma oposição a isso. Não havia os contra. No teatro, os que eram contra não eram nada. Eram apenas atores movidos pela vaidade.
>
> Boal fazia crítica à linha do Lukács, essa linha mais stalinista. Certa rigidez no controle. Nós líamos os mesmos livros que ficavam no partido. Boal tinha muito pensamento do Brecht, de ser assim, ingênuo.[33]

---

33. Albertina Costa usa essa mesma palavra para definir como os integrantes do Arena que eram do PC viam Boal.

Boal era muito ligado ao pessoal da Filosofia de Maria Antônia (USP): Antonio Candido, Giannotti, Wefffort, Fernando Henrique, Florestan, Octavio Ianni. Todos iam ao Arena e debatiam. Havia grandes discussões, o Boal gostava muito da polêmica, então ele respondia. Décio de Almeida Prado e Sábato Magaldi, que tinham posição não marxista. Debatia sobre forma e conteúdo da arte. Debatíamos o *Escritos sobre teatro* e o *Diário de trabalho*[34], do Brecht, em espanhol. O Brecht estava sempre nas nossas costas. Um espectro rondava o Arena, o do Brecht.[35] Brecht é muito parecido com o Boal e o Boal é muito parecido com Brecht. A dialética marxista era muito cara ao Boal. (Paulo José, entrevista ao autor, janeiro de 2015)

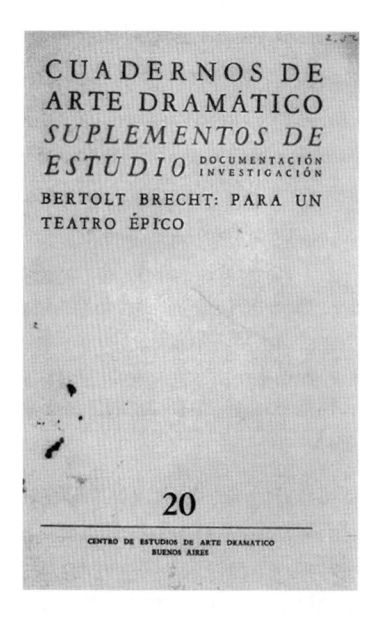

Capa do livro com texto de Brecht, de 1953.
ARQUIVO DE MARCOS BRITO, BUENOS AIRES/ARGENTINA.

---

34. Boal tinha lido Brecht já nos Eua e tinha os livros dele em francês e a partir da contribuição de Carlos Fos, a quem agradeço, se sabe que o *Centro de Estudios e Representaciones de Arte Dramático, Teatro Popular Independente "Fray Mocho"*, publicou os *Cuadernos de Arte Dramático* y los *Suplementos de Estudio* com textos teóricos de Gordon Craig, Stanislavski, Laban, George Pitoieff entre outros. E nessa coleção, em outubro de 1952, o número 6 tem uma tradução do Brecht *Nueva Técnica de la Representación* e em 1953 saem os *Suplementos de Estudio* onde tem no número 20 *Para un Teatro Épico*. Assim, antes de 1956, quando saem as peças pelas editoras Ariadna e Losange. Sobre *Os Diários de Brecht* teve um equivoco do Paulo José, estes foram publicados em 1973, em alemão.
35. Uma paráfrase com "Um espectro ronda a Europa — o espectro do comunismo", frase de abertura do *Manifesto Comunista*, escrito por Marx e Engels em 1848.

Fica claro, a partir desses depoimentos, que os debates eram intensos e acalorados e que os membros do Arena estavam conscientes das polêmicas do marxismo e de suas aplicações. E aqui fica mais explícita a crítica de Boal ao PCB. A partir de suas experiências anteriores com Abdias Nascimento e nos Estados Unidos (Gassner, Piscator, Langston Hughes), é possível inferir que Boal estava como que "vacinado" em relação ao stalinismo. Em diferentes entrevistas, Boal se posiciona como marxista, em outras não usa o termo. Ele tinha uma formação muito próxima dos teóricos da dialética. É importante pensar o que foi o marxismo no Brasil, sua entrada e sua prática. E até hoje a esquerda brasileira debate o que de Marx, de qual marxismo e como seria feito o seu uso em *terras brasilis*.

> FOLHA — Você e o Arena estiveram à frente de um movimento de afirmação da cultura nacional. O projeto do Arena se ligava à procura de uma dramaturgia nacional...
>
> BOAL — Embora eu usasse a palavra nacionalismo e tudo mais, a minha preocupação não era a nação. Melhor dito, era, é claro, a nação, mas também não era ficar cego para as desigualdades na nação. Eu via o que estava acontecendo e acontece até hoje, de forma ainda mais cruel. Esta divisão de humanidades... A minha preocupação com a nação, com o nacionalismo, era dizer 'vamos mudar juntos'. Mas, ao ser brasileiro, a gente visava o oprimido. Não fazia peça sobre a alta sociedade brasileira. (Sá; Carvalho, 1998)
>
> Olha, o fruto de uma árvore permite localizar de que árvore ele veio. A peça [*Revolução na América do Sul*] foi fruto de muitas árvores. Eu posso dizer que foi do Seminário, claro, mas também foi do Brecht. Quer dizer, eu tinha lido o Brecht, gostava muito, então é claro que também entrou muito o estímulo do Brecht na minha cabeça. Nos Estados Unidos, eu tinha lido muito o Brecht e isso influencia. [...] De repente, você pega um autor como o Brecht e leva um choque porque ele trazia uma coisa nova não só na encenação como também na dramaturgia, então foi influência dele também. Mas foi influência do Seminário, influência do Arena, das discussões que a gente tinha aqui, influência do Zé Renato, dirigindo a peça, dos atores representando [...]. Era tudo muito coletivo aqui no Arena, não havia isso de um diretor chegar com tudo pronto na cabeça e fazer. Tinha que trazer ideias na cabeça, claro, mas era tudo muito discutido com todo mundo. A gente fazia a iluminação, fazia a

produção [...]. Todo mundo era meio coringa, naquela época. Até varrer o chão. (Depoimento de Augusto Boal *apud* Teixeira; Nikitin, 2004)

No meu caso, especialmente — e no de outros autores brasileiros —, houve duas tremendas influências. Um deles era Bertolt Brecht. Ele foi uma grande influência, porque nos ensinou que nossa obrigação como artistas era lançar luz sobre a realidade, não apenas para refletir e interpretar a realidade, mas para tentar mudá-la. A outra grande influência na minha orientação foi o circo brasileiro, as apresentações de palhaços realizadas no circo. Eu adoro esse tipo de coisa. Os comentários também, como o *vaudeville*.³⁶ Uma tradição de *vaudeville* político existia no Brasil e isso também influenciou meu trabalho. Então, se posso dizer que houve duas grandes influências no meu teatro, elas foram Bertolt Brecht e o circo. (Boal, 1975, p. 2)

Palhaço Piolim, que segundo Boal era o ator mais brechtiano que conheceu: "criava a personagem e a mostrava para o público". Assim como Boal, Brecht também admirava o trabalho de um palhaço, o de Karl Valemtim.
ACERVO UH/FOLHAPRESS.

---

36. Uma forma de entretenimento popular que misturava música, comédia, dança, performance com animais, acrobacias, atletas, monólogos, representação de peças clássicas, performance de ciganos etc., originada na França (o termo *"voix de ville"* significa "voz da cidade") no século XV. A partir do século XVIII, foram criados os espetáculos para o teatro de feira e de rua, que faziam uma retrospectiva crítica dos fatos com cenas, canto, dança, figurinos extravagantes e piadas, tendo como alvos a burguesia e a sociedade capitalista, muito populares nos bairros operários.

O Arena é convidado para uma temporada no Rio de Janeiro. Nessa viagem acontece a divisão do grupo, com a criação do CPC e a ida de Vianinha e Chico de Assis, que ficam no Rio de Janeiro depois da temporada.

Os seminários se multiplicam no Rio, a convite do Centro Popular de Cultura, na UNE; e em São Paulo, em Santo André. A proposta é ampliada, a semente germina. Desse modo, a dialética é não só teorizada, mas vivenciada, respirada e impregnada. A forma e o conteúdo da necessidade de se transformar se concretiza. Os desafios da relação entre estética e política estão pulsando. O épico, conectado com tudo isso, é uma das respostas, não como cópia ou modismo dos ensinamentos de Brecht e Piscator, mas como descoberta.

> O CPC nasceu muito sobre o signo de Piscator. A gente andava com o livro *Teatro político* debaixo do braço o tempo todo. Afinal, ele propunha um teatro de agitação, deliberadamente proletário, que procurava levantar as massas. [...] Piscator foi a primeira bíblia de teatro político que caiu nas nossas mãos. (Depoimento de Fernando Peixoto *apud* Barcellos, 1994, p. 203)

Capa de *Das Politische Theater* (O Teatro Político), de Lászlo Moholy-Nagy, 1929. O artista húngaro e diretor da oficina teatral da Bauhaus entre 1923 e 1928 colaborou com Piscator já em 1920, criando cenários para o seu Teatro Proletário.
FUNDAÇÃO MOHOLY-NAGY.

O CPC nasce no Rio de Janeiro com uma nova peça épica, *A mais-valia vai acabar, seu Edgar,* com texto de Vianinha e direção de Chico de Assis, tendo Brecht, Piscator e Teatro de Revista como inspiração. O Arena, em São Paulo, continua com Boal e Guarnieri. Não foi um racha de uma oposição, foram maneiras diferentes de responder à questão. Tanto que Guarnieri, também do PCB, do TPE e marxista, fica no Arena e publica o artigo "O teatro como expressão da realidade nacional" na *Revista Brasiliense,* em que afirma:

> Sem uma dramaturgia nacional será impossível a formação de um teatro de características nacionais. [...] O sucesso de peças brasileiras vem destruir as falsas ideias de que só peças estrangeiras poderiam conciliar êxito artístico com êxito de bilheteria. [...] O que se exige é que os autores transmitam mensagens com plena consciência delas. Em nossa dramaturgia já duas tendências se manifestam com maior força. A dos que encaram nossos problemas do ponto de vista idealista, e a dos que encaram do ponto de vista materialista. Representadas particularmente por católicos e marxistas. [...] Não vejo outro caminho para uma dramaturgia voltada para os problemas de nossa gente, refletindo uma realidade objetiva, do que uma definição clara ao lado do proletariado, das massas exploradas. Para analisarmos com acerto a realidade, para movimentarmos nossos personagens em um ambiente concreto e não de sonho, o único caminho será o aberto pela análise dialético-marxista dos fenômenos, partindo do materialismo filosófico. Não há caminho de conciliação. [...] Na presente conjuntura, teatro para o povo é uma utopia. Teatro para o povo depende de inúmeros fatores, de inúmeras reivindicações populares ainda não atendidas. O povo necessita de teatro muito menos do que de hospitais, escolas, bibliotecas, habitações, alimentos. O teatro poderá servir a essas conquistas e por sua vez transformar-se em uma conquista popular. [...] e, na prática, através de uma luta política, batalharmos pelas reivindicações mais sentidas de nosso povo, colocando entre elas o teatro. (Guarnieri, 1959, p. 121)

Boal e Vianinha realizaram projetos juntos depois, como as aulas no Seminário de Dramaturgia na UNE, no Rio, a convite de Vianinha. E a própria direção de Boal para o show *Opinião,* pós-golpe, que estreou no Rio de Janeiro no dia 11 de dezembro de 1964.

> Foram criados os departamentos [do CPC] de teatro [o primeiro a se estruturar], cinema, música, literatura e artes plásticas. Vianinha convidou Augusto Boal a dar cursos de dramaturgia e rapidamente formou elencos para as futuras montagens. (Moraes, 2000, p. 117)

> Boal sempre gostou muito do Vianinha. A separação não foi porque Boal não apoiava o CPC. Ele acreditava na importância do trabalho, nunca fez essa restrição de ser ligado ao PC. Ele acreditava no trabalho mesmo sendo conectado ao PC. A diferença está no caráter semiamador do CPC e profissional do Arena. Mas Boal não queria abandonar o trabalho profissional, tinha os pés na terra, que tinha de administrar e coordenar o Arena. Boal continuou em contato com Vianna. (Albertina Costa, entrevista ao autor, janeiro de 2012)

Boal tinha identidade ideológica com o trabalho do CPC. Criou-se, então, um acordo tácito em que o Arena poderia fazer em São Paulo o trabalho que o CPC realizava no Rio de Janeiro. O CPC foi o maior movimento de cultura e política que já teve no Brasil. Fundado em março de 1961, encerrou suas atividades com o golpe empresarial-militar, em 1964. Em apenas 3 anos conseguiu criar dezenas de CPCs e envolver milhares de pessoas. Ainda precisa ser mais estudado e sofre muitas críticas, entre elas a de que "fazia política e não arte". Acredito que são questões inseparáveis. Como forma de contestar essa crítica, cito alguns dos artistas que participaram direta ou indiretamente dos CPCs. Além de praticamente todos do teatro citados nesse livro, tivemos muitos outros artistas de diversas linguagens, tais como Nelson Pereira dos Santos, Eduardo Coutinho, Orlando Senna, Geraldo Sarno, Ruy Guerra, Marcos Farias, Miguel Borges, Cacá Diegues, Joaquim Pedro de Andrade, Leon Hirszman, Vinicius de Moraes, Afonso Romano de Santanna, Moacyr Félix, Alberto João, Clóvis Moura, Felix de Athayde, Francisco José Dias Pinto, Geir Campos, Heitor Saldanha, Homero Homem, J.J. Paes Loureiro, Joaquim Cardozo, Luiz Paiva de Castro, Reynaldo Jardim, Paulo Mendes Campos, Ênio Silveira entre muitas outras pessoas.

> Quando nasceu, o CPC foi logo incorporado à UNE. Eu não queria isso... Aí eu vim pra São Paulo para fundar o CPC aqui. E foi fundado no próprio Teatro de Arena, que era mais aberto, mais amplo e abrangia mais setores da sociedade. (Depoimento de Chico de Assis *apud* Almada, 2004, p. 83)

O próprio Boal conta uma dessas experiências de seu trabalho via CPC de Santo André, que tinha uma base operária, no Sindicato de Metalúrgicos de Santo André. Essa vivência foi marcante.

> Foi a 1ª vez que dei um curso (de dramaturgia) só para operários. O CPC-Une continuava, seus autores eram intelectuais, vindos do teatro profissional, da sociologia, das universidades — gente culta. No sindicato quem escrevia sobre os operários eram operários.... No fim do seminário cada qual tinha a sua peça: a de Jurandir foi a mais elogiada. *A greve* contava a greve acontecida na região do ABC, berço do PT... Operários disputavam papéis. Operários no palco e na plateia: novidade. Sobe o pano: tumulto. Espectadores aplaudiam ou vaiavam, a cada réplica: torcidas organizadas, contra e a favor [...]. O Gordo, personagem fura-greves, era vaiado a cada réplica, e o ator que o interpretava, tremendo... Um espectador aproximou-se do palco gritando: — Mentira! Eu não disse nada disso, nunca pensei assim. Vocês são mentirosos, teatro de calúnias... Era o Magro, operário que, na vida real, servira de modelo ao Jurandir para criar seu vilão! Mais a peça avançava, mais o Magro protestava, ultrajado. Chegou à ameaça. — Cala a boca ou eu te quebro a cara... Fazia comentários contraditórios ao texto: des-tradução simultânea, desdizendo o dito e o feito. [...] Na confusão, outros operários — modelos de outros personagens — subiram no palco e cada um encarnou no seu ator, a cena se fragmentou em explosivos diálogos simultâneos entre modelos de personagens *versus* atores e personagens. Cada um era dois — ator e personagem — que se tornavam três atores mostrando brechtianamente o personagem com o modelo diante deles... Como sempre gostei de experimentar, propus que fizessem, com disciplina, o que já estavam fazendo, com algazarra. — Deixa o Gordo dizer o texto escrito e você corrige... O Gordo dizendo seu texto, o Magro fazendo correções... Quem era o Ator? Quem, personagem? Quem, espectador? O Magro ao contar, não *vivia* a cena como a *vivera* durante a greve geral, mas sim *vivenciava*, ordenando eventos e falas... Aí aprendi uma lição sobre *viver, re-viver e vivenciar*... Ele não era a imagem que apresentava, nem aquela que, dele, apresentava o outro. Era a imagem do fabricante de imagens. Era também, em certa medida, todas essas imagens... Ainda não era Teatro-Fórum, mas foi um fórum dentro do teatro. Eu ficava fascinado vendo essa multidão de pessoas e personagens. Quem ficção, quem realidade? Interpenetração da ficção na realidade. Em Santo André comecei a pensar em explorar essa fronteira: a verdade da ficção e a ficção da verdade. (Boal, 2000, p. 193-196)

Bertolt Brecht tem muito a ver com a minha vida teatral, e isso por muitas razões e de muitas maneiras [...]. Sua primeira peça que dirigi foi *A exceção e a regra*, creio que em 1960, no Sindicato dos Metalúrgicos do ABC paulista. O elenco era composto exclusivamente de operários, e nossas plateias também. [...] Foi a primeira vez que trabalhei em condições de teatro "normal", profissional, mas com atores amadores que jamais haviam pensado em fazer teatro, e que ali estavam com motivações essencialmente políticas. Era a época dos famosos Centros Populares de Cultura (CPCs), artisticamente revolucionários, pois entendiam a cultura de uma forma ampla: cultura era *o 'como fazer aquilo que se faz'*: somos todos agentes culturais, porque cultivamos, em primeiro lugar, a própria vida. Inventamos a roda para andar além das nossas pernas, construímos a ponte para atravessarmos o rio, fabricamos roupas e casas para que nos abriguem das intempéries: tudo isto é cultura, como o teatro e a música, o samba de breque e a ópera, a revista musical e a tragédia grega. Nos CPCs a palavra *cultura* tinha significado bem diferente da palavra *erudição*, que se referia, esta, ao conhecimento da cultura alheia, cultura de outros povos, regiões ou etnias. Era também bem-vinda. Nos CPCs ensinava-se tudo: teatro, poesia, pintura, música, mas também arte, culinária, bordados, costura. Ensinava-se cultura e se inventava cultura! Ensaiar esse espetáculo foi, para mim, um deslumbramento: ver 'não atores' se apropriarem de uma linguagem teatral que lhes era essencial. Foi aí que comecei a descobrir, para mim mesmo, que *o ser humano é teatro*, mesmo que não *faça teatro*. 'Ser teatro' — todos carregamos em nós mesmos os elementos essenciais do teatro: somos atores, pois atuamos em nossas vidas, praticamos atos, ações; somos espectadores desses nossos atos. Somos, portanto, atores e espectadores, *espect-atores* – este é um dos conceitos essenciais do Teatro do Oprimido, que desenvolvi anos mais tarde. Além de sermos atores e espectadores, somos também os dramaturgos dos nossos textos — parte dos diálogos que travamos e a totalidade dos monólogos que pensamos. Somos nossos próprios figurinistas, e somos os diretores de nossos atos, pois é necessário alguém para coordenar todos esses artistas teatrais que carregamos em nós, cada um de nós. Foi nessa experiência com Brecht que comecei a pensar em desenvolver, em *não atores,* todas as potencialidades atorais que todos nós possuímos. Foi quando comecei a pensar que, se tudo aquilo que um elefante faz, todos os elefantes fazem, por que então seriam os seres humanos tão especializados que alguns seriam cantores, outros pintores, outros campeões de futebol ou natação, e a massa, a maioria, o povo, seria relegada à condição de apenas espectadores?! [...] O fato de que todos os seres humanos [...] sejam capazes de fazer tudo aquilo que um ser humano é capaz de fazer [...] não significa que todos serão capazes de fazê-lo com a mesma perfeição. [...] Com *A exceção e a regra* comecei a pensar nos atores que somos todos, todos os dias — e na teatralidade de nossas vidas.[37] (Boal, 2013)

Capa do Livro *Técnicas latino-americanas de Teatro Popular*, de Augusto Boal, com arte de Luiz Dias (Hucitec, São Paulo, 1979). A imagem ilustra a cena 7 *Como José da Silva descobriu que anjo da guarda existe*, da peça *Revolução na América do Sul*, que apresenta de forma circense/brechtiana como funciona o imperialismo. Essa cena foi apresentada em dezenas de CPCs por todo o Brasil.

---

37. Brecht também trabalhou com operários nas suas peças didáticas antes do exílio.

Mutirão/Julgamento em Novo Sol, mais um passo na direção do oprimido

Nos anos 1960 a conjuntura está em ebulição e o processo de formação de Boal passa por diferentes momentos. Ele começa a dar aula de dramaturgia para a Escola de Arte Dramática (EAD) em 1960 (e continua até 1967). O Arena continua seu trabalho político e estético, mas um pouco depois de Boal entrar para a EAD um fato muito importante ocorre: em 1º de janeiro de 1961, o líder camponês Jofre Correa Neto,[38] presidente da Associação de Lavradores de Santa Fé do Sul, sai da prisão com um *habeas corpus* do STF. "Às 13h, Jofre foi solto e nós do Teatro de Arena de São Paulo o esperamos na saída e o recrutamos. Ele prontamente aceitou e nos dirigimos a nossa sede... e começou a entrevista" (Xavier, 2015, p. 9). Isso levou à escrita da peça *Mutirão em Novo Sol*, um pavio de pólvora que provocou muitas explosões.

> Escrevi com Nelson Xavier. *Julgamento em Novo Sol*, dirigida por Chico de Assis, foi representada em congresso de camponeses em Belo Horizonte. Tratava-se de uma revolta bem-sucedida — no Brasil, só no teatro as revoluções são bem-sucedidas. Hoje, com a formação[39] do Movimento dos Trabalhadores Rurais Sem Terra (MST), renasce a esperança. (Boal, 2000, p. 203)

O CPC paulista organizou a primeira montagem da peça das muitas que vieram:

> A história de Jofre Correia Neto é verdadeira. Os líderes da União dos Lavradores e Trabalhadores Agrícolas do Brasil (Ultab), dirigida pelo PCB, editava um jornal, *Terra Livre*, que apoiava a luta dos camponeses e subsidiava o Arena. Os camponeses incendiaram um cartório onde Euphly Jalles havia registrado títulos grilados de propriedade. Jalles foi assassinado a tiros por um advogado também grileiro com quem disputava terras. A esquina da rua do Teatro de Arena com a av.

---

38. Conhecido como "Fidel Castro Sertanejo", Correa Netto foi uma das lideranças camponesas de um conflito que envolveu mais de 5 mil camponeses em São Paulo.
39. Ver Bôas, 2013.

Ipiranga é o vértice de um triângulo. Havia ali um bar com uma imensa calçada cheia de mesas: O Redondo, que era como uma extensão do Arena. Ali faziam ponto, em diversos horários, e madrugada adentro, jornalistas, poetas, artistas, intelectuais, era como uma imensa célula do Partidão e outras organizações da esquerda. O debate ideológico permeava o debate político e também o artístico. Gente que vinha do interior sem ter onde dormir dormia nas dependências do Arena. Perseguido pela repressão, Jofre se refugiou no Arena por um tempo. A Revolta do Arranca-Capim inspirou a peça *Mutirão em Novo Sol*. O CPC da UNE e o Partidão usavam a peça nos trabalhos de alfabetização e organização sindical de camponeses. Os camponeses normalmente reagiam como se aquilo fosse verdade, e queriam agredir o bandido. (Paulo Cannabrava Depoimento ao autor. 20/07/2020)

O Jofre, líder dos camponeses, fugiu da polícia e foi pro Arena. Apareceu no meio desse seminário [dos secundaristas]. O Boal achou que a história dele era muito interessante. Pegou todo mundo do Arena, inclusive o pessoal do seminário, e começou a contar a história dos conflitos na fazenda. Eu me lembro da Lélia Abramo, o Milton Gonçalves também estava lá. Boal chamou Nelson Xavier e Flávio Migliaccio, e mais três advogados, que eram da Faculdade de Direito. Aí eu vi o que era escrever uma peça. O Boal começava a escrever o roteiro da peça, como que era o jeitão da peça, uma cena. Depois o Nelson Xavier e o Flávio Migliaccio detalhavam. E os três advogados faziam o diálogo. A peça saiu em uma semana, que nem uns loucos. (Ricardo Othake, entrevista ao autor, janeiro de 2015)

Jofre foi solto e nós fomos ao seu encontro e rumamos pro Arena. Ele sentou-se na arquibancadazinha que não ultrapassa 100 lugares [...] e nós em volta dele. [...] Nem todos estavam presentes, Hamilton Trevisan, Modesto Carone e Benedito Araújo (os 3 advogados) estavam. Ficamos horas indagando, ouvindo e gravando sua estória. O material animou todo mundo. Lembro que Boal esboçou algumas linhas, depois afastou-se, outros deram apoio crítico, o resumo é que juntei tudo e dei uma versão final a que chamei de *teatro documental* [grifo meu]. (Depoimento de Nelson Xavier *apud* Coelho, 2012)

A peça se estruturou de uma forma nova na relação palco e plateia, em que se permitia manifestações do público durante as próprias apresentações.

> A participação do público foi tão intensa que eu, que interpretava um latifundiário, fui xingado, ameaçado e vaiado durante toda a peça. Cada avanço do camponês contra o latifundiário era recebido pelo público como um gol de futebol. O drama tornou-se um imenso jogo, uma verdadeira 'festa'. (Mendonça, 1964, p. 154)

Podemos dizer que *Mutirão em Novo Sol* foi a primeira peça feita no Arena baseada na história de um oprimido real e suas opressões. Ainda que não tenha sido escrita nem interpretada diretamente pelos próprios oprimidos que a contam, já continha semelhança com o Teatro do Oprimido, principalmente ao se conectar com a lógica do Teatro Documentário de Piscator. E ainda ocorria que, a cada apresentação, ela poderia ser alterada a partir dos debates provocados com o público — assim como hoje acontece com o Teatro do Oprimido.

> Era a 1ª vez que viam a encenação de um drama que era o seu próprio drama [...]. Foi a experiência dessa montagem que estimulou depois a aproximação com o CPC. Chico de Assis estava em São Paulo e nos animou a criar um braço do CPC. Nós do Arena tínhamos ligação com organizações políticas e a mais próxima de nós era o Sindicato dos Metalúrgicos. Eu fui sindicalista bancário, então tinha muita ligação com os sindicatos. Colaborando com o CPC, nós fazíamos um teatro ambulante, além dos sindicatos também nos apresentávamos em circos [...]. Após as apresentações nos Congressos de São Paulo e Belo Horizonte aprendemos que o texto precisaria se modificar após ouvirmos os depoimentos dos lavradores. Qualquer mudança, qualquer reação do público de forma tão contundente quanto aquela resultava numa modificação imediata do texto. O trabalho do teatro político naquele estilo tinha de ser rápido, móvel, você podia inclusive improvisar [...]. Aquela peça tinha verdade, exigia teatralidade mais aberta, recitada para frente, dialogava com o camponês que era seu tema. O ideal que buscávamos era que cantassem junto conosco. [...] E de vez em quando sem que estivesse previsto introduziam no espetáculo uma música deles. Era uma participação feita de forma total, absoluta. (Depoimento de Juca de Oliveira *apud* Xavier, 2015, p. 147)

Texto de Germano Coelho com a proposta do trabalho teatral e o MCP e elenco da peça que no Nordeste teve o nome de Julgamento teve a participação de Nelson Xavier e José Wilker, entre outros. ACERVO DA FUNDAÇÃO JOAQUIM NABUCO.

A peça *Mutirão* tem uma estrutura crítica às posições da esquerda majoritária (vide PCB), assim como *Revolução na América do Sul*. Ela faz uma crítica à burguesia nacional com a sua agropecuária exportadora de carne (*commodities*) e até mesmo questiona se os setores progressistas da classe média seriam realmente possíveis aliados para uma real transformação. A sua estrutura tem formato de tribunal, que mostra a influência do teatro político soviético e alemão das décadas de 1920 e 1930, confirmando o papel de Brecht, mas principalmente o de Piscator. Após a Primeira Guerra Mundial, este sistematizo o Teatro Tribunal (Piscator, 1968, p. 48-59), inspirado no *agitprop* soviético (o *agitsud*), que eram as representações em massa de julgamentos organizados pelo Exército Vermelho nos primeiros anos após a revolução, inclusive convidando artistas. Nesses julgamentos, o público era convidado a participar, refletir e tomar decisões sobre temas importantes (Nascimento, 2019, p. 16; Garcia, 2004, p. 22).

Tal iniciativa é utilizada ainda hoje por movimentos sociais e políticos — algo semelhante foi o Tribunal da Dívida Externa, realizado em 1999. As cenas de tribunais e sua estrutura aparecem frequentemente nas peças de Brecht e no Teatro do Oprimido; também as técnicas de Teatro-Fórum e o Teatro-Legislativo se inspiram no Teatro Tribunal. Já *Mutirão* segue princípios do teatro épico, incorporando canções, coros, narrativas, quebras de ação, *flashback*, comentários etc. No texto, busca-se uma forma de a representação do camponês não se limitar a um líder individual, mas refletir a ação conjunta dos trabalhadores.

A peça *Mutirão em Novo Sol* virou um modelo que foi replicado nos mais diversos cantos do Brasil. A primeira apresentação foi na Conferência Estadual de Trabalhadores Agrícolas do Estado de São Paulo, em 13 de novembro de 1961, com direção de Guarnieri, encenada pelo CPC de São Paulo. Logo depois, com direção de Chico de Assis, foi encenada no histórico 1º Congresso Nacional de Lavradores e Trabalhadores Agrícolas do Brasil, em Belo Horizonte, de 15 a 17 de novembro de 1961, com um público de 4 mil lavradores. Na plateia estavam, ainda, Francisco Julião, o próprio Jofre, o primeiro-ministro Tancredo Neves e o presidente João Goulart. Em 1962 e 1963 ocorreram dezenas de outras apresentações para outros milhares de trabalhadores, com o Movimento de Cultura Popular (MCP), com quem Nelson Xavier estava trabalhando. O Nordeste já era uma região em que o Arena ia desde 1957. O MCP, movimento que teve Paulo Freire como um dos fundadores e participante ativo, foi fundamental na formação de Boal.

O Movimento de Cultura Popular (MCP) foi criado no dia 13 de maio de 1960, com apoio de Miguel Arraes na Prefeitura do Recife. Recebeu diversas influências, principalmente de obras e autores franceses. Seu nome foi herdado do movimento francês *Peuple et Culture* [Povo e Cultura]. Suas atividades iniciais eram orientadas, fundamentalmente, para conscientizar as massas por meio da alfabetização e educação de base. Era constituído por estudantes universitários, artistas e intelectuais e tinha como objetivo realizar uma ação comunitária de educação popular, com ênfase na cultura popular, além de formar uma consciência política e social nos trabalhadores, preparando-os para uma efetiva participação na vida política do País.

Uma das raras fotos de Paulo Freire em sala de aula, em 1963

Paulo Freire na Faculdade de Direito da Universidade Federal do Rio Grande do Norte (UFRN), durante o 1º Seminário de Formação Continuada de multiplicadores preparando a equipe para atuar em Angicos. O método ainda em construção, reconhecendo que somente a prática poderia complementá-lo. Durante 10 dias houve palestras e discussões sobre filosofia, metodologia e ideologia do novo processo a ser implantado sem perder de vista a relação com a realidade social, política e cultural que vivia a sociedade brasileira.
ACERVO PARTICULAR MARCOS GUERRA.

O *Livro de Leitura para Adultos*, baseado em três meses de pesquisa nas zonas populares de Recife. Mais tarde, Paulo Freire promoveria nova revolução nesse método, abolindo totalmente as cartilhas e incorporando a cada grupo de alfabetização os elementos específicos de sua realidade. A Pedagogia do Oprimido nasceria no MCP e lá também nasceriam novas linguagens do teatro e do cinema como *Cabra Marcado para Morrer*, filme de Eduardo Coutinho.
ACERVO DA FUNDAÇÃO JOAQUIM NABUCO.

O MCP era divido em três departamentos: Formação da Cultura; Documentação e Informação e o de Difusão da Cultura. *O de Formação e Cultura foi o mais atuante*, cabendo-lhe de acordo com o Estatuto (art. 15): 1) interpretar, desenvolver e sistematizar a cultura popular; 2) criar e difundir novos métodos e técnicas de educação popular; 3) formar pessoal habilitado a transmitir a cultura ao povo. Era composto por dez divisões: *Pesquisa, dirigido por Paulo Freire*; Ensino; Artes Plásticas e Artesanato; Música, Dança e Canto; Cinema; Rádio, Televisão e Imprensa; Teatro; Cultura Brasileira; Bem Estar Coletivo; Saúde; Esportes, que funcionavam por meio de programas e projetos especiais [grifos meus]. (Gaspar, 2008)

Germano Coelho, fundador e um dos principais organizadores do MCP, convidou o Arena, com a peça *Revolução na América do Sul*, para se apresentar em Recife.

> Assisti, no Teatro de Arena, em São Paulo, *Revolução na América do Sul*, de Augusto Boal. [...] Era a pedagogia viva do MCP. Por isso convidei o grupo para se apresentar no Teatro Santa Isabel. (Coelho, 2012, p. 61)
>
> Quando chegamos à velha casa de Vauthier (em Recife) para ver a *Revolução na América do Sul*, somos recebidos com a notícia de que a Secretaria de Segurança Pública do Estado havia julgado a peça subversiva da primeira à última palavra e ali estava um exemplar do texto todo carimbado pela censura. [...] Curioso: onde havia a palavra 'revolução' eles carimbavam 'movimento', numa alusão direta ao MCP.
>
> Reunimo-nos com a equipe de Boal.
>
> Perguntei: Vocês topam um confronto com a polícia?
>
> Boal respondeu: topamos.
>
> Então, eu disse: levem a peça na íntegra...
>
> O nosso sonho era a criação de um conjunto próprio, que se tornasse a voz dos oprimidos. Pedimos a Boal apoio do Teatro de Arena. De volta a São Paulo, ele deixou conosco Nelson Xavier e a figurinista francesa Ded Bourbonnais. E, com eles, nasceu o Teatro de Cultura Popular, do MCP, apresentando-se, pela primeira vez, no Teatro Santa Isabel,

com a grande peça sobre a reforma agrária 'Julgamento[40] em Novo Sol'. Havia cenas que lembravam esculturas movidas apenas pelo jogo de luz, como nos trabalhos de Eisenstein. (Coelho, 2002, p. 42)

Nessa vinda ao Recife, em 1961, o Arena realiza um Seminário de Dramaturgia com Boal e um Laboratório de Interpretação com Milton Gonçalves e Nelson Xavier, dos quais muitos grupos de teatro participam.

Curso de Teatro do MCP e do DDC (Difusão da Cultura), no Santa Isabel em 1961. Na imagem Graça Melo, presidente da Comissão, e Augusto Boal (à direita).
ACERVO DA FUNDAÇÃO JOAQUIM NABUCO.

---

40. O título inicial, *Mutirão em Novo Sol*, às vezes se modificava para *Julgamento*, reforçando ainda mais a forma Teatro Tribunal.

A parceria trouxe diversos frutos, de acordo com o escritor Rudimar Constâncio:

> Boal, quando propôs a parceria, disse: 'eu dou pra vocês a técnica e vocês me ensinam a fazer política, teatro político'. Olha, Boal dizendo isso! É quando Boal realmente conhece a estrutura do movimento e conhece o trabalho de Paulo Freire. Então, você vê que os nomes não estão dissociados: Pedagogia do Oprimido e o Teatro do Oprimido falam das mesmas coisas [...]. E os Centros Populares de Cultura (CPCs) da UNE foram criados a partir do MCP. O Nelson Xavier ficou fazendo ponte aérea, lá e cá [...]. O Teatro do Teatro Cultura Popular (TCP) também teve influência do teatro russo, do teatro alemão-brechtiano e de Boal, por exemplo, com o Teatro Invisível. O teatro invisível é uma técnica que já existia na Europa e que Boal resgata e traz pra cá. O mesmo tipo de experiências que o MCP realizava em Pernambuco, na Rússia eram chamadas de *agitprop*. Só que, por exemplo, Boal não foi pra Rússia, mas Germano Coelho e muitos dos grupos foram pra Rússia. [...] Eles (TCP) só passaram a ter a noção de que faziam *agitprop* depois que o Arena se 'infiltrou' dentro do TCP. (Entrevista com Rudimar Constâncio *apud* Araújo, 2018)

Paulo Freire sentado conjuntamente com um círculo de coordenadores em Angicos-RN, em 1963. Esses encontros eram cotidianos, com participação de todos os multiplicadores, com relatos do que ocorrera nos "círculo de cultura", os desafios, sínteses, dúvidas e questionamentos. Essa era uma prática muito semelhante que fazíamos com Augusto Boal nos projetos do CTO e agora fazemos pela ETP. ACERVO PARTICULAR MARCOS GUERRA.

O MCP sempre teve uma forte ligação com o fazer teatro e cinema popular. Havia, ainda, as Praças da Cultura, lideradas por Paulo Freire, onde as pessoas eram entrevistadas sobre seus problemas nos bairros e estes depois eram teatralizados.

> Todo ano a gente pedia para o Arraes levar o Teatro de Arena a Recife. Então fazíamos laboratórios de interpretação, oficinas de dramaturgia e discutíamos a nossa experiência com as pessoas do Arena. Fazíamos trabalho em conjunto também com o CPC da UNE [...]. Tínhamos também um grupo que fazia teatro político de agitação [...]. Atuávamos nos comícios do Arraes, no ônibus [...]. A gente fazia teatro para os camponeses, para operários e para os estudantes — e com os estudantes. Na campanha eleitoral já fazíamos também algo parecido com o que Boal chamou de Teatro Invisível. A gente entrava no ônibus, 4 ou 5 pessoas, e começávamos a discutir: 'O homem é Arraes'. Um era contra, outro a favor, e começava uma discussão. [...] O pessoal de Recife ligado ao CPC da UNE criticava muito a gente, achavam que fazíamos teatro burguês. Ora, como poderia ser burguês se apresentávamos nos bairros mais pobres da cidade e fundávamos grupos de teatro nesses bairros? (Depoimento de Luiz Mendonça *apud* Xavier, 2015, p. 154)

A temática da reforma agrária pegava fogo no Brasil dos anos 1960. Essas dezenas de apresentações, que se multiplicavam, tiveram vários desdobramentos artísticos e políticos. Em 1962, em Salvador, Chico de Assis dirigiu uma montagem do CPC da Bahia que juntou teatro, música e cinema, com o título *Rebelião em Novo Sol*[41] — Orlando Senna e Geraldo Sarno gravaram e projetaram um pequeno filme sobre as Ligas Camponesas locais.

> A montagem do *Rebelião em Novo Sol* foi uma das maiores realizações do CPC Bahia e uma das mais bem recebidas pelos espectadores. Os espetáculos do CPC eram apresentados na Concha Acústica para um público de 5 mil pessoas. [...] O público era basicamente estudante, operários e camponeses. Era a famosa aliança estudantil-obreira--campesina [...] foi o Chico de Assis quem teve a ideia de juntar todas as áreas do CPC para fazer o espetáculo (algo semelhante que já tinha feito com *A mais-valia vai acabar, seu Edgar*). E então vieram os músicos,

---

41. O título foi alterado de *Mutirão em Novo Sol* para *Rebelião em Novo Sol*.

> como Tom Zé — e Caetano (Veloso) de vez em quando. Tom Zé estava sempre ajudando, ele era o músico do CPC da Bahia. Tinha a pessoa das artes plásticas e os do cinema. [...] O trabalho do CPC Bahia era político, mas tinha plena consciência que a linguagem não era a política, era a artística. [...] Como diria Santiago Álvarez, 'o panfleto tem que ser uma obra de arte'. (Xavier, 2015, p. 165)

> Além do documentário com meia hora de duração, que abria o espetáculo, também fizemos cenas documentais e ficcionais, soltas, para a composição multimídia. Por exemplo: em determinado momento, na tela de cinema sobre o palco, um pistoleiro dispara um tiro e um ator no palco, um camponês, é atingido. O contraste entre a imagem gigante do pistoleiro na tela e a pequenez do camponês sozinho no palco era forte. (Senna, 2008, p. 122)

Glauber Rocha também fala da influência do espetáculo "*a la* Piscator" no seu *Deus e o Diabo na terra do sol*:

> Em 1963, Orlando (Senna) e Geraldo Sarno realizam o filme *Rebelião em Novo Sol*, com fotografia de Waldemar Lima, que integrava um espetáculo de Francisco de Assis sobre a reforma agrária. Montado em estilo eisensteniano-vertoviano, o filme influenciaria a epicidade de *Deus e o Diabo na Terra do Sol*. (Rocha, 1982, p. 476)

O texto seguiu sendo montado, tornando-se referência de vários CPCs e do MCP. Foram muitas montagens em diversos estados do Brasil. Às vezes, quando não era possível fazer toda a peça, se encenavam trechos, algo que fazíamos no CTO e hoje continuamos na Escola de Teatro Popular (ETP). E teve também o processo de multiplicação e democratização dos meios de produção teatral por meio das oficinas e dos grupos que criavam suas próprias peças. Proposta semelhante à de outros grupos de *agitprop* na história, assim como do CTO e da ETP.

> O CPC de Goiás passou a inserir camponeses e operários nos espetáculos subsequentes, como foi o caso de *Mutirão em Novo Sol*. E em 1963 o CPC desenvolve um curso de formação de atores, só para operários e camponeses, com a finalidade de montar um núcleo de teatro formado por atores provenientes das camadas populares. (Postigo, 2012, p. 46)

> Eu não quero ser saudosista e nem reacionário, mas quero dizer que não houve um movimento cultural que tivesse a força que o CPC teve em apenas três anos. [...] Era um local que chegava ali na porta, perguntava se dava para entrar e já pegava um personagem. O Flávio Migliaccio, por exemplo, era porteiro do Teatro de Arena e aí o Boal olhou, olhou [...] só menino gordinho, bonito e de olhos azuis, não dava pra fazer o Zé da Silva. Olhou para o porteiro: 'Vem cá você, é o próprio Zé da Silva.' O CPC tinha isso também, de não discriminar ninguém [...] e outra coisa, eram 24 horas de trabalho. [...] O Carlinhos Lyra dormia debaixo da mesa da UNE [...] era ele e o Chico de Assis [...]. O Jango deu avião porque não tinha mais jeito, tinha uma União Nacional dos Estudantes nos cornos dele e todo um movimento cultural. [...] o Vianinha no Arena fez o que fez porque tinha uma classe média paulista politizada e que ia ver aqueles espetáculos. (Entrevista com Euclides de Souza *apud* Brasil Cultura, 2010)

Como se vê, tanto o CPC quanto o MCP produziram arte, e não só política, mas alguns diriam que era um material de mensagem, ou panfletário. Basta ver, porém, quem eram esses artistas militantes que, além de arte, realizaram um processo de multiplicação intenso, formando dezenas de grupos e núcleos pelo Brasil. O CPC nasce influenciado pelo trabalho do MCP. Paulo Freire frequentava o ISEB e falava sobre o MCP (Vieira, 2013, p. 582). Carlos Estevam Martins foi assistente de Álvaro Vieira Pinto, trabalhava no ISEB e fez parte da direção do CPC. Os dois movimentos trabalhavam com o conceito de alienação cultural, de popular e de nacional, com influências da esquerda marxista e do pensamento social católico. Esse debate foi incorporado de diferentes maneiras nas peças teatrais e nos filmes (Ortiz, 2012, p. 48).

> O Centro Popular de Cultura se transformou, em muitas ocasiões, nesta espécie de 'pastelaria' de dramaturgia e espetáculos. Nessa época assumia integralmente, com plena consciência de sua necessidade e limites, uma tarefa de agitação e propaganda deliberadamente circunstancial. E sem medo de um inevitável esquematismo: o objetivo não era substituir o imprescindível comício ou a passeata, mas sim ajudar com o espetáculo teatral — geralmente a sátira de efeito imediato — contribuindo, graças ao quase improvisado trabalho histriônico dos atores, como urgente elemento lúdico e participante. Mas o teatro do CPC não foi apenas isso: alguns textos, hoje praticamente ignorados,

revelam uma elaboração mais cuidada, inclusive recuperando e investigando aspectos da revista e da comédia popular, ou chegando mesmo a uma dramaturgia de surpreendente vigor, aprofundando questões de comportamento político mesmo de forma controvertida, fornecendo elementos para uma reflexão dos inesgotáveis sentidos da teatralidade. (Peixoto, 1989, p. 17)

Todo mundo costuma renegar a experiência do CPC da UNE. Dizem que era sectário. Eu digo sempre: era sim! E daí? Foi um momento maravilhoso da arte nesse país, tinha uma comunicabilidade brutal com o público, e nunca foi meramente doutrinário. Ao contrário, era um constante embate de ideias, posições, situações de trabalho. Algo muito fértil... Aquele texto famoso do Carlos Estevam, a carta de princípios do CPC, tratado pelos comentadores como uma cartilha, não passava de um documento interno e gerava entre nós muitíssimas divergências. Isso é absolutamente negligenciado pela história. Eu mesmo fui contra, e junto comigo estavam todos que formaram depois o Grupo Opinião. O que mais me desagrada é ver todo esse pessoal que passou pelo CPC agir como se a arte que fizeram depois tivesse surgido por geração espontânea. Simplesmente não é verdade. Eles ajudaram a reforçar o estigma, a tendência a recusar tudo aquilo. Mas nós fomos formados por aquelas experiências. Fazer pensar as pessoas é muito bom. E não dói, não dá dor de cabeça. (Depoimento de João das Neves *apud* Carvalho, 2014, p. 158)

A forma nova será nova historicamente, será nova em relação à situação cultural da sociedade — não necessariamente nova na história da arte. (Artigo de Vianna Filho *apud* Peixoto, 1983, p. 94)

Em 1960, ainda houve a visita de Jean-Paul Sartre e Simone de Beauvoir ao Brasil. Ficaram quase três meses, de agosto a início de novembro. Com a presença deles, organizou-se uma montagem do texto cinematográfico *A engrenagem*, de Sartre, dirigida por Boal com assistência de direção de Zé Celso Martinez Correa. O trabalho foi feito em parceria com o Grupo Oficina. A peça estreou no Teatro Bela Vista, em São Paulo, em 16 de setembro de 1960, e ficou em cartaz por 15 dias. Posteriormente foi apresentada em clubes operários e sindicatos.

Na época da *Engrenagem e Revolução* [*na América do Sul*], eu começava a experimentar dramaturgia aberta, fora do realismo. Brecht nos tinha influenciado mais no sentido de nos libertarmos do naturalismo do que no de imitá-lo: o efeito afastamento, para nós, já existia na interpretação dos nossos palhaços. (Boal, 2000, p. 176)

Depois de anos de atividades não mais nos conformamos com a posição de utensílios para o divertimento de uma burguesia ociosa e queremos passar à posição de interferência junto ao público e à sociedade que vivemos. Por essa razão não podíamos deixar de montar *A engrenagem*. Estamos em período eleitoral, nesses 15 dias o Brasil está sendo colocado como problema para todos os brasileiros. Cuba e o Congo dão exemplos que negam a eternidade de um mundo com países opressores e países proletarizados; Sartre visita nosso país e põe, como filósofo dos países proletários, em carne viva a realidade do problema do imperialismo e de suas engrenagens. [...] Tínhamos lido *A engrenagem*, roteiro cinematográfico de Sartre sobre um país subdesenvolvido, vítima da engrenagem imperialista. Percebemos imediatamente que por ser o único texto sobre o problema atualmente, seria o texto perfeitamente adequado ao tipo de resposta que queríamos dar. (Programa de *A engrenagem*, 1960)

O debate sobre a questão do colonialismo, do neocolonialismo, do Fanon, do Sartre já existia. Tinha o Fanon em casa. Ele lia muito, ficava estudando em casa... Uma biblioteca muito grande. Desde *O Capital*, os livros outros, não só marxistas. Era muita coisa de teatro, muito do Fundo de Cultura Econômica, economistas latino-americanos como Raul Prebisch ou ainda Max Weber, Celso Furtado, Caio Prado, Nelson Werneck Sodré, Antonio Candido, livros de Antropologia. Lembro dos livros que ele me emprestou e que me marcaram, como *On the road* ou Margareth Mead ou ainda Stanislavski. A biblioteca que tinha livros dos dois que se tornou obviamente comum.

Biblioteca de Boal: Brecht, teatro completo em francês; Sartre, muito; alguns romances sobre Cuba (*Furacão sobre Cuba*). Piscator, Stanislavski, Aristóteles, Gassner, Hegel, Langston Hughes, Eric Bentley. Muitas peças de teatro: Arthur Miller, Tennesse Williams, Eugenie O'Neill, Shakespeare, James Baldwin, uma lista infindável. *Look back in angel*, do John Osborne, Lazarillo de Tormes e outros.

Biblioteca de Albertina: Vários livros de Marx (*O capital*, entre outros), Lukács, Lenin, Marcuse, Franz Fanon, Ernest Bloch, Erich Fromm, Lucien Goldman, Adorno, Merleau-Ponty, Hegel, Benjamin, Ernst Cassirer, Lévi-Strauss... A *Revista Civilização Brasileira*[42] e a *Brasiliense*.[43]

Ele se preocupava com o contexto social das peças — Molière, Martins Pena, Maquiavel — e lia sobre isso. Não lembro que fosse a Maria Antônia, ao contrário, eram essas pessoas que iam ao Arena. Era tudo muito perto, Arena, faculdade, casa. Achava realismo socialista pobre, mas penso que ele se interessava mais por autores ou argumentos que abriam possibilidades novas. As influências não estavam apenas em teorias ou escritos. Por exemplo, ficou muito impressionado com a visita do cenógrafo Joséph Svoboda ao Brasil, na Bienal de 1961. (Albertina Costa, entrevista ao autor, janeiro de 2015)

Ler Sartre nos levou a indagar: o que seria mais importante, o coletivo ou o indivíduo? Como se marxismo e existencialismo se resumissem a isso [...], as discussões eram intermináveis. No Arena discutíamos tudo. O antagonismo entre Sartre e Marx era um dos preferidos. [...] Contei [para Boal] o quanto me sentia perdida depois do fracasso matrimonial, e ele me sugeriu ler *O segundo sexo*, de Simone de Beauvoir, recém-editado no Brasil (dias depois me deu de presente). (Gertel, 2013, p. 112)

Simone de Beauvoir e Jean Paul Sartre em debate no Rio de Janeiro, em 1960. Antes de chegarem ao Brasil, estiveram em Cuba, onde debateram sobre a revolução e o socialismo. No Brasil, divulgaram as atrocidades cometidas pela França contra a Argélia e difundiram a Revolução Cubana. Sartre apoiou a montagem da peça *A Engrenagem* e participou de debates. Numa entrevista no Rio, Sartre disse "a verdade do Rio de Janeiro são as favelas". ARQUIVO AGÊNCIA O GLOBO

---

42. Revista de resistência cultural à ditadura.
43. Revista de tendência marxista, fundada por Caio Prado Júnior em 1955.

Aqui se percebe que os debates sobre marxismo *versus* existencialismo, feminismo, colonialismo e neocolonialismo já estavam presentes. Havia opiniões que também eram críticas às diretrizes convencionais dos Partidos Comunistas em todo o mundo.

A proposta épica estava em curso em um país periférico. Os dilemas da continuidade dos procedimentos eram latentes com as radicalizações das ruas e das forças conservadoras, que desembocariam no golpe empresarial-militar de 1964. Como continuar essa busca? Como romper com os dilemas palco-plateia para poucos? Como atingir uma plateia popular? Como pôr a questão da participação em todo o processo de produção cultural?

> Há que se procurar sempre formas novas? Claro que sim: a realidade é sempre nova. Mas não devemos correr como bobos em busca da última moda. Devemos responder com formas novas aos novos desafios da realidade. (Boal, 1988a, p. 15)

O Arena, com Boal e Guarnieri, em sua luta contra a "engrenagem" dentro dessa "linha de produção", já questionava a forma de atuar e quem poderia ser ator. Agora é o momento de questionar quem pode escrever e o que se escreve — forma e conteúdo. Incrivelmente, o Seminário de Dramaturgia realmente começa em 1958, mas é apenas em 1960 que se aproxima da forma épica. Como se sabe, o capitalismo está sempre pronto para incorporar os novos produtos, por mais rebeldes que possam parecer.

Dessa forma, esses novos produtos, o autor e o texto nacional, também passam a ser incorporados e assumidos pela engrenagem, o que lhes retira o caráter revolucionário, uma vez que este passa a ser utilizado também pelo grupo "oposto": o TBC. Produzir obras nacionais se torna o novo "fetiche" do mercado, ao mesmo tempo contribuindo para a sobrevivência do Arena, que tem consciência (ou não) de seus limites e contradições. Contudo, o Arena não se satisfaz e não abre mão de buscar o novo. Afinal, existe a necessidade de sobreviver, mas é chegado o momento de se tentar fazer algo além. Vem, assim, a nacionalização dos clássicos.

As aulas na EAD foram importantes para obrigar Boal a sistematizar seus conhecimentos, estruturar um programa com ementa e mostrar uma capacidade de identificar suas descobertas por meio de um método dialético de aprender ao ensinar e ensinar aprendendo. Foi um período fundamental para o dramaturgo, pois ao ensinar ele aprendia mais. Como no Dramatic Workshop, os alunos tinham de escrever suas próprias peças. Ao coordenar esse processo, Boal era obrigado a sistematizar o seu próprio conhecimento e organizar como ensinar o fazer dramatúrgico aos seus alunos, como explicou: "Tentei essa sistematização [...] usando as leis da dialética, nas quais eu creio, não por uma questão de fé, mas por uma questão de prática" (Fernandes, 1989, p. 116). Veja a ementa do curso abaixo:

> Dramaturgia: Teatro e Sociedade (Arnold Hauser). *A Poética* de Aristóteles. A *Poética* de Hegel. A *Lei de Brunetiere* (discussão). Dramaturgia dialética (interdependência de elementos dramáticos, conflito, ação dramática, variação qualitativa). A *Poética* de Bertolt Brecht. Leitura e comentário de peças preparadas pelos alunos. Leitura e comentário das peças *A casa de bonecas*, de Ibsen, e *A alma boa de Setsuan*, de Brecht. (EAD, 1962)

Boal, aos poucos, vai sistematizando esse aprendizado, bem como vão se formando suas conclusões sobre as propostas dramatúrgicas, fruto dos estudos nos EUA e de influências marxistas — que, agora, com a realidade brasileira se impondo, eram experimentadas na práxis. Aqui não analisarei os pontos que são expostos nos grandes debates acerca das poéticas de Aristóteles, Hegel e Brecht que Boal expõe no seu livro *Teatro do oprimido*, mas acredito que um depoimento fundamental é o de Lauro César Muniz, que fala sobre a sistematização de Boal nas suas aulas e a conexão desse processo com o do dramaturgo marxista John Howard Lawson:

Capa de *Theoriy and technique of playwriting and screenwriting*, de John Howard Lawson, edição de 1949, possivelmente a que Boal teve acesso. Esse livro foi fundamental na formação dramatúrgica de Boal e ainda hoje é muito usado. Sua última edição é de 2020.

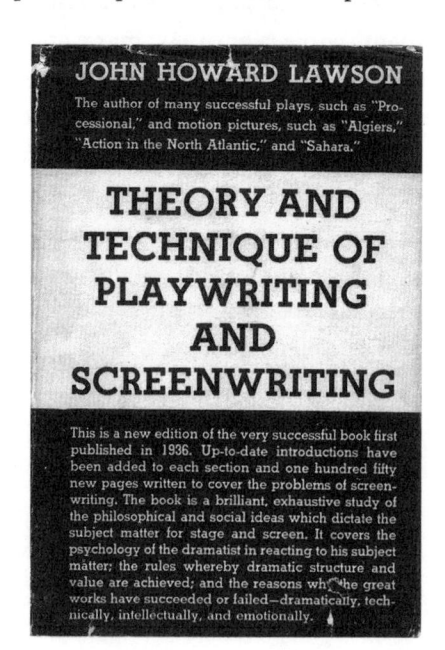

Éramos estimulados a discutir tudo, pôr em dúvida, contra-argumentar! Estava nos exercitando para assimilar seu método dialético de observar e viver o mundo! [...] Para ilustrar suas aulas exibia filmes expressionistas ("O gabinete do Dr. Caligari") e, mais tarde, baseados em peças do Brecht, autor que cultuava, sua referência maior. Nas aulas da EAD Boal nos abriu a sua grande descoberta! Um sistema riquíssimo, de análise e construção dramatúrgica, fundamentado na dialética hegeliana, que ele aperfeiçoou, a partir de um *insight* de John Howard Lawson, um teórico americano marxista. Tempos depois acabei por ler o livro básico do Lawson[44] e entendi que Boal havia dado vários passos à frente, aperfeiçoando mesmo a teoria do crítico americano. [...] estabelece um método não apenas para nortear a construção de peças teatrais, mas também para pensar a ação dramática em toda a sua extensão. [...] Um ano depois o Boal dirigiu "A Comédia Atômica", uma peça de minha autoria. Participei dos ensaios de mesa e vi como Boal orientava os atores a pensar cada cena a partir da dialética que a tinha gerado [...]. Boal foi o primeiro homem de teatro, de nosso país, a pensar o fenômeno cênico a partir do materialismo histórico e dialético. Outros teóricos já haviam esboçado algumas linhas sobre o tema, mas Boal teve a primazia da ação prática a partir de suas peças, seus espetáculos e, principalmente, como pensador e criador original de formatos teatrais que ultrapassam os limites do palco e da sala de espetáculo [...]. Onde eu pude beber mais informações da genialidade do Boal foi mesmo em suas aulas de dramaturgia. O sistema proposto pelo mestre Boal parte da tríade hegeliana, tese, antítese, síntese e mostra que se dramaturgia é refazer objetivamente a vida no palco, é possível compor vidas e relações de personagens a partir da dialética, fazendo a inter-relação de dinâmicas que se contradizem. Ao mesmo tempo, Hegel tem toda uma poética que facilita essa ponte entre sua dialética e a estrutura dramática (Depoimento de Lauro César. Muniz *apud* Almada, 2011-2012, p. 29; Basbaum, 2010, p. 53)

O processo e as mudanças políticas e estéticas que vão acontecendo com Boal vão se refletir também nas suas aulas na EAD, com a passagem de um certo realismo ao épico, sempre pensando não de forma etapista, mas com um desenvolvimento estético desigual e combinado. Aqui vou comentar pontualmente em diferentes momentos esse processo.

---

44. *Theory and technique of playwriting* (*Teoria e técnica da dramaturgia*), que fazia parte da bibliografia básica das aulas de dramaturgia de John Gassner na Universidade de Columbia.

Seminário de O *Capital*

Em 1958 tem início o Seminário de Leitura do livro *O capital*, de Karl Marx. Alguns dos participantes eram auxiliares de ensino, outros ainda estudantes. Entre eles estavam Ruth Corrêa Leite Cardoso, Fernando Henrique Cardoso, José Arthur Giannotti, Paul Singer, Octávio Ianni, Roberto Schwarz, Fernando Novais, Bento Prado Jr. e Leôncio M. Rodrigues.

> Até o Seminário de *O capital*, tudo o que tínhamos para ler de Marx era *Salário, preço e lucro* e *Trabalho assalariado e capital*, além, é claro, do *Manifesto Comunista*. Por isso, participar do seminário representou um salto teórico enorme para todos nós, uma experiência fora de série. (Schwarz, 2017, p. 61)

As reuniões foram interrompidas pelo golpe de 1964. Depois houve uma segunda geração, mantendo Roberto Schwarz e agora também com Emília Viotti, Marilena Chauí, Sérgio Ferro, Ruy Fausto, João Quartim de Moraes, Célia Quirino, Emir Sader, Sérgio Ferro, José Francisco Quirino dos Santos, Francisco Weffort, Lourdes Sola, Cláudio Vouga, Paulo Sandroni, Beth Milan e Albertina Costa — companheira de Boal de 1962 a 1965, ela participou do seminário de 1963 a 1968.

> O segundo seminário [...] pertencia a um momento histórico diferente. Sob a pressão de 1964, o grupo de estudos acabou entrando para a luta social de maneira mais direta. Também aqui se estudava *O capital* em detalhe, mas o espírito era mais ativista, ou menos especulativo. (Schwarz, 2017, p. 18)

Essa radicalidade da segunda turma pode ser comprovada com a entrada de alguns de seus participantes na luta armada, entre eles o próprio Boal, e a influência da conjuntura internacional, com as revoluções cubana e argelina e as lutas pela independência na África como via não ortodoxa ao socialismo, a Guerra do Vietnã e o debate crítico dentro do marxismo. Um dos frutos do seminário foi a criação da revista *Teoria e Prática*, interrompida no seu quarto número pela ditadura. Os encontros aconteciam a cada 15 dias na casa de um deles, onde liam cerca de 50 páginas de *O capital* no original, debatendo linha a linha. Este foi um espaço importante, até pela ausência do estudo de Marx dentro da USP. Roberto Schwarz (Santos; Moura, 2004) coloca que o seminário teve um peso decisivo na sua formação, ao proporcionar uma reflexão crítica da sociedade contemporânea e ao mesmo tempo se distanciar do dogmatismo dos PCs, em total sintonia com a radicalização no Brasil. O desconhecimento dos esquemas marxistas era uma vantagem que os livrava de preconceitos para melhor se apropriarem do que estava sendo estudado e aplicá-lo à realidade brasileira. Marx não poderia ser simplesmente imposto como modelo pronto ao Brasil, mas este também fazia parte do universo do capital e das desigualdades do desenvolvimento do capitalismo.

O debate da "reprodução moderna do atraso" estava presente, sendo países como o Brasil uma forma social considerada atrasada, mas que faz parte estrutural do processo de reprodução da sociedade atual, tanto nacional como internacional. A relação conflitual entre nação periférica e progresso estava pulsante e foi fundamental para toda a pesquisa crítica daquela época. Um dos pontos apontados por Schwarz (Santos; Moura, 2004) foi a falta de interesse pela crítica de Marx ao fetichismo da mercadoria, com a proposta desenvolvimentista a pleno vapor, o que poderia levar a se aprofundar a responsabilidade da própria mercadoria na produção e na normalização da barbárie. Acabou que se deixou de fora também o marxismo da Escola de Frankfurt, que abordou o nazismo, o stalinismo e o *american way of life*, não fazendo a crítica

> ao lado degradante da mercantilização e da industrialização da cultura, consideradas sem maiores restrições. E daí, finalmente, uma certa indiferença em relação ao valor de conhecimento da arte moderna, incluída a brasileira, a cuja visão negativa e problematizadora do mundo atual não se atribuía importância. (Schwarz, 1999, p. 104).

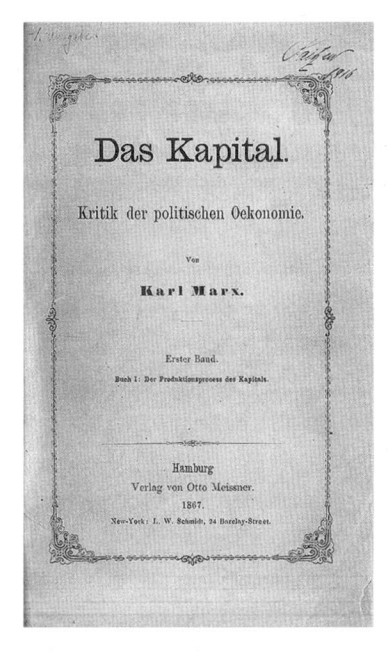

Primeira edição de *Das Kapital* (O Capital), de Karl Marx, 1867.

Ele avalia, assim, que o seminário ficava preso à questão nacional e não ia além, que seria enfrentar as relações contraditórias transnacionais das formas de produção que envolvem os conceitos de atraso e progresso e precisam ser enfrentadas. Apontou, ainda, que as produções ficaram limitadas ao âmbito acadêmico, não conseguindo ir além, e teriam se embreado nas letras nas produções culturais. Esse debate constante entre intelectualidade uspiana e o que acontecia no Arena — e, consequentemente, sobre o trabalho de Boal — estava impregnado, podendo-se ver materializado nas suas produções artísticas. Eu entendo que o Arena, e mesmo o Oficina, cada um de sua forma, buscaram esse ir além, mesmo o trabalho dos CPCs. O próprio Schwarz (1978) desenvolve mais esse ponto no famoso artigo *Cultura e Política 1964-1969*.

É interessante observar que, no período em que o Arena trabalhou a questão da nacionalização dos clássicos, o grupo soube — a partir de técnicas épicas — não se limitar ao particular nacional de determinada peça, mas dar-lhe um caráter universal partindo da perspectiva do oprimido.

Acrescento uma entrevista que fiz com José Arthur Giannotti, um dos criadores do seminário, para entender melhor como este funcionava, os debates e as participações diretas e indiretas de Boal e do Arena nessa discussão:

> *Como era a participação do pessoal da Maria Antônia no Teatro de Arena? Existiam intelectuais que iam lá fazer palestras?*
>
> J.A.G. — Existia, a gente conversava com o Boal, que estava lá, o Gianfrancesco Guarnieri, Vianinha também. Sim, havia um diálogo. Nós acompanhamos todas as peças, isso era dever de casa. Eu me lembro de ter feito uma conferência logo no início no Teatro de Arena, a crítica é algo em que eles estavam muito interessados, era a crítica política ou filosófica, em particular a crítica ao marxismo: o que era possível absorver do marxismo, o que era necessário abandonar. Não se esqueça de que, nos anos 1950, Marx era uma das referências do pensamento. Era primeiro acertar as contas com ele. Então todos nós, e o Sartre já dizia isso, temos, dentro dos nossos horizontes, alguma relação com Marx.
>
> *Mas esse período coincide com o Seminário de* O capital, *que o senhor estava junto, inclusive com a Albertina Costa, que nesse período era a companheira do Boal. E o Boal chegou a participar em algum momento de uma reunião dessa?*

J.A.G. — Chegou. O grupo do Seminário de Marx era basicamente um grupo de universitários. Acontece que, a partir do grupo que nós formamos, houve uma espécie de multiplicação. Mas nós nos víamos sistematicamente nos corredores da Maria Antônia, ali se encontrava com a Albertina, com o Boal.[45] A gente fazia muita palestra. Havia todo um clima de grande efervescência intelectual.

Havia a releitura do stalinismo, a questão da estética marxista. Existia algum debate em relação a essa questão do Lukács, do Brecht?

J.A.G — Havia não só Marx, havia minha briga com o Althusser, porque, como sempre, a capacidade mimética dos brasileiros era enorme, então na hora que aparece Althusser, todo mundo vira althusseriano. Havia do lado do Roberto Schwarz o assento em Lukács. E existia esse debate (estético), e a importância justamente era como é que nós saímos do marxismo da Terceira Internacional.

O debate sobre o marxismo, suas "adaptações" e "deslocamentos" para os países periféricos, estava presente. O Teatro de Arena era um centro cultural, um centro de efervescência. Praticamente após todos os espetáculos ocorriam os debates. Intelectuais como Anatol Rosenfeld, Roberto Schwarz, Albertina Costa, Fernando Henrique Cardoso, José Arthur Giannotti, Octavio Ianni, Florestan Fernandes e Paul Singer estavam presentes e debatiam as propostas estéticas e políticas que eram apresentadas.

Nacionalização

O trabalho coletivo continuava, as apresentações em sindicatos e outros espaços também. Mas agora entrava-se na etapa da nacionalização dos clássicos, ou seja, a concepção de que seria possível aproveitar grandes obras teatrais para que fossem apresentadas nos países da periferia, uma vez que

---

45. Albertina Costa esclarece: "O famoso seminário de *O capital* era na casa dos participantes, às vezes na do Fernando Henrique Cardoso. Os seminários dos mais jovens também eram nas casas. Na Maria Antônia havia cursos de marxismo no programa regular. Giannotti, Fernando Henrique, entre outros, davam esses cursos. Havia também um Centro Karl Marx, fundado pelo Michael Löwy e pelo Roberto Schwartz, que promovia debates. Boal não frequentava a Maria Antônia, essas conversas informais eram nas nossas casas, no Arena e, com menos frequência, em restaurantes" (entrevista ao autor, janeiro de 2015).

seriam "universais". A iniciativa foi realizada em alguns países da América Latina, como Argentina e Cuba. Essa prática de adaptações foi muito usada por Piscator, que reescrevia textos clássicos e os dava estruturas épicas, muitas vezes alterando pontos fundamentais da história original.

> Com a Nacionalização dos Clássicos, buscávamos a metáfora, cansados do realismo tautológico. (Boal, 2000, p. 201)

> Se, nas senzalas, só se ouvissem as falas da casa grande e os cantos da corte, as senzalas jamais seriam capazes de inventar Palmares. Na cultura da casa grande, a senzala serve e a casa é servida. Só na valorização da sua própria cultura a senzala encontra sua forma de ser. A cultura da casa não serve à senzala porque tem valores senhoris e formas senhoriais. Mesmo a chamada grande cultura milenar deve ser reinterpretada do ponto de vista de onde estamos, e não de onde nos disseram que a cultura estava. Devemos pensar a arte do ponto de vista de quem a produz e pratica, não a partir de uma perspectiva contrária à nossa. A esta nova visão da Estética batizei um dia de *Revolução Copernicana ao contrário* [Boal, 1988, p. 89]: somos, sim, o centro do universo da arte porque somos o nosso centro, e não devemos temer invadir e pisar o meio do palco, mesmo vivendo na periferia das cidades, nos guetos dos excluídos e longe da arte oficial, à qual não devemos obediência. Somos quem somos, e a vida é curta. (Boal, 2009, p. 167)

> Começou o período de 'nacionalização dos clássicos' também no Teatro Experimental de Cali (TEC). [...] Interessante similitude com o processo que descreve (Sergio) Corrieri nos primeiros anos da Revolução Cubana, com o processo do Teatro de Arena no Brasil e com o São Francisco Mime Troupe. (Pianca, 1990, p. 87)

> A necessidade de unir as linhas de seu desenvolvimento estético e político o levou (São Francisco Mime Troupe) a esse processo de 'nacionalização dos clássicos', que por razões semelhantes nós mencionamos acima nos grupos de Boal (Arena) e de Buenaventura (TEC). No São Francisco Mime Troupe, este processo começou em 1963 com a montagem de *The root,* uma adaptação de *A mandrágora,* de Maquiavel. É interessante notar que Boal começa o mesmo processo e no mesmo ano e com a mesma peça. [...] Não é impressionante que ambos coincidam com a seleção de uma mesma obra partindo de análises semelhantes da história? [...] Em 1964, o San Francisco Mime Troupe monta *Tartufo,*

de Molière. Para esta época, o Teatro de Arena também trabalhava o *Tartufo* e o TEC, por sua vez, (também) estava montando Molière. Os três grupos estavam em pleno período de 'nacionalização dos clássicos'. (Pianca, 1990, p. 94)

LA GAZETTE DE FRANCE

TEATRO DE ARENA APRESENTA

TARTUFO

DE Moliére

Tradução de Guilherme de Figueiredo

Sra. Pernela	Assunta Perez
Elvira	Ana Mauri
Dorina	Myriam Muniz
Damis	David José
Mariana	Vanya Sant'Anna
Cleanto	Jairo Arco e Flexa
Orgonte	Lima Duarte
Valério	Anthero de Oliveira
Tartufo	Gianfrancesco Guarnieri
Sr. Leal	Chant Dessian
Guarda	Paulo José de Souza

Direção: AUGUSTO BOAL
Cenário e Figurinos: PAULO JOSÉ DE SOUZA
Iluminação: ORION DE CARVALHO
Execução dos Figurinos: ATELIER ELINA
Músicas selecionadas por: ALESSANDRO PORRO

PATROCÍNIO DO PLANO DE DESENVOLVIMENTO INTEGRADO DA SECRETARIA DE ESTADO DOS NEGÓCIOS DO GOVERNO — COMISSÃO ESTADUAL DE TEATRO — PLANO DE POPULARIZAÇÃO

Parte do programa com elenco e equipe técnica da peça "Tartufo".
ACERVO AUGUSTO BOAL.

Temos as nacionalizações de *Mandrágora*, de Maquiavel, estréia em 12/09/1962; *Os fuzis da senhora Carrar* (única não dirigida por Boal, mas por Zé Renato), de Brecht, em 07/02/1962; *O noviço*, de Martins Pena, em abril de 1963; *O melhor juiz, O rei*, de Lope de Vega, em 26/08/1963; *Golpe a galope/ Coriolano*, de Skakespeare,[46] em 1964; *Tartufo*, de Molière, em 4/09/1964; e *O inspetor geral*, de Gogol, em 13/05/1966. Em 1967 teve *O Círculo de Giz Caucasiano*, de Brecht; *La Moschetta*, Angelo Beolco; e *O processo*, de Kafka, com texto adaptado por Boal, que foi montada pelo Núcleo 2 (Boal, 2000, p. 244) — um dos momentos não muito estudados da biografia teatral de Boal, pois fica entre as montagens de autores nacionais e de musicais. Esse foi o processo vivido pelo Arena, que já estava impregnado pelos ensinamentos épicos, pelos grupos de estudos, pela conjuntura, e cada vez mais conectado com movimentos sociais, seja com o MCP ou com o CPC.

Capa do programa de "O Inspetor Gogol". Arte de Flávio Império.
ACERVO FLÁVIO IMPÉRIO-IEB-USP.

---

46. Adaptação de *Coriolano*, de Shakespeare, que posteriormente mudou para *O soldado e a paz*. O título provisório já mostrava a desconfiança do dramaturgo frente à possibilidade do golpe empresarial-militar que ocorreria um mês depois (*Correio da Manhã*, 1964). A informação me foi confirmada por Albertina Costa, que chegou a ler a peça, mas que não foi montada.

As peças *Revolução na América do Sul* e *Mutirão em Novo Sol* criticavam a aliança de classe com a burguesia nacional, e esse novo momento estético dá continuidade a essa posição e não se limita a criticar o imperialismo, mas também o próprio sistema capitalista como um todo. Dessa forma, não teríamos apenas personagens tipicamente brasileiros, mas histórias que mostrem a corrupção da burguesia, da estrutura religiosa e da oligarquia (*Mandrágora* e *Tartufo*), da necessidade de tomada de posição (*Fuzis*), e do apoio à luta dos trabalhadores, em especial dos camponeses (*O melhor juiz, O rei*). Dessa forma, os clássicos são usados para denunciar a ideologia da classe dominante não só do Brasil, mas do mundo. E para isso nada melhor que o uso da comédia, da farsa, do distanciamento épico e da própria alteração do texto, como Piscator defendia.

> Será possível transformar cada peça em um instrumento para reforçar o conceito de luta de classes e aprofundar a visão revolucionária das necessidades históricas. Desta forma, uma grande parte da literatura mundial poderia ser colocada em prol da causa do proletariado revolucionário, assim como toda literatura mundial pode ser lida com o objetivo político de propagar o conceito de luta de classes. (Piscator, 1976, p. 41)

A prática da nacionalização do considerado "universal" e sua crítica também era problematizada já na Revolução Soviética. Pode-se ver isso nos documentos do movimento *Proletkult*,[47] em julho de 1918, na revista *Proletarskaya Kul'tura* (Cultura Proletária):

> 1. A arte pode ser denominada universal na medida em que todo o valor das obras de séculos e povos é parte integrante do tesouro da cultura universal.
>
> 2. No entanto, ninguém pensa em negar as diferenças óbvias entre a arte de distintas épocas e povos.

---

47. "Cultura Proletária", instituição artística experimental soviética que surgiu na Revolução Soviética de 1917. Era uma federação de sociedades culturais locais e artistas de vanguarda. Ela pretendia modificar radicalmente as formas artísticas existentes, criando uma nova estética revolucionária da classe trabalhadora. Em 1920, a Proletkult tinha 84 mil membros ativamente inscritos em cerca de 300 estúdios, clubes e grupos de fábricas locais, com mais 500 mil membros.

> 3. Nós, marxistas, sabemos que essas diferenças não se explicam por meio de conceitos imprecisos tais como o espírito nacional, a época ou o clima, mas sim pelo regime social, determinado, por sua vez, pela correlação entre as classes. (Lunatcharski, 2018, p. 53)

Na URSS, essa prática acontecia também nos trabalhos do dramaturgo Sergei Tretryakov, em 1922, que adaptou *A terra em transe*, montagem de Meyerhold. Para Eisenstein, o *Proletkult* reescreveu a peça *Até o mais sábio está errado*, de Aleksander Ostrovski.

Muitas das peças não nacionais apresentadas pelo Arena, principalmente as dirigidas por Boal, eram estudadas no March of drama, curso dado por John Gassner, com Piscator.

> Boal comentava muito o Piscator. Ele falava tanto que era como uma pessoa presente. E Brecht, claro, Brecht estava toda hora. Ao lado disso ele trabalhava muito Stanislavski também. Uma coisa que sempre comentava é que quando ele fez o curso de dramaturgia eles escreviam peças, e eles tinham que encenar, eles próprios dramaturgos tinham que fazer encenação. (Nanci Fernandes, aluna de Boal na EAD, entrevista ao autor, janeiro de 2015.)

Para Piscator, a partir de suas experiências, o papel do dramaturgo-autor se torna cada vez mais irrelevante e secundário. Segundo ele, o autor literário era uma "figura autocrática", na qual a sua perspectiva de original, único e intocável seria incompatível com o novo momento histórico. Seria querer manter formas antigas e reacionárias para novas situações e necessidades (Piscator, 1968).

O dramaturgo alemão criou uma nova proposta de escrita teatral em que se poderia adaptar e se apropriar dos textos de autores clássicos "universais". Para Piscator, havia um descompasso entre as propostas feitas no palco e a dramaturgia. Dessa forma, não se atingiriam os seus objetivos de um teatro político. Com isso, percebia que os clássicos, que já eram conhecidos e tinham certa penetração, poderiam ser aproveitados na busca por uma dramaturgia que expressasse esses anseios sociais e políticos.

> O encenador não pode ser apenas 'leal à obra', pois a obra não é uma coisa sem vida e definitiva; logo que é colocada no mundo, a obra muda com o tempo, adquire marcas do tempo e assimila uma nova consciência. Por isso, o encenador tem a obrigação de encontrar o ponto

nevrálgico do qual deve partir para descobrir os caminhos da peça dramática. Este ponto não pode ser inventado nem escolhido arbitrariamente: só na medida em que o encenador se sente a serviço e intérprete do seu próprio tempo é que conseguirá alcançar esse ponto que é comum às forças decisivas que moldam o caráter do tempo. (Entrevista com Erwin Piscator *apud* Patterson, 1981, p. 123)

Em 1926, Piscator fez uma importante adaptação, considerada um escândalo: *Os salteadores,* de Schiller. Ele cortou e mudou o texto original e fez o ator principal representar o herói com os traços fisionômicos de Trotsky. Em 1927, com seu colaborador Felix Gasbarra, Piscator fundou o seu primeiro "coletivo dramatúrgico" — do qual Brecht foi um dos membros ativos. Em 1926, Piscator fez uma importante adaptação, considerada um escândalo: *Os salteadores*, de Schiller. Ele cortou e mudou o texto original e fez o ator principal representar o herói com os traços fisionômicos de Trotsky. Em 1927, com seu colaborador Felix Gasbarra, Piscator fundou o seu primeiro "coletivo dramatúrgico" – que também faziam parte Bertolt Brecht, Alfred Doblin, Bela Balázs, Johannes R. Becher, Wilhelm Herzog, Eric Muhsam, Leo Lania, Walter Mehring, Kurt Tucholsky e Ernst Toller.

Ao usar os clássicos, o Arena também consegue atrair e manter um público cativo. E ao trabalhar as obras de forma dialética, permite-se fazer uma crítica de classe. Entendendo a crítica ao público burguês do Arena, Boal teria de viver com essa contradição, mas sem perder de vista uma perspectiva revolucionária. Sobre a divisão do Arena e do CPC, Guarnieri disse:

> O que tínhamos combinado era o seguinte: a gente tinha que manter as posições conquistadas dentro da classe média... Então, a nossa tarefa em São Paulo era reforçar as possibilidades do Teatro de Arena. Em 1962, inclusive, houve uma reformulação prática do teatro, que mudou de direção [Guarnieri, Augusto Boal, Paulo José, Juca de Oliveira e o cenógrafo Flávio Império assumiram o Arena]. (Barcellos, 1994, p. 240)

Com as nacionalizações buscava-se questionar o dito universalismo estético intocável de certos clássicos, que eram mostrados de forma negativa, metafórica — e com a direção de Boal, que indicava uma interpretação em uma chave épica. Em cada clássico adaptado, houve maior ou menor interferência no texto, sempre dependendo da necessidade e do objetivo político e artístico. O primeiro texto foi *Mandrágora*, de Maquiavel, um autor conhecido por seus textos políticos. Para essa montagem, fica mais clara ainda a parceria que acontecia entre a Faculdade de Filosofia (USP) e o Teatro de Arena. Na época, uma das professoras da USP de quem Boal buscou auxílio foi Célia Quirino,[48] cientista política:

> O Teatro de Arena em São Paulo era um importante ponto de encontro, quase diário, de um pequeno grupo da Faculdade de Filosofia da USP. À época, havia um entrosamento muito grande dos vários centros de estudos político-sociais, artes, cinema e teatro. O enfoque principal era entender o Brasil e procurar ter alguma participação política no combate à ditadura. Fazíamos seminários e procurávamos ler e discutir tudo de novo que aparecia em Filosofia, Ciências Humanas, Literatura, Artes etc. Criativo e engajado politicamente como Boal era, já havia começado a desenvolver suas teorias sobre o Teatro do Oprimido. Lembro-me que, quando o Boal resolveu encenar *Tiradentes*, a minha parca contribuição foi entregar para ele todas as fichas da minha dissertação de pós, que era exatamente sobre a ideologia dos inconfidentes mineiros [Santos, 1958]. Em outra ocasião, ia para o teatro explicar o pensamento político de Maquiavel, pois eles estavam encenando a *Mandrágora*. (Célia Quirino, entrevista ao autor, junho de 2015)

Capa do Programa da peça "A Mandrágora". Arte de Flávio Império.
ACERVO FLÁVIO IMPÉRIO-IEB-USP.

---

48. Graduada em Ciências Sociais pela USP (1954), com especialização em Ciência Política pela USP (1956), mestrado em Ciência Política pela USP (1958), doutorado em Ciência Política pela USP (1982) e pós-doutorado pela Universidade George Washington (1988). Também participou do Seminário de Leitura de *O capital*.

Aqui se reforça a necessidade do estudo político para entender o que, como e para que se deseja montar uma peça teatral. E do ponto de vista estético, esse é um momento marcante de rompimento final com o que ainda os ligava ao realismo.

> Com a *Mandrágora* descobrimos a metáfora — que não se come como o naturalista macarrão à bolonhesa; metáfora se goza! *Abandonamos de ver o realismo em busca da realidade*. Brecht: 'o dever do artista não é mostrar como são as coisas verdadeiras, mas como verdadeiramente as coisas são'. Bravo Bertolt. (Boal, 2000, p. 200)

> A tarefa maior da direção épica é exprimir a relação existente entre a ação representada e a ação que se dá no ato mesmo de representar. Se todo o programa pedagógico do marxismo é determinado pela dialética entre o ato de ensinar e aprender, algo de análogo transparece, no teatro épico, no confronto constante entre a ação teatral, mostrada, e o comportamento teatral, que mostra essa ação. O mandamento mais rigoroso desse teatro é que 'quem mostra' — o ator como tal — deve ser 'mostrado'. (Benjamin, 1985, p. 88)

> Suas experiências como diretor também já o encaminhavam para a encenação épica. Exemplo disso é a lembrança de uma cena muito reveladora do espetáculo *A mandrágora*. Tratava-se de mostrar a cobiça do padre e, para ele, o essencial era a trajetória do olhar do ator em direção à bolsa de dinheiro. (Costa, 2012)

Ao trazer peças de séculos passados e atualizá-las criticamente, Boal põe em xeque a própria ideia de progresso, da lógica etapista, uma nova crítica ao PCB. Reforça, assim, o conceito do desenvolvimento estético desigual e combinado e mostra a possibilidade da validade do "antigo" ser usado hoje, sendo refeito a partir de uma forma que inclua a perspectiva do oprimido.

> A ideia de um progresso do gênero humano na história não se pode separar da ideia da sua progressão ao longo de um tempo homogêneo e vazio. A crítica da ideia dessa progressão tem de ser a base da crítica da própria ideia de progresso. (Benjamin, 2013, p. 17)

No caso da encenação de *Tartufo*, de Molière, não se alterou um verso. A peça que abordava a questão da hipocrisia religiosa e toda a conexão com o poder era muito semelhante ao que se vivia em relação ao movimento conservador da Tradição, Família e Propriedade (TFP).

Foi engraçado quando fizemos o *Tartufo*, justamente em [19]64 [Estreou em 02 de setembro de 1964, seis meses depois do golpe]. Na plateia, muita gente que não conhecia Molière pensava que era o pseudônimo meu e do Guarnieri. 'Agora que a polícia não deixa que vocês façam, vocês inventaram esse cara aí'. (Entrevista com Augusto Boal *apud* Spina; Galvão, 2004)

Por outro lado, *Tartufo* foi encenada sem que se lhe alterasse um alexandrino. Na época em que o texto foi montado, a hipocrisia religiosa era profusamente utilizada pelos tartufos contemporâneos, que, em nome de Deus, da Pátria, da Família, da Moral, da Liberdade etc., marchavam pelas ruas exigindo castigos divinos e militares para os ímpios. Tartufo profundamente desmascara esse mecanismo que consiste em transformar Deus em parceiro de luta, em vez de mantê-lo na posição que lhe compete de Juiz Final. Nada era preciso acrescentar ou subtrair ao texto original, nem mesmo considerando que o próprio Molière, para evitar censuras tartufescas, tivesse sido obrigado a fazer, ao final, imenso elogio ao governo; bastava aí o texto em toda a sua simplicidade para que a plateia se pusesse a rir: a obra estava nacionalizada. (Boal, 1980, p. 193)

Os anos 60 estavam fervilhando dentro e fora do Brasil. Aqui a mobilização pela imediata realização das reformas de basse como: educação (UNE) e reforma agrária (Ligas Camponesas) que até hoje não aconteceu, entre outras e do outro lado a extrema direita como a TFP (Tradição, Família e Propriedade) fundada em 1960) também se organizando fortemente e realizando mobilizações e atentados fascistas, era a luta de classes em alta temperatura.

Manchete do jornal *Folha de S. Paulo* relata o atentado à sede da UNE pelo Movimento Anticomunistas de Paramilitares (MAC) realizado em 7 de janeiro de 1962. A UNE foi uma das principais entidades à frente da luta por radicalização da democracia.
FOLHA DE S. PAULO/FOLHAPRESS.

O melhor juiz, o rei

Jacques Lagoa Gomes, Juca de Oliveira, Carlos Mauricio Pereira Lopes, Gianfrancesco Guarnieri, Ruy Nogueira, Dina Sfat e Joana Fomm. FOTO DE BENEDITO LIMA DE TOLEDO. ACERVO FLÁVIO IMPÉRIO-IEB-USP.

Ao reescreverem *O melhor juiz, o rei*,[49] Guarnieri, Paulo José e Boal o fazem de forma a questionar a justiça burguesa. No original, o camponês Sancho vai ao rei reclamar contra um nobre que exerceu o seu direito à primeira noite. Para romper com a justiça burguesa, que perdura até os dias de hoje, o Arena inverte a história: o rei não é mais o juiz, e, sim, o camponês.

É alterado não somente o conteúdo da peça, mas a sua forma, e com o acúmulo dos processos das montagens anteriores, rompe-se com a forma barroca — e também do drama burguês de decisões de "indivíduos livres" — e se estrutura o texto numa direção épica dialética. Na versão do Arena, é o camponês quem decide sobre seu próprio destino, concluindo que somente o oprimido pode decidir o que é melhor para ele. O camponês é um cômico crítico, sem heroísmo, como o Zé da Silva de *Revolução na América do Sul*.

---

49. Antes desta peça e mesmo antes do período de nacionalização dos clássicos, Boal havia, em 1956, adaptado uma produção do mesmo autor, chamada *As famosas asturianas*.

> O teatro épico é o teatro do herói surrado. O herói não surrado não se transforma em pensador. (Benjamin, 2017, p. 87)

As mudanças na peça visavam mostrar como as estruturas ditas imutáveis da sociedade repercutem também no nosso agir e pensar. Para isso, os personagens foram representados com comportamentos mecanizados para revelar que os processos sociais são históricos e, não, naturais.

> A modificação do desfecho foi motivada pela circunstância de que não acreditamos em uma justiça imutável. Quisemos evitar que D. Telo (nobre) se definisse apenas como vilão e, se fosse bom, tudo estaria no melhor dos mundos... No cotidiano a gente se mecaniza na maioria dos gestos. Quis que o espectador surpreendesse esse comportamento inautêntico viciado, da mecanização rotineira. (Entrevista com Augusto Boal. *O Estado de São Paulo*, 1963)
>
> Enquanto os homens estiverem divididos, enquanto houver explorados e exploradores, igualmente haverá justiça de uns e de outros. Só quando forem eliminadas as classes reinará uma só justiça. (Boal, 1988, p. 30)

Boal classifica essa montagem na categoria de teatro didático: "A arte é uma forma sensorial de conhecimento — portanto o teatro didático-popular procurava desenvolver estas ideias (da divisão de classes) em forma concreta" (Boal, 1988, p. 29). Também usada por Brecht (*Lehrstücke*),[50] esta categoria de teatro está "empenhada em ensinar ao espectador um determinado comportamento prático, com vista à modificação do mundo, deve suscitar nele uma atitude fundamentalmente diferente daquela a que está habituado" (Brecht, 1978, p. 31). As peças didáticas, também feitas pelo CPC, não eram apenas para ações pontuais, mas questões a serem debatidas estruturalmente.

> Viajamos ao Nordeste com apresentações nos Estados de Pernambuco, Paraíba e Bahia, sempre em feiras, praças públicas, adros de igreja e outros locais amplos, sem acústica, camarim, nada. Uma das primeiras apresentações foi em Recife, numa concha acústica gigantesca, em tempo de Miguel Arraes, MCP e Ligas Camponesas, e uns 2 mil

---

50. Brecht traduziu "Lehrstück" como "Learning Play" ("peça didática" ou "peça de aprendizagem").

> camponeses nos esperavam impacientes e fazendo algum barulho de inquietação. [...] *O melhor juiz* falava de camponeses e senhores feudais e o público [do Recife] torcia mesmo, em clima de filme de mocinho e bandido. Da plateia vinham gritos de guerra como 'Dá-lhe, Sancho' e 'Abaixo, Don Tello', na clara identificação com a luta do camponês contra o capitalista. (Depoimento de Joana Fomm *apud* Ledesma, 2008, p. 50)

> O elenco do Arena regressou nesta semana da excursão realizada a 3 Estados: Pernambuco, Paraíba e Bahia. Ofereceram-se em duas semanas, 11 recitais de "O Melhor juiz, o rei", para cerca de 11 mil espectadores. (Estado de Sao Paulo. 15/09/1963)

> As plateias faziam uma decodificação automática da metáfora. Em debate, quando alguma referência era feita ao nobre Tello, espectadores entendiam que se tratava de um coronel local. Paulo Freire espalhava seu método em Pernambuco, alfabetizando a valer. As ligas (camponesas), fortes, numerosas. A Igreja, mais progressista. O presidente Goulart, empurrando a tomar medidas populares, ameaçando estatizações, negociando com sargentos e marinheiros rebelados. A meu ver, nada revolucionário, apenas democrático, mesmo assim... (Boal, 2000, p. 205)

Essa viagem foi um marco na vida de Boal. Existem vários trechos em sua autobiografia falando sobre o encontro do Teatro de Arena com o MCP. O grupo foi se apresentar no I Encontro Nacional de Alfabetização e Cultura Popular, previsto para acontecer em 1961. Somente em 1963, contudo, foi possível realizá-lo — junto ao MEC, ao governo de Pernambuco, à Secretaria de Educação e ao MCP do Recife e também a vários movimentos, como a União Nacional dos Estudantes (UNE), o Movimento de Educação de Base, o Instituto de Cultura Popular de Goiás, e a Divisão de Cultura da Secretaria de Educação do Rio Grande do Sul. A palavra "alfabetização" foi acrescida depois, em virtude de todo o movimento que já havia em relação ao método Paulo Freire.

Nessa viagem ao Nordeste, em Campina Grande, na segunda quinzena de setembro de 1963, aconteceu um fato muito contado por Boal, que mudou radicalmente a sua forma de trabalhar com os oprimidos. Quando encerravam a apresentação, os atores conclamavam os camponeses a lutar. Diziam algo como "vamos verter nosso sangue nessa luta pela terra". Nesse dia, ao final da peça, Virgílio — um camponês forte, como contava Boal — veio chorando até ele e disse que estava muito feliz porque "o povo lá de São Paulo pensava

TEATRO DE ARENA

o melhor juiz, o rei

DISTRIBUIÇÃO GRATIS ★ OUTUBRO 1963 N.o 2

O MELHOR JUIZ, O REI

original de **LOPE DE VEGA**
adaptação de **GIANFRANCESCO GUARNIERI**
AUGUSTO BOAL
PAULO JOSE'

cenografia de **FLAVIO IMPERIO**

música e direção musical de **DAMIANO COZZELLA**

elvira	JOANA FOMM
sancho	JUCA DE OLIVEIRA
pelaio	GIANFRANCESCO GUARNIERI
d. tello	JOÃO JOSE' POMPEO
feliciana	ISABEL RIBEIRO
célio	RUY NOGUEIRA
d. nunho	ABRAHÃO FARC
conde e carrasco	ARNALDO WEISS
rei	RENATO CORREA DE CASTRO
camponesa	DINA SFATIC
camponesa	ANA MARIA C. L. FORTES
camponês e frade	ALEXANDRE RADOVA
camponês e soldado	CARLOS MAURÍCIO PEREIRA LOPES
camponês e soldado	JACQUES LAGOA GOMES

eletricista ORION DE CARVALHO
produção MIRIAM MUNIZ — MARILIA KOUTZI — CLECY MARQUES BRAGA — SARAH FERES — HELENA RENAUD BRAGA
metais: SALVADOR CENTO AMORE
madeira: TOMIMATSU SHINOZAKI

Programa da peça
"O melhor juiz, o rei".
Arte de Flávio Império.
ACERVO FLÁVIO IMPÉRIO
IEB-USP.

que nem eles sobre a reforma agrária. Agora nós vamos almoçar e depois vamos ocupar a terra do coronel, aí vocês vêm com a gente e tragam os seus rifles". Eu localizei o texto adaptado da peça no Arquivo Miroel Silveira, mas não essa parte final. Mas no jornal de Pernambuco diz "no final todo o elenco, reunido de punhos fechados para o ar, entoa a canção do "Vinde aos campos, aldeões do mundo inteiro" (Diário de Pernambuco, 19/09/1963), poderia dizer que é quase uma versão de "Trabalhadores de todo o mundo, univo-os (Marx e Engels, Manifesto Comunista).

Boal respondeu que agradecia os elogios, mas os fuzis eram cenográficos, e não de verdade. Virgílio perguntou para que serviam fuzis de mentira, que não atiram, mas que não tinha problema, os fuzis eram de mentira, mas eles eram de verdade. E que eles tinham fuzis de verdade para todos os atores. Boal ficou ainda mais sem jeito e teve de dizer que eles não eram camponeses, eram atores. Com isso, Virgílio disse que eles "vêm lá de São Paulo, dizem o que deve ser feito, mas não fazem junto. [...] esse sangue que vocês falam na cena é o nosso sangue, e não o de vocês". Então, desde esse dia, Boal disse que não poderia propor nada em que também não pudesse estar junto. E que não faria mais o chamado Teatro de Mensagem, em que se diz o que o outro deve fazer. Ele costumava contar essa história e comentá-la junto à frase do Che:

> Esse episódio me fez entender a falsidade da forma mensageira de teatro político, me fez entender que não temos o direito de incitar seja quem for a fazer aquilo que não estamos preparados para fazer. [...] 'Ser solidário é correr o mesmo risco', dizia o Che: nós não corríamos risco nenhum cantando nossos hinos revolucionários. (Boal, 2000, p. 263)

Esse fato aconteceu na viagem de *O melhor juiz, o rei* para o encontro nacional do MCP. Quem conta mais detalhes é Albertina Costa:

> Chegamos no Nordeste e tivemos contato com o Germano Coelho. Essa história foi na peça que fala de um camponês que perguntou: 'Me passa as armas?'. A peça era *O melhor juiz, o rei*. Eu também fui, o elenco do Arena viajou num avião da FAB no dia da revolta dos sargentos, dia 12 de setembro de 1963. Quase que a viagem não acontece por isso, foi uma aventura. Eu estava com o elenco do Arena num avião da FAB e não sabíamos se teríamos autorização para aterrissar. Acabamos

desviados pra Base Aérea de Natal. Boal foi antes. O episódio aconteceu na Paraíba, em Campina Grande, a narrativa foi muito retrabalhada e quase virou mito. Quem estava em Recife com o MCP era o Nelson Xavier, a viagem do Arena coincidiu com um congresso do MCP. Fomos também visitar a Liga de Sapé, onde Eduardo Coutinho estava filmando *Cabra marcado para morrer*. Eu assisti a várias apresentações d'*O melhor juiz*, acho que essa da Paraíba foi a mais emocionante. A apresentação foi pra muita gente, havia os que vieram a cavalo e estavam ali apeados ao lado dos animais. Não sei te dizer como foi a organização, não era algo só pra Ligas Camponesas, tinha um pessoal mais à esquerda, mas também patrocínio de autoridades. (Albertina Costa, entrevista ao autor, janeiro de 2015)

Boal chegou a usar essa história como um momento de virada. Observando toda essa trajetória e identificando a conjuntura da época, acredito que esse fato foi realmente importante, mas estava localizado em um conjunto de outras situações. Como tudo que já coloquei anteriormente, esses acontecimentos estavam enriquecendo a formação de Boal. Uma formação, uma transformação, não é definida somente por um evento, por mais importante que este seja. Pelo que pude pesquisar desse encontro, ele foi fantástico e com enorme participação popular. É importante destacar, ainda, que o método de Paulo Freire estava em plena utilização. Boal viu ao vivo todo esse processo de participação popular no Nordeste. As práticas democráticas do MCP com vários movimentos sociais foram fundamentais para se enxergar como um trabalho de organização popular e artístico é transformador.

Essa mobilização, que vinha dos anos 1950, já despertava no governo estadunidense uma atenção especial ao Brasil[51] — preocupação que hoje sabemos ter levado ao apoio dos EUA no golpe de 1º de abril de 1964.

---

51. Ver arquivo da CIA: https://www.cia.gov/readingroom/search/site/Brazil%20Goulart. Acesso em: 20/07/2021.

O golpe

Em 21 de janeiro de 1964, o presidente João Goulart, sob coordenação de Paulo Freire, instituiu o Programa Nacional de Alfabetização, prevendo alfabetizar 1.834.200 analfabetos apenas naquele ano e criar 60.870 Círculos de Cultura. Houve uma grande mobilização, greves, pressão pelas reformas de base — reforma agrária e educação, entre outras — e, ao mesmo tempo, uma articulação da burguesia nacional e internacional contra qualquer possibilidade de radicalização. Como alguns movimentos de esquerda já previam, em 1º de abril de 1964 ocorreu o golpe empresarial-militar. Na madrugada, a sede da UNE na Praia Vermelha foi metralhada e incendiada por militares e civis. Alguns integrantes do CPC estavam dentro do prédio: Vianinha, Carlos Vereza, Francisco Milani e João das Neves, que disse:

> Havíamos saído da sede da UNE pulando o muro do quintal. [...] A passagem pela frente do prédio em chamas permanece indelével em minhas retinas: Vianinha, Carlos Vereza e eu chorávamos. No prédio em chamas, morriam sonhos e a utópica esperança de contribuir para tornar o Brasil um país menos injusto. Morria também o teatro do CPC, que ia ser inaugurado com *Os Azeredo mais os Benevides*. Relendo hoje o texto da peça, me vêm à lembrança as suas palavras (de Vianinha) naquele instante: '– Apesar de tudo eu não acredito num retrocesso do processo político!' O que me faz pensar na curiosa dicotomia que por vezes se estabelece entre um artista e sua obra. No caso, o militante político não conseguia ver o que o artista já afirmava com admirável clareza em *Os Azeredo*, que era irrealizável a aliança entre opressores e oprimidos; que aqueles sempre colocariam em primeiro plano os seus interesses, e só eles, não importavam as razões e/ou emoções destes. (Guimarães, 1984, p. 53)

> Mais uma vez o Partidão (PC) avaliou mal o momento histórico. No dia 30 de março, véspera do golpe, nós estávamos reunidos no Arena, discutindo ética marxista. Numa pausa de nossa discussão teórica, um companheiro chegou de Brasília, interrompendo nossa discussão e bradando heroicamente, como um mensageiro grego: 'Estivemos com o presidente e ele nos disse, categoricamente, que se o Congresso não legalizar o partido ele fecha aqueles dois croquetes'. A gente aplaudia entusiasticamente. E disse mais, o Jango imporia sua república sindicalista. Quase cantamos a *Internacional*! Brizola agitava, botando fogo no país e [...] no dia seguinte,

> as tropas foram pra rua, veio o golpe, que nos pegou de calças curtas. Não podíamos acreditar no que estava se passando. Quanta alienação! Estávamos estudando ética marxista às vésperas do golpe! (Depoimento de Lauro César Muniz *apud* Basbaum, 2010, p. 87)

> Na noite de 30 de março de 1964, diante da tensão política que prenunciava o golpe, o Comando Geral dos Trabalhadores (CGT) convocou greve geral para defender o mandato de João Goulart. Na madrugada de 1º de abril, 20 dirigentes do CGT foram presos pela Polícia Militar da Guanabara, no sindicato dos Ferroviários. Foram libertados por uma tropa da Aeronáutica leal ao governo, mas a greve fracassou — por falta de mobilização na base e pela forte repressão: polícia e Exército ocuparam os maiores sindicatos do Rio e da Baixada Santista e focos de resistência como a CSN, em Volta Redonda (RJ). [...] Nos dias seguintes ao golpe, dezenas de milhares de militantes e sindicalistas foram presos sumariamente em todo o país. Durante semanas ou meses ficaram em campos de concentração improvisados em estádios e clubes. CGT, Ligas Camponesas, Ultab e outras organizações de trabalhadores foram desarticuladas e proibidas. [...] A repressão foi duríssima contra os trabalhadores rurais. Cerca de 40% dos sindicatos sob intervenção eram do Nordeste do país, praticamente todos de trabalhadores rurais. [...] Os governadores democratas de Pernambuco, Miguel Arraes, e de Sergipe, Seixas Dória, foram depostos e presos. Arraes exilou-se na Argélia depois de um ano confinado no arquipélago de Fernando de Noronha. (Memorial da Democracia, s/d)

Em 14 de abril de 1964, a ditadura acabou com o Plano Nacional de Educação,[52] e em 16 de junho Paulo Freire foi preso. Segundo o inquérito policial militar, ele era

> um criptocomunista encapuçado sob a forma de alfabetizador [...], um dos maiores responsáveis pela subversão imediata dos menos favorecidos. Sua atuação no campo da alfabetização de adultos nada mais é que uma extraordinária tarefa marxista de politização dos mesmos. (Haddad, 2019, p. 20).

---

52. Em 21 de dezembro de 1963, o jornal *Estado de São Paulo* fez um editorial sobre o método Paulo Freire com o título "Método Nazista". Disponível em: https://acervo.estadao.com.br/pagina/#!/19631221-27199-nac-0003-999-3-not. Acesso em: 20/04/2022.

Capa do jornal *O Globo* de 2 de abril de 1964. O golpe realizado no dia anterior teve amplo apoio dos setores da burguesia nacional e internacional, com participação estratégica do governo dos Estados Unidos. Praticamente todos os meios de comunicação apoiaram os golpistas: além de *O Globo* com a manchete "Ressurge a Democracia", *Jornal do Brasil*, *Folha de S. Paulo*, *O Estado de São Paulo*, *Correio da Manhã*, *Diário de Pernambuco* e outros apoiaram entusiasticamente o golpe.
Na legenda da foto sobre o incêndio na sede da UNE percebe-se o apoio do jornal: "O incêndio da UNE mostrou o sentimento de revolta do povo contra os agitadores e falsos estudantes". ACERVO O GLOBO.

Em setembro de 1964, Paulo Freire foi exilado e só voltou ao país com a anistia, em 1979.

> O Movimento de Cultura Popular do Recife foi extinto com o Golpe Militar, em março de 1964. Dois tanques de guerra foram estacionados no gramado da sua sede, no Sítio da Trindade. Toda a documentação do movimento foi queimada, obras de artes destruídas, e os profissionais envolvidos foram perseguidos e afastados dos seus cargos. (Gaspar, 2008)

> Em um dos interrogatórios, o tenente exibiu na parede a cena de *Rebelião em Novo Sol* em que eu atirava com um rifle como prova irrefutável da minha atividade subversiva. Em seguida tirou do projetor a cópia única do documentário que eu fizera com Geraldo Sarno e começou a destruir o filme, partia a película e jogava os pedaços no lixo, 'o que nós estamos fazendo é jogar seus filmes e vocês todos no lixo da história e depois vamos jogar o lixo no incinerador'. Eu disse que ele estava destruindo uma obra de arte e isso era crime, que ele estava cometendo um crime. O tenente ficou vermelho de raiva, desfez o rolo do filme, partiu-o em grandes pedaços e jogou tudo no lixo enquanto gritava que o criminoso era eu, que tinha tentado vender a pátria aos soviéticos, que recebia dinheiro de Moscou para subverter a ordem e enganar o povo. Eu insisti: destruir livros, pinturas e filmes é crime contra a humanidade e a inteligência. Ele ficou calado um tempo, me fixando, controlando-se, e me mandou sair. Eu tinha perdido um pedaço de mim, doía muito, *Rebelião em Novo Sol* não existia mais. (Depoimento de Orlando Senna *apud* Leal, 2008, p. 129)

> Mundo cão. Revisamos armários, estantes. Cartas cubanas, agendas, endereços, edições do *Granma*, livros de Mao, Che, Fidel, Marx, Engels, Sartre[53]... anotados com carinho, foram escondidos ou jogados no lixo.

---

53. "Tínhamos uma carta de Fidel que perguntava se a peça Revolução na América do sul era sobre Cuba, mas foi para o lixo. Não sei se Augusto lia Mao, conversávamos sobre a revolução cultural. Boal começou a ensaiar as mãos sujas de Sartre com Jô Soares mas não conseguiu autorização do autor para a montagem."(Depoimento de Albertina Costa ao autor. "Eu(Jô) participaria, como ator, da montagem do Teatro de Arena para a peça As mãos sujas, do Jean-Paul Sartre, com direção do Augusto Boal ... O Flávio Império ... desenhou os cenários e os figurinos, maravilhosos. Estávamos ensaiando fazia uns vinte dias, quando chegou a notícia de que o Sartre tinha proibido a montagem da peça no mundo inteiro. Ela saiu quando o filósofo criticava com contundência o stalinismo e havia rompido com o Partido Comunista Francês. Depois, ele retomou os laços com o Partido e resolveu proibir a montagem da peça. Foi uma pena, porque o projeto era muito bom e o ambiente político do país, naquela hora, propício ao texto da peça." (Soares, 2017, p. 257)

Antecipado São João ideológico: fogueiras. Notícias davam conta: o exército, estacionando tanques no meio-fio; a marinha, ancorando navios a largo; a aeronáutica, aterrissando onde havia pista; tinham abandonado seus deveres militares e se convertido em força policial. Vasculhavam, atrás de nós e do povo. Quem, alguma vez, tivesse dito coisa que pudesse ser aparentada a pensamento assemelhado à esquerda — exemplo, a afirmação de que comunista não comia criancinha e, caso comesse, não seria na Praça Vermelha, em público festim! — era preso e levado para navios adaptados ao propósito carcerário, quartéis, prisões comuns ou delegacias de bairro. Onde houvesse portas e cadeados, aí se encerravam presos [...]. A primeira medida da ditadura foi cultural: proibidos os Centros Populares de Cultura em todo o território nacional. Por extensão, Ligas Camponesas, sindicatos, uniões estudantis, qualquer forma de diálogo. (Boal, 2000, p. 221)

O Golpe de [19]64 — um golpe rude — te colocou diante da necessidade de uma nova estética. Nesse momento é que entra a estética de Brecht — *aí, a gente começa a ler o Pequeno Organon com outros olhos* — e, de repente, o teatro não é aristotélico. Porque você fica diante de uma emergência, você precisa dizer as coisas de uma maneira muito mais direta; então o Teatro Épico aparece exatamente no golpe de [19]64. O Boal passa a ser professor na Escola de Arte Dramática e trabalha muito com a poética de Aristóteles, com Hegel [...]. No golpe de [19]64, de alguma forma, isso fica parecendo uma coisa distante que não chega a te instrumentar muito bem para você falar da realidade que você está vivendo. Aí é quando ele rompe com o teatro aristotélico, com a poética hegeliana e passa a trabalhar com o *Pequeno Organon* com toda a estética, os *Escritos sobre teatro*, todo o trabalho de Brecht. (Depoimento de Paulo José *apud* Roux, 1991, p. 450)

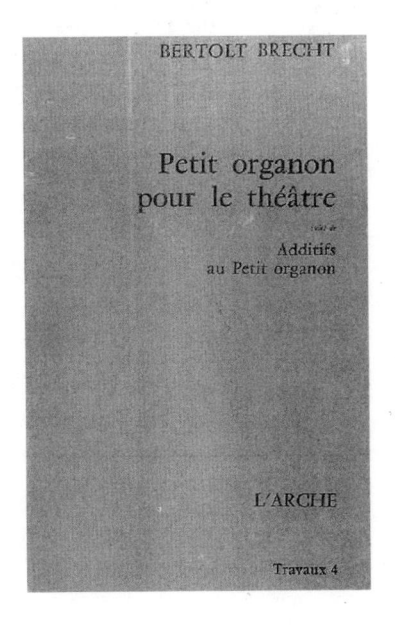

Capa do livro *Petit Organon pour le théâtre*, editora De L'Arche, Paris, 1948.

O texto abaixo — de uma aula de Boal na EAD, em março de 1966 — ilustra como se davam a diversidade de experimentação e a velocidade das mudanças de estilos que ocorriam naquele momento do teatro brasileiro e mostra um pouco como funcionou o desenvolvimento estético desigual e combinado:

> Eu queria começar lembrando que o mesmo processo que a gente usa atualmente (*mesmo teatro de Arena*) teve origem em um determinado momento histórico do desenvolvimento do Teatro Brasileiro. Não foram processos bolados para o infinito, nem se imaginou que a sua validade fosse, ou seja, pra ficar eterna, nem surgiram porque são bons em si mesmos. Eram bons para determinadas tarefas que se queria realizar, para determinados problemas específicos que se queria resolver. O Teatro de Arena pode ter todos os defeitos que se imagina, tantos os espetáculos como a coordenação artística geral, que informa a atividade. Mas tem quase sempre uma virtude: a de ter certa sequência, coerência de repertório, e mesmo uma seleção de processos de interpretação, que respondem a necessidades objetivas do momento histórico que se vai vivendo. Algumas técnicas do laboratório que utilizamos no começo do Teatro de Arena permanecem válidas até hoje, e podem ser usadas. [...] Mas algumas já perderam a sua validade porque se referiam a contextos que agora deixaram de existir... Não é hoje em dia, por exemplo, eu falo sempre muito mal do teatro realista. Então eu não gosto do teatro realista, abomino, detesto, tudo o mais. Mas coisa de 10 ou 8 anos atrás eu estava pregando como bandeira desfraldada o teatro realista, porque naquela época, pelo menos, passou a responder a certas necessidades do momento, na época em que o Arena começou a usar Stanislavski [...]. Estava-se lutando contra um certo formalismo geométrico e temporal, que estava instalado no teatro como processo de encenação. [...] Então a gente combatia isso [...] aplicando a fórmula de Stanislavski. (Arquivo Augusto Boal, 1966)

Com o golpe empresarial-militar tem fim o esforço de democratização no Brasil. O MCP, o CPC, os sindicatos, as organizações estudantis e os partidos de esquerda estão entre os primeiros movimentos a serem fechados, perseguidos e terem integrantes presos, torturados e mortos.

O que se pode constatar com os depoimentos e documentos apresentados aqui é que houve uma multiplicação do MCP e do CPC com centenas em vários estados do Brasil. E quanto à ideia de que o PC dava a linha e dirigia esses movimentos, não era assim de forma automática. Existia uma autonomia dos grupos, mesmo com muitos de seus integrantes sendo militantes do partido. É importante frisar a ocorrência do incêndio da sede da UNE, onde se encontrava a maioria de seus documentos, pois muitas das análises que fazem sobre o CPC se baseiam somente no "anteprojeto do Manifesto do CPC", encabeçado por Carlos Estevam Martins, que não tinha sido definido como a opinião oficial do Centro Popular de Cultura. Mais uma vez, devido à falta de material — por repressão, ignorância, falta de cuidado com a memória e a opinião política divergente, mesmo dentro de parte da esquerda —, acaba prevalecendo uma visão dominante da história.

O CPC não era um bloco monolítico. Entre as suas divisões havia duas bem definidas: a do Vianinha e a do Carlos Estevam Martins, que apoiava as ideias do "Manifesto do CPC". Enquanto Vianinha, em seu artigo *O teatro popular não desce ao povo, sobe ao povo*, colocava-se contra a proposta do "anteprojeto do Manifesto do CPC":

> Não há que, em nome da participação, baixar o nível artístico das obras de arte, diminuir sua capacidade de apreensão sensível do real, estreitar a riqueza de emoções e significações que ela pode nos emprestar... *Não podemos aceitar o dilema que frequentemente nos é colocado — que para que haja mensagem, não é possível fazer arte*. A arte seria um preconceito burguês, de encantamento, de alienamento, inútil e prejudicial à verdadeira comunicação de ideias verdadeiras sobre o mundo... Acreditamos que a cada época corresponderá uma *problemática* particular, uma *problemática* que precisa ser *encarada* pelo conhecimento e pela sensibilidade dessa *época* e que tais obras surgem do duro *trabalho de fazer e refazer*. Mas, como sentido geral, acreditamos que seremos mais eficazes quanto mais artisticamente comunicarmos a realidade [grifos meus]. (Vianna Filho, 1981, p. 13)

Do outro lado tinha o texto de Carlos Estevam Martins sobre o sectarismo fechado que não permitia contradições e/ou comunicações entre as suas definições de "arte do povo", "arte popular" e "arte popular revolucionária", que parecia quase com uma proposta de um realismo socialista.

Não se preocupando com a estética e tendo uma perspectiva conteudista, dessa forma prevalece a ideia do artista como escolhido que vai levar a arte ao povo e libertá-lo de sua ignorância. Neste conceito elitista e sectário, o povo não produziria arte ou cultura. Uma proposta contra Paulo Freire e Augusto Boal, visto que eles acreditavam que todo ser humano é um produtor de cultura e um artista.

> CATARINA — Eu estava me lembrando daquele caso dos CPCs, daquele problema todo da arte e política, arte e PC, participação... Lembro-me do depoimento do Carlos Estevam Martins, em 1978, contando que foram acusados de atuar de 'cima pra baixo'.
>
> BOAL — Na verdade não podemos generalizar sobre os Centros Populares de Cultura, porque havia milhares de centros aqui no Brasil. [...]. Então, acho que se fossem fazer os Centros Populares de Cultura teríamos de nos preocupar mais em fazer com que sejam os oprimidos desses centros que se expressem através da arte, que utilizem a linguagem teatral que é comum a todos homens e mulheres. (Entrevista com Augusto Boal *apud* Santana, 1985)

Nunca, em momento algum, quer no CPC, quer no Grupo Opinião, o Partido Comunista deu alguma diretriz. O Comitê Cultural tinha um membro da direção do Partido, que era o Marcos Jaimovich. Ele assistia a todas as nossas reuniões e levava os informes do Partido, mas nunca nos disse 'façam isso ou façam aquilo'. As versões foram sempre nossas, com completa liberdade. Em momento algum, justiça seja feita, o PC deu qualquer diretriz para nós. (Depoimento de João das Neves *apud* Carbone, 2014, p. 110)

A visão do Carlos Estevam é esquemática. E minha discordância básica era e é essa. A arte popular revolucionária não existe sem a arte popular. A arte só é revolucionária na medida em que está na outra ponta. Não existe uma coisa pura, que delimite o que se deve fazer. Isso não existe e se existir, está equivocado. [...] O nosso trabalho era realmente em cima de fatos políticos do momento. Nesse sentido, se diferenciava dessas vertentes de arte popular, arte do povo. Nosso trabalho era baseado nessas manifestações, só que com caráter político imediato, digamos assim. O que, aliás, não o diminuía nem o aumentava. Diminuía na medida em que você seguia certos esquemas e podia aumentar na medida em que você, ao experimentar, ia criando uma forma nova de fazer política, sem degradar a forma artística. Na verdade, nós fazíamos a mesma coisa que os grandes artistas populares do mundo inteiro fizeram, por meio de máscaras fixas e alguns defeitos do ser humano pré-capitalista. Nada mais fazíamos do que repetir isso. E a medida da competência das pessoas fazia com que o trabalho fosse bom artisticamente ou mal artisticamente. [...] Para ele [Carlos Estevam Martins] a arte não interessava e a nós, ao contrário. É claro que por fazermos coisas imediatas não podíamos ter uma qualidade tão grande, mas a tendência era se aprimorar. [...] No Rio de Janeiro, tínhamos não só o CPC da UNE, mas também de todas as faculdades e cada um tinha a sua autonomia sobre os rumos e suas possibilidades. Nenhum era caudatário do outro, eram todos independentes, mas nós discutíamos com todos. E a mesma coisa acontecia nos estados [...] discutíamos os CPCs. Nós levávamos todos os *agitprops* do CPC e já desembarcávamos fazendo uma intervenção qualquer nos aeroportos das cidades. [...] Nós fazíamos os esquetes rapidamente e botávamos na rua. Todo mundo (escrevia). Era um trabalho coletivo nesse sentido, todo mundo embarcava e o colocávamos na rua. Todo mundo participava e era um trabalho muito ligado às formas de teatro popular do Brasil, à *commedia dell'arte* também. (Depoimento de João das Neves *apud* Carbone, 2014, p. 171)

Essa conversa toda, se a gente tem que falar de política quando faz teatro ou não tem. Eu estava me lembrando de um momento essencial na minha vida como artista. Foi numa época em que a gente fazia um tipo de teatro muito combativo. Antes de [19]64, havia um movimento aqui no Rio de Janeiro e no Brasil inteiro, que começou em Pernambuco, aliás, no governo Arraes,[54] e depois no Brasil inteiro, um movimento que se chamava Centros Populares de Cultura. E era uma ideia muito bonita. Era uma ideia por meio da qual o povo, as pessoas de uma região, ou de um bairro, ou de uma paróquia de uma igreja, ou de um sindicato, se reuniam e formavam o que se chamava de um Centro Popular de Cultura e o Centro Popular de Cultura era isso: cada um vinha e ensinava aos outros aquilo que sabia fazer. Cultura entendida no sentido mais geral. Cultura no sentido que é tudo aquilo que os homens e as mulheres fazem, 'é como fazer'. Dentro de cultura entra realmente tudo. Não era cultura no sentido erudição. Erudição é quando você conhece a cultura dos outros. Agora, cultura é todo povo, todo grupo social tem a sua própria cultura. Os homens de uma região, as mulheres, uma raça tem uma cultura. Cultura é o fazer mesmo, e é a maneira de fazer.

---

54. Aqui Boal faz uma pequena confusão. O movimento criado em Pernambuco com o apoio de Arraes, Freire e outros foi o Movimento de Cultura Popular (MCP). O CPC estava organizado em praticamente todo o Brasil.

Comer é cultura, não o fato de comer, mas a maneira de comer é uma cultura. Cultura: como é que a gente come? É com as mãos? O garfo? E o Centro Popular era isso. Todas as pessoas procuravam ensinar umas às outras aquilo que sabiam. E eu dava aula em muitos Centros Populares de Cultura. Dava aula de dramaturgia, por exemplo. E, depois de uma aula de dramaturgia minha, vinha uma aula de culinária, ou uma aula de poesia era seguida por uma aula de corte e costura, uma aula de violão era por não sei o quê. Quer dizer, todo mundo ensinava, uns aos outros, aquilo que sabia fazer de melhor. Era uma ideia tão maravilhosa [...]. Hoje, quando se fala Centro Popular de Cultura, tem gente que fala: 'Ah, mas aquilo! Que horror! Fazia isso, isso e aquilo'. É verdade que a gente fazia coisas erradas, mas a essência era correta. A essência era que cada um ensinava aos outros aquilo que sabia. Isso era maravilhoso, não é? Era tão importante que o primeiro ato da ditadura, antes de fazer outros atos igualmente medonhos, o primeiro decreto foi extinguir, ilegalizar, pôr na ilegalidade os Centros Populares de Cultura. (Boal, 1985, p. 8)

Musicais

Com essa nova conjuntura, surge a necessidade de novas estratégias e formas. A partir de 1964, foi marcante a entrada da música como um dos elementos centrais nos espetáculos, mesmo já tendo sido usada antes, como em *Revolução na América do Sul*. Observa-se, literalmente, os musicais, e não mais somente músicas nos espetáculos.

O primeiro musical dessa safra foi uma experiência entre o grupo do CPC no Rio e o Teatro de Arena, mais especificamente Boal, que realizou a direção geral daquele que viria a se denominar *Show Opinião,* uma criação de Oduvaldo Vianna Filho, Paulo Pontes e Armando Costa. No Rio, havia o restaurante e casa de *show* Zicartola, de Dona Zica e Cartola, que era famoso por fazer a ponte entre intelectuais da classe média e sambistas dos morros. Dos músicos do Zicartola foram escolhidos três "perfis" rebeldes para atuarem e cantarem no espetáculo: João do Vale, imigrante negro e nordestino; Zé Keti, sambista negro da favela; e Nara Leão, estudante branca de classe média, que foi substituída mais tarde por Maria Bethânia, nordestina. O musical estreou no Rio de Janeiro, no dia 11 de dezembro de 1964, com Nara Leão — Maria Bethânia a substituiu em 13 de fevereiro de 1965.

« O P I N I Ã O »

com

NARA LEÃO — ZE' KÉTI — JOÃO DO VALLE — MARIA BETHÂNIA

Direção Geral de AUGUSTO BOAL — Direção Musical de DORIVAL CAYMI FILHO

MÚSICAS INTERPRETADAS

Peba na Pimenta	João do Valle e Zé Batista
Pisa na Fulô	João do Valle
Samba, Samba, Samba, (trecho)	Zé Kéti
Tome Morcêgo	João do Valle
Borandá	Edu Lobo
Noticiário de Jornal	Zé Kéti
Missa Agrária	Gianfranesco Guarnièri e Carlos Lira
(Trecho da peça musical)	
Carcará	João do Valle e Zé Cândido
Tubinho	Zé Kéti
Favelado	Zé Kéti
Néga Dina	Zé Kéti
Deus e o Diabo na Terra do Sól (trecho)	Sérgio Ricardo e Glauber Rocha
Segrêdo de Sertanejo	João do Valle e Zé Cândido
Matuto Transviado	João do Valle
Voz do Morro (treho)	Zé Keti
If I Had A Hammer	Pete Seeger
I Ain't Scared Of Your Jail	Pete Seeger
Guantanambra	Pete Seeger
Canção do Homem Só	Carlos Lira e Vinicius de Moraes
Sina de Caboclo	João do Valle e J. B. Aquino
Opinião	Zé Kéti
Mal-me Quer	Cristóvam de Alencar e Newton Teixeira
Insesatez	Tom Jobim e Vinicius de Moraes
Marcha do Rio 40 Gráus (trecho)	Zé Kéti
Malvadeza Durão	Zé Kéti
Gimba	Gianfrancesco Guarnieri e Carlos Lira
Tristeza Não Tem Fim (treho)	Tom Jobim e Vinicius de Moraes
Esse Mundo é Meu (trecho)	Sérgio Ricardo e Ruy Guerra
Maria Moita	Carlos Lira e Vinicius de Moraes
Minha História	João do Valle
Marcha da Quarta Feira de Cinzas	Vinicius de Moraes e Carlos Lira
Tiradentes	Francisco de Assis e Ari Toledo
Cicatriz	Zé Kétio e Hermínio Bello de Carvalho

Lista de músicas do show *Opinião*. Repertório é composto por clássicos da MPB e também músicas brasileiras de protesto e de movimentos civis e antiguerra e a clássica cubana Guantanamera do poeta José Marti.

O programa do *Opinião* diz que

> o *show* foi escrito com os três. Primeiro foram entrevistas, nasceu onde? [...] E mais uns álbuns, fotografias, cartas. Aí foi feita uma seleção. Um roteiro inicial. Voltamos a trabalhar com eles. Cada trecho do texto foi dito por cada um de improviso. O texto definido aproveita a construção das frases, as expressões, o jeito deles. Tudo era gravado, aí era escrito. (Costa, 1965, p. 8)

> Vianninha me entregou 300 páginas de monólogos, diálogos e letras de música. [...] Criamos nova forma teatral — eu queria teatro, não *show*: os atores deviam cantar uns para os outros como quem se fala, se ama [...]. Nosso *show-verdade* era diálogo [...]. Era diálogo, teatro,

> não *show*. [...] Opinião não era um *show* a mais. Seria o primeiro *show* de uma nova fase. *Show* contra a ditadura. *Show*-teatro. Grito, explosão. Protesto. Música só não bastava. Música ideia, combate, eu buscava: música corpo, cabeça, coração! Falando do momento, instante! [...] deveriam ser eles mesmos e personagens. É difícil representar personagens, ainda mais a si mesmo. Concordavam em ser uma coisa ou outra, eles ou os personagens: ao mesmo tempo, era complicado. No entanto, era isso o *teatro-verdade* [grifos meus]. (Boal, 2000, p. 225-226)
>
> Não era exatamente um *show*. Era *show*, era teatro, era teatro, era *show*. O gênero era muito difícil se caracterizar na época. Ninguém sabia definir exatamente o que era aquilo. *Era um show em cima da vida das pessoas, teatralizava essa vida* [grifo meu]. (Depoimento de João das Neves *apud* Kuhne, 2001, p. 71)

Boal dava mais um passo na direção do Teatro do Oprimido, no qual as histórias eram contadas pelos próprios oprimidos, artistas que atuavam, contavam e cantavam suas vidas em primeira pessoa — com dados estatísticos das desigualdades que, organizados dramaturgicamente, foram chamados por ele de *"show*-verdade", uma estrutura de Teatro Documentário. Essa modalidade busca sistematizar diferentes experiências históricas, como o movimento do *proletkult*, o *agitprop*, as peças didáticas de Brecht e, em especial, o teatro político de Piscator. Muitos dos elementos apontados adiante estarão presentes nos próximos trabalhos de Boal, incluindo a série *Arena conta* e o Teatro Jornal.

Esse processo de "teatralização da vida" e de a pessoa ser, ao mesmo tempo, ela própria e o personagem era algo novo, com uma forma não conhecida, e estaria presente nos processos futuros de Boal até desembocar no Teatro do Oprimido. E mais uma vez o dramaturgo inovou: a partir de uma nova realidade, uma nova forma se fazia necessária, seguindo o espírito épico e dialético. O espetáculo foi apresentado em diversas capitais com dezenas de milhares de pessoas assistindo. Para se ter uma noção da importância política do espetáculo, o quanto o *Show Opinião* mobilizou a esquerda, tem o caso de uma apresentação em Belo Horizonte relatado na biografia da presidenta Dilma Rousseff (Amaral, 2011, p. 40): o *show* foi feito para angariar fundos para a Organização Revolucionária Marxista-Política Operária (ORM-Polop), contrária à linha política do PCB, que deu origem a diversos grupos importantes na luta armada contra a ditadura.

Arena conta...

A proposta aqui não é aprofundar a análise dos espetáculos da série *Arena conta* e do Sistema Curinga do ponto de vista de uma crítica teatral, mas, sim, refletir sobre o que dessa nova forma pode ser aprendido como pedagógico para o processo de construção épico-periférico que vai desembocar no Teatro do Oprimido.

O Sistema Curinga estreou de uma forma mais livre no primeiro espetáculo da série, *Arena conta Zumbi*, em 1º de maio de 1965, sendo posteriormente sistematizado com a sequência, *Arena conta Tiradentes*. Apesar de incorporar predominantemente os elementos do Teatro Épico (Brecht e Piscator), a proposta era radical e começou com a história de Zumbi, com o uso de um fato histórico, a luta de libertação dos negros, como metáfora do golpe empresarial-militar. Zumbi traz uma proposta radical de destruição de todas as convenções, regras, receitas e todos os valores teatrais que impediam a radicalização estética do teatro. Era um momento de transição, de processo no qual o novo ainda surgia e que se buscava refletir sobre essa realidade em transformação. "E queríamos surpreendê-los quase no dia a dia — teatro-jornalístico" (Boal, 1991, p. 197).

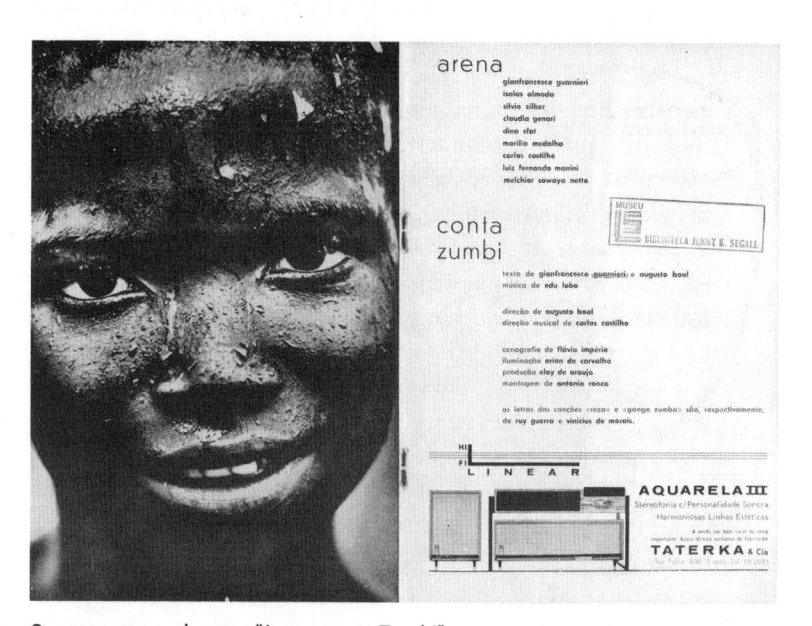

Capa programa da peça "Arena conta Zumbi". ACERVO FLÁVIO IMPÉRIO-IEB-USP.

Infelizmente, com o golpe, vivia-se um enorme retrocesso — e, ao mesmo tempo, buscava-se alguma reação, já colocando em cena suas críticas e mesmo autocríticas. E começa com a história de Zumbi. No programa de apresentação temos na abertura:

> História de gente negra
> Da luta pela razão
> Que se passa no presente
> Pela verdade em questão (Programa de Arena Conta Zumbi, 1967, p. 2)

E, depois, vem quase um "manifesto":

> Vivemos um tempo de guerra. O mundo inteiro está inquieto. Em todos os campos da atividade humana esta inquietude determina o surgimento de novos desafios. Menos no Teatro. O teatro procura sempre apresentar imagens da vida social. Imagens perfeitas, corretas segundo cada perspectiva de análise. No entanto, imagens estáticas. O teatro tradicional tenta paralisar, fixar no tempo e no espaço, realidades cambiantes. Pouco se tem tentado traduzir em arte e câmbio, a transformação. (...) Queremos apenas contar uma história, segundo a nossa perspectiva. Dispomos de uma arena, alguns velhos refletores munidos de lâmpadas (...), acomodações para pouco menos de duzentas pessoas, roupas, madeiras, telas, projetores etc. Somos um grupo de gente boa, diretores, atores, técnicos, autores, eletricistas, porteiros, bilheteiros. Somos quase vinte. (...) Para fazer uma peça assim, precisaríamos (se fôssemos convencionais) de mais pra lá de 100 atores, mais pra lá de trinta cenários (...). Já que não somos Teatro Nacional, nem temos mecenas dispostos a tudo, temos ao menos nós mesmos. Destes fatos concretos surgiram as novas técnicas que estamos usando em *Arena conta Zumbi*: personagem absolutamente desvinculado doe ator (todo mundo faz todo mundo, mulher faz papel de homem sem dar pra essas coisas etc.), narração fragmentada sem cronologia, fatos importantes misturados com coisa pouca, cenas dramáticas junto a documentos, fatos perdidos no tempo e notícias dos últimos jornais, anacronismos variados. Só uma unidade se mantém de todas quando até hoje foram proclamadas: a unidade da ideia. (Programa de "Arena conta Zumbi", 1967, p. 3.)

O espetáculo *Arena conta Zumbi* poderia ser definido pelas quatro técnicas principais que foram usadas. A primeira era a desvinculação ator-personagem, na qual diferentes atores representavam diferentes personagens, mantendo a "máscara" e os gestos sociais (padrões de comportamento da sua função social). Rompia-se a propriedade privada do personagem/ator, técnica já usada por Brecht, Langston Hughes e Oswaldo Dragun. A segunda técnica era o espetáculo em forma de narrativa, sendo narrado por toda a equipe do Arena, visando conseguir o que Boal chamou de "interpretação coletiva". A terceira técnica se constituiu na mistura de vários gêneros e estilos, seguindo o conceito do desenvolvimento estético desigual e combinado.

Por fim, a quarta técnica utilizada foi justamente a música, que já vinha da experiência do *Show Opinião* e teria como função preparar o público ludicamente para receber os textos. Usou-se a metáfora da república negra que lutou por muitos anos contra a hegemonia econômica e social dos brancos portugueses. Havia referências, ainda, a um poder externo superior, à participação dos EUA no golpe, e trechos como "exterminar a subversão", "valores da nossa sociedade" e "infiltração negra" (os comunistas). A propaganda feita contra Palmares é como uma propaganda anticomunista, em que estão presentes os setores que apoiaram a ditadura, como a Burguesia Colonial (empresários), o Bispo (Igreja Católica), a Metrópole (o imperialismo estadunidense) e o novo Governo-Geral (o exército).

> Eu não podia mais convidar as pessoas para falarem de si mesmas, falando de uma classe. Então eu fiquei pensando em alguma outra coisa que pudesse ser assim. [...]. E o Zumbi veio com a ideia de pegar personagens míticos e contar a história do Brasil naquele momento. (Depoimento de Augusto Boal *apud* Teixeira; Nikitin, 2004)

> O texto usava jornais. Um discurso do comandante analfabeto, Don Ayres, destruidor de Palmares, foi copiado *ipsis litteris* do ditador Castelo Branco falando ao 3º Exército:[55] nosso exército se converteria em gigantesca polícia, o verdadeiro inimigo (nós!) estando dentro e não

---

55. Foram usados trechos dos discursos de posse do marechal golpista Castello Branco, em 15 de abril de 1964, e de instalação do Conselho Nacional de Planejamento, em 09 de março de 1965. Disponíveis, respectivamente, em: https://gedm.ifcs.ufrj.br/upload/documentos/50.pdf e www.biblioteca.presidencia.gov.br/presidencia/ex-presidentes/castello-branco/discursos/1965/09.pdf. Acessos em: 20/03/2020.

fora das nossas fronteiras. Como foi possível essa ideia monstruosa entrar na minúscula cabeça daquele general? De onde veio? Veio do Norte! (Boal, 2000, p. 232)

Assim, como algumas peças de Piscator, *Arena conta Zumbi* tem uma pesquisa e toda uma lógica de documentário. Para a montagem foram usados o romance de João Felício dos Santos *Ganga Zumba*, que conta a história de Zumbi dos Palmares desde o navio negreiro, passando pelo Quilombo dos Palmares, até a sua morte; e *O Quilombo dos Palmares: 1630-1695*, de Edison Carneiro, autor especializado em temas afro-brasileiros, marxista e militante do PCB. Houve, ainda, a fusão com a cultura popular, uma grande paixão de Boal, em uma perspectiva épica que estava presente ao incluir o Teatro de Cordel, como conta Orlando Senna:

> Nesse mesmo ano (1965) participo na realização do Teatro de Cordel, uma ideia de João Augusto, o diretor do (Teatro) Vila Velha. O interesse pela literatura de cordel era uma herança do CPC, onde discutíamos a forma como os cordeleiros e os cantadores, os violeiros, contavam suas histórias. Encontrávamos nesse estilo — onde a mesma pessoa relata o acontecido e interpreta os personagens, em constante alternância narrador/ator — uma preciosa tradução popular do distanciamento crítico proposto por Bertolt Brecht... Cada episódio era conduzido por um narrador que, como os cordeleiros, incorporava personagens durante o relato, que interagiam com os personagens dos outros atores. Esse código era constantemente quebrado, às vezes um dos personagens fixos tomava o papel do narrador, em um dos episódios todos os personagens eram narradores, em uma girândola acelerada de mudanças de personas. Alguma coisa entre o circo mambembe, Brecht e os trovadores de rua, uma arte cênica híbrida e superengraçada. Era como um teatro amador com distanciamento crítico, o público ria e gargalhava. [...] Muita gente do Sul foi a Salvador ver o espetáculo, inclusive o Augusto Boal, que se inspirou no jogo cênico do narrador/intérprete para criar o seu Sistema Coringa, usado na série Arena Conta (Tiradentes, Zumbi). Boal me convidou para uma visita ao Teatro de Arena, em São Paulo, e fiquei por lá umas semanas observando o trabalho deles, refletindo sobre linguagem teatral (Depoimento de Orlando Senna *apud* Leal, 2008, p. 142).

PEIXOTO: *De qualquer forma, a teorização que constitui o Curinga, em certo sentido, pode ser considerada uma adaptação de algumas ideias de Brecht, algumas corrigidas, outras reduzidas, outras apanhadas aqui ou ali. Brecht apareceu no Arena?*

GUARNIERI: No Boal, muito. O nível de teorização do Curinga pode ter coisas de Brecht, sim. E havia uma influência na *Revolução na América do Sul*, do Boal. Brecht foi sempre uma paixão de Boal. Minha, não. (Entrevista com Gianfrancesco Guarnieri *apud* Peixoto, 1978, p. 58)

Todos nós permanecíamos juntos no teatro das 12h à meia-noite. Almoçávamos lá, juntos, tinha cozinheira que fazia o almoço, ensaiávamos a tarde inteira o *Zumbi* e à noite entrávamos em cena para fazer o *Tartufo*. Onde discutíamos e falávamos de tudo a respeito do espetáculo. O que unia de verdade o elenco era um grande sentimento de fraternidade e a ideia difusa de que, trabalhando no Teatro de Arena, estávamos dando nossa contribuição na luta contra a ditadura militar. (Davi José, entrevista ao autor, 2020)

Cena de "Arena conta Zumbi". Gianfrancesco Guarnieri, Vanya Sant'anna, Dina Sfat, Marília Medalha, David José, Chant Dessian, Anthero de Oliveira e Lima Duarte.
FOTOS DE BENEDITO LIMA DE TOLEDO. ACERVO FLÁVIO IMPÉRIO, IEB-USP.

Outro elemento importante é fazer uma peça tendo Zumbi como protagonista, colocando a temática do líder negro no palco e a luta contra a escravização na perspectiva do oprimido, criticando inclusive a ideia de passividade e democracia racial. Mostra, também, que o debate que se fazia sobre a temática nas áreas de Ciências Sociais na USP estava em conexão com o que se fazia no Arena e vice-versa.

Um dos maiores debates sobre o Sistema Curinga foi a junção de dois estilos: Stanislavski e Brecht. A proposta, novamente, não é debater sobre as críticas que foram feitas, muitas por intelectuais da esquerda, como Anatol Rosenfeld (1996) e Roberto Schwarz (1978), mas, sim, o que desse trabalho pode ter sido usado para a construção do Teatro do Oprimido.

> Se incluem exercícios inventados por Stanislavski e Brecht (as nossas principais fontes em todas as nossas etapas) e por outros diretores e grupos, especialmente latino-americanos. (Boal, 1988a, p. 10)

> Meus dois padrinhos teatrais foram Stanislavski e o Brecht. (Boal, 1986a, p. 41)

Zé Renato, um dos diretores do Arena — entre as várias peças dirigidas por ele estão, inclusive, algumas de Brecht e *Revolução na América do Sul* —, disse:

> Atualmente, eu tenho certeza absoluta que um não vive sem o outro. Para fazer Brecht você tem que passar por Stanislavski. Brecht talvez seja um passo adiante, mas tem que passar por Stanislavski para chegar a Brecht. (Teixeira; Nikitin, 2004)

A pesquisa de novas formas e de ser um coletivo se aprofunda com *Arena conta Tiradentes*. Em um trecho dentro da peça, o curinga diz:

> Nós somos o Teatro de Arena. Nossa função é contar histórias. O teatro conta o homem; às vezes conta uma parte só: o lado de fora, o lado que todo mundo vê, mas não entende, a fotografia. Peças em que o ator come macarrão e faz café, e a plateia só aprende a fazer café e comer macarrão, as coisas que já sabia. Outras vezes o teatro explica o lado de dentro, peças de ideia: todo mundo entende, mas ninguém vê. Entende a ideia, mas não sabe a quem se aplica. O teatro naturalista oferece experiência sem ideia, o de ideia, ideia sem experiência. Por isso queremos contar o homem de maneira diferente. Queremos uma forma que use todas as formas, quando necessário. (Boal; Guarnieri, 1967, p. 60)

A crítica apresentada pelo *Arena conta Tiradentes* fica ainda mais clara, pois a pretensa empatia com o herói não permite o afastamento do personagem pelo público. Esse foi um grande debate na época, do mito e do herói. Vivíamos em um tempo de ditadura, o que seria possível um herói fazer? Brecht era totalmente crítico em relação à perspectiva do herói, vide a experiência do nazifascismo. Nesse sentido, Anatol Rosenfeld faz sua crítica à proposta do Sistema Curinga. Importante frisar que, para Boal, o seu "herói" não era Luís Carlos Prestes, do PCB, mas Che Guevara ou Carlos Marighella, da ALN, organização da qual Boal fez parte.

Mesmo as críticas mais duras reconheceram a influência brechtiana e a criatividade da proposta:

> O êxito de *Arena conta Zumbi* e *Arena conta Tiradentes* reveste-se de considerável importância para o teatro brasileiro. [...] O pensamento de Boal é uma elaboração livre e original de concepções sobretudo brechtianas. [...] O esforço fundamental da reflexão parece destinar-se a desenvolver um teatro didático capaz de interpretar a realidade nacional enquanto a comunicação se verifique simultaneamente em termos crítico racionais e fortemente emocionais, possibilitando ao mesmo tempo o distanciamento e a empatia com o mundo representado. [...] Embora pareça, Boal não se afasta, no tocante à empatia, das concepções brechtianas essenciais, apesar de lançar mão de recursos diferentes e de se esforçar conscientemente por integrar, dentro de um contexto artístico moderno, elementos estilísticos do teatro tradicional. O esforço de não negar conquistas do passado — ao contrário do que ocorre muitas vezes nas vanguardas — deve ser destacado. (Rosenfeld, 1996, p. 11)

> Apesar de todas as dúvidas, é preciso destacar que dificilmente se encontrarão no teatro brasileiro dos últimos anos experimentos e resultados dramatúrgicos e cênicos tão importantes como *Zumbi* e *Tiradentes*, como proposição renovadora do teatro engajado. A poética de Boal é um ensaio ímpar e completamente singular no domínio do pensamento estético brasileiro. As objeções levantadas, mais que negar, pretendem discutir as teses de Boal. As referências à modernidade do mito mostram que Boal se encontra em boa companhia ao procurar recuperar, embora de um modo discutível, o uso do mito no teatro engajado [...]. O herói mítico sem dúvida facilita a comunicação estética e dá força plástica à expressão teatral. Todavia, será que a sua imagem festiva contribui para a interpretação de nossa realidade, ao nível da consciência atual? (Rosenfeld, 1996, p. 38)

Sobre o herói, em entrevista para a revista *Vintém*, Boal complementa:

> Eu e o Anatol Rosenfeld, quando estreou *Tiradentes*, nós escrevemos vários artigos sobre o tema do herói. Porque você não pode analisar o herói como se a palavra não fosse um meio de transporte. 'Herói' quando, onde e como? E para quê? Então tem momentos em que você quer o herói, sim. Em Santa Clara, quando o Che Guevara comandou um exército de Brancaleone de 15 pessoas e descarrilou um trem e prendeu um exército imenso do Batista, o herói ali foi necessário. Agora, ser herói na Bolívia, mal informado e morrer lá? Não houve heroísmo nenhum ali. Houve um romântico heroísmo. A palavra herói! Onde, em que momento? A gente precisa de heróis, quando eles são necessários. E infelizmente às vezes são. Às vezes, não. Agora, acreditar no heroísmo, esperar que venham heróis, e só então mexer o dedo? Tem de mexer o dedo antes. Então, aparecem os heróis. O movimento engendra heróis. É a prática, é o combate que faz o herói. O Fidel está vivo, foi herói. Não tem de morrer pra ser herói. Evo Morales está tendo uma atuação heroica lá. (Boal, 2009, p. 43)

Anatol sempre foi fascinado pelo trabalho do Boal. Nas aulas da EAD, durante o curso de Dramaturgia e Crítica, tínhamos aulas de Dramaturgia com Boal e de Estética com Anatol. Logo no primeiro ano do curso (1965), chegamos à conclusão de que a *Poética* de Aristóteles que ambos explicavam tinha pontos conflitantes, parecendo ser obra distinta dependendo do professor. Comentamos isso com os dois e sugerimos que seria interessante eles virem conjuntamente para esclarecer nossas dúvidas. Durante essa aula memorável, chegamos à conclusão de que, dependendo da abordagem e do interesse dos dois professores, a *Poética* era a mesma, mas o entendimento subjugava-se ao interesse de cada um. Anatol a explicava inserindo-a, filosoficamente, na tradição estética teatral, ao passo que Boal, muito malandramente, adaptava-a aos objetivos do teatro e da poética que estava construindo: por meio de uma visão histórica, submetia-a às necessidades de uma dramaturgia engajada. Quanto à visão que ambos tinham de Brecht, Anatol nos apresentou um dramaturgo inventivo e fecundo que se inseria naturalmente em um teatro mais vasto. Claro que não ia além da teoria. No caso de Boal, ele discorria muito sobre as peças, sua feitura e como aplicar a técnica brechtiana à dramaturgia brasileira. Como já disse, corria o ano de 1965 e o ambiente nacional era de mobilização e engajamento. Daí que Boal, com base em exemplos do seu trabalho no Arena,

Filha de Hildegard, brincando com Anatol Rosenfeld. Incluo-o simbolizando os inúmeros intelectuais, em especial militantes e professores da USP de ciências sociais e filosofia, que tinham uma relação crítica e de admiração com o Arena. FOTO: HILDEGARD ROSENTHAL, ACERVO IMS.

nos passava caminhos para trabalharmos com as ideias de Brecht. Daí eu ter usado o termo 'funcional', isto é, tudo que ele usaria, fosse de Aristóteles ou Brecht, tinha o objetivo claro de dar suporte ao trabalho dramatúrgico que perseguíamos enquanto alunos. Ele exemplificava sempre com o trabalho que ele estava fazendo no Arena, então quando você pega a trajetória dele em 1965, ele praticamente está começando a concretizar aquelas teorizações do Sistema Curinga, que depois ele vai radicalizar no sentido de um teatro engajado, didaticamente falando. Quando ele foi professor, ele falava do teatro enquanto uma arte que a gente fazia para espectadores, uma coisa convencional, então era um teatro que tinha convenções. Quando ele vai derivar pra esse Teatro Jornal, ele já está misturando a questão da realidade e do *agitprop* com a convenção. Então, o teatro, a convenção, é uma coisa que muda de sentido pra ele, ele tinha aberto mão do teatro de convenção. A transição que ele faz é de um teatro de convenção estético pra um teatro que tinha um intuito claro de *agitprop*, não era mais teatro como a gente conhece. A diferença é esta, ele vai além, ele ultrapassa o Brecht, ele o ultrapassa no sentido de fazer um teatro participante diretamente. Aí toda a experiência latino-americana dele [o] conduziu [a] essa questão

> do Teatro Invisível e [a] todas essas práticas divergentes de um teatro convencional. Eu acho que você tem uma transição teórica até a solidificação do Sistema Curinga, acha um jeito de trabalhar aquilo, e como ele tinha espetáculos musicais, e *shows*, opinião, aí ele vai chegar no limite do Brecht. Quando ele sai do Brasil, o teatro era pura prática, ele vai teorizar depois. Tem fases distintas, e a partir do Sistema Curinga ele reelabora todas as práticas posteriores que vão desembocar no Teatro Invisível, no Teatro Jornal, e tudo isso. (Nanci Fernandes, entrevista ao autor, janeiro de 2015)

Ao escrever sobre *Arena conta Tiradentes*, Schwarz aponta que Boal acredita que o teatro tem de ser crítico e entusiasmar, usando o distanciamento de Brecht e a identificação de Stanislavski — usa o Brecht nos personagens inimigos de Tiradentes e neste, o Stanislavski. Essa opção do uso dos dois é vista como se a crítica ao populismo não fosse completa, pois sabemos que a classe trabalhadora não é homogênea; não adianta somente unificá-la pelo entusiasmo sem antes poder fazer uma análise crítica de suas contradições e seus interesses, que desembocam no ponto nevrálgico do teatro político: com quem fazer aliança e como se organizar?

> Em fim de contas, é um desencontro comum em matéria artística: a experiência social empurra o artista para as formulações mais radicais e justas, que se tornam por assim dizer obrigatórias, sem que daí lhes venha, como a honra ao mérito, a primazia qualitativa. Mas não procurá-las conduz à banalização. (Schwarz, 1978, p. 83)

Schwarz reconhece que havia, naquele momento, uma busca por alternativas estéticas de esquerda, tendo Brecht como referência, e críticas à proposta do realismo socialista com a cara de um país da periferia. No entanto, reconhece que houve desacertos, principalmente em relação à técnica do distanciamento e ao contexto nacionalista de então. Dessa forma, o Arena optou por uma "solução de compromisso". Inclusive, textualmente, algumas peças de Boal desse período — como *Tio Patinhas e a pílula*, *A lua muito pequena e a caminhada perigosa*, *Zumbi* e *Tiradentes* — apontam para uma opção pela luta armada.

Roberto Schwarz, em um debate sobre a atualidade da arte de esquerda feita hoje e a dos anos 1960, aponta que entre 1964 e 1968 a resistência cultural respondeu ao retrocesso político com experimentações formais que resultaram em obras-primas. Com um tipo particular de vanguardismo, em diversas linguagens artísticas, em que o inimigo principal eram as convenções conservadoras — e, às vezes, Lukács teria convergências com elas. Essas experimentações formais buscavam romper com todas as convenções, mas a convenção das convenções era a propriedade privada. Então, no limite, cada uma dessas contravenções aludia mais ou menos à necessidade de passar para o socialismo. Mas essas experimentações foram totalmente assimiladas pela mídia e pela publicidade, perdendo sua força questionadora.

Hoje, essas experimentações não poderiam mais ser as mesmas. A experimentação formal deixou de ser um valor nela mesma. Então, qual o papel do artista hoje? Esse vanguardismo dos anos 1960 tinha relação com um plano da reflexão social, com as teorias do subdesenvolvimento e da dependência. Uma ideia nova se construiu nessa época e afetou fortemente a vida cultural brasileira. Antes se tinha uma ideia quase evolucionista de que, com o progresso, chegaríamos ao capitalismo do chamado Primeiro Mundo. Mas se mostrou que os países periféricos dentro do sistema capitalista, que é global, estão condenados ao atraso, a chegar no máximo a um desenvolvimento do seu subdesenvolvimento, que não vai ser superado enquanto não se levar em conta que o capitalismo atual é o culpado pelo subdesenvolvimento. Ou seja, a miséria que acontece na periferia não se supera somente com uma solução local, se resolve em escala global.

Esse novo olhar foi fundamental para os artistas que buscaram alternativas que interessavam ao mundo inteiro, e não somente ao Brasil. Talvez aqui já surgisse um embrião da lógica de que o Teatro do Oprimido não é e não pode ser um teatro dos problemas brasileiros, mas das opressões, além do âmbito nacional — assim como *O capital* não é um livro para a Alemanha. A temática do subdesenvolvimento expõe que não basta indicar a concretude da luta de classes, deve indicar também a possibilidade da tomada de poder e de fim do capitalismo. Mas como captar a dimensão política dessa realidade esteticamente? Nesse sentido, Boal estava em um processo pedagógico dialético.

Na peça *Revolução na América do Sul*, Boal busca captar as coisas novas não presentes na literatura brasileira. Apresenta um operário que quer vender o voto por comida e que vê a organização de forma contraditória. A peça indica questões em que a política aparece na versão do subdesenvolvimento, ajustando o debate estético à realidade concreta e buscando alguma coisa consistente e decisiva, a fim de avançar esteticamente. Depois do golpe de 1964, essas experiências são desqualificadas. Nesse curto período de diferentes experimentações estéticas, desde o captar do subdesenvolvimento, tem uma acumulação de experiência histórica. Mas isso obviamente não garante a transição ao socialismo.

A intenção de acumular consistência é fundamental, mas a arte não é um processo exato, "cientifico". Podem estar ocorrendo transformações sociais sem que estas ocorram nas artes e vice-versa. Boal e suas experimentações se conectavam às lutas do momento, inovando, adaptando. Existem diferentes caminhos, a arte e as reflexões políticas acumulam de maneiras diversas. Um ponto fundamental é articular uma experiência local com o movimento do capitalismo global. Existem alguns momentos em que se pode fazer essa articulação local e global, mas é fácil dizer, o difícil é como fazer, mas importante ter isso como indicativo prático e teórico, de forma dialética.

> A ida (do Arena) para Brecht, para o Teatro Épico, como você falou, foi fluente. Nós começamos a ler Brecht e, de repente, vimos que o que queríamos fazer estava mais próximo de alguma coisa que se chamava épico. Na peça *Tiradentes*, nós parávamos o espetáculo para explicar uma cena. Ficamos mais preocupados em mostrar como são verdadeiramente as coisas, e não como são as coisas verdadeiras. Essa passagem foi fluente, não houve nenhum trauma, como não houve trauma na passagem para a nacionalização dos clássicos. Tudo foi levado mais ou menos pelo aprendizado que fomos fazendo, pelos erros e pelos muitos acertos que tivemos. Não foi porque o Brecht fez tal coisa, não foi. Foi toda uma realidade nossa que levava a isso. O povo brasileiro é extremamente musical também, então é inevitável que mais cedo ou mais tarde a gente começasse a fazer teatro com música. É porque o *Arena conta Tiradentes*, por exemplo, era até mais brechtiano, de certa forma, do que a própria *Revolução na América do Sul*. Nós parávamos um pouco a cena, alguém vinha e dava uma explicação do que estava acontecendo, trazendo elementos novos, e depois continuávamos com a cena. Em *Arena conta Tiradentes*, em cada momento, dávamos uma primeira versão da história. Depois o Guarnieri, que fazia o Curinga, dizia: 'Olha, essa versão é muito heroica. Muito bonita, mas não foi nada disso não, agora nós vamos mostrar a história verdadeira'. Havia esse contato direto com a plateia, e não havia canção de um mundo aparte, eram os atores mostrando uma história. (Depoimento de Augusto Boal *apud* Teixeira; Nikitin, 2004)

A música tinha uma tarefa particularmente importante. Devo dizer que em Edmund Meisel,[56] que já tinha conhecido em vários eventos da Liga Internacional dos Trabalhadores, encontramos um músico que compreendia o que era importante: não só para ilustrar e sublinhar na linha musical, mas também para continuar a linha política de forma independente e consciente, para usar a música como um dispositivo dramatúrgico. (Piscator, 1968a, p. 62)

Em *Tiradentes* a gente pensou: 'O que é que a gente tem que dizer?'. O texto tinha trechos dos *Autos da Inconfidência Mineira* e era mais elaborado para transmitir ideias bem estruturadas. E de certa forma era menos passional, eu acho... Nós estivemos em Ouro Preto porque a estreia do *Tiradentes* foi lá, naquele teatrinho pequeno, mas belíssimo. O Renato Consorte e os outros saíram na rua com as roupas e, de repente, eles estavam na fila do ônibus e começaram a falar sobre a derrama, como era injusto mandar o dinheiro para a rainha. As pessoas que estavam na fila, esperando pacificamente o ônibus, de repente, olham para eles: 'O que eles estão falando?'. E criou-se uma coisa muito estranha, que era pessoas falando que o Brasil tinha que se libertar dos grilhões que nos amarravam à Coroa Portuguesa e era tudo sério. Então, todo mundo respeitava. Eles fizeram isso na fila do ônibus e fizeram isso num bar... Foi lindo. Eu me lembro da estreia lá naquele teatrinho, foi uma coisa super emocionante, a gente sabia que o Tiradentes tinha frequentado aquele teatro, e o David José estava representando o Tiradentes. [...] Os fantasmas estavam andando por ali, estavam soltos. Foi aí, vendo uma dessas cenas, que eu comecei a ter uma ideia que depois eu desenvolvi fora do Brasil, no Teatro Invisível. A semente do Teatro Invisível estava ali. Como eu acho que a semente de todo o Teatro do Oprimido estava no Teatro Jornal, que nós fizemos aqui. Nós fizemos lá em cima, no Areninha. É claro que a gente desenvolveu o Teatro Jornal, que eu acho que foi sim a primeira técnica do Teatro do Oprimido, que depois se diversificou em outras técnicas por aí afora. (Depoimento de Augusto Boal *apud* Teixeira; Nikitin, 2004)

---

56. Músico que também trabalhou com Brecht e fez várias músicas para os filmes de Sergei Eisenstein, como *O encouraçado Potemkin* e *Outubro*.

Gianfrancesco Guarnieri, Sylvio Zilber e outros atores em cena da peça "Arena conta Tiradentes", apresentada no Museu da Inconfidência de Ouro Preto. ACERVO AUGUSTO BOAL.

Na introdução ao livro de Cláudia Arruda Campos *Zumbi, Tiradentes*, o crítico e professor Décio de Almeida Prado observa que a autora trata o Teatro de Arena como um grupo, mas quando vai ao individual, diferencia as dramaturgias de Guarnieri e Vianinha, ao buscarem expressar o social e político por meio de uma situação concreta, da de Boal, que teria uma política mais ampla ao usar metáforas de fábula. Os dois primeiros se vinculariam mais à realidade brasileira, e Boal, mesmo antes do exílio, estaria caminhando para uma perspectiva mais ampla do opressor e do oprimido — não apenas local, mas em escala global (Campos, 1988, p. 18).

Assim como em *Zumbi* foi usado material documental, em *Tiradentes* foram usados trechos de *Romanceiro da Inconfidência*, de Cecília Meireles; *Cartas Chilenas*, de Tomás Antônio Gonzaga; e *Autos de Devassa da Inconfidência Mineira*. Piscator já havia feito o mesmo em seu *agitprop R.R.R. — Revue Roter Rummel* (*Revista Motim Vermelho*), de 1924, que chamou de material dramatúrgico dialético e factual,[57] e em *Apesar de Tudo!*, de 1925, que usa discursos do parlamento alemão (Piscator, 1968, p. 84), com destaque para os deputados espartaquistas[58] Rosa Luxemburgo e Karl Liebknecht, que tem o título da peça em homenagem a um de seus mais importantes discursos.[59]

> *Revista Político Proletária, Revista Revolucionária*. [...] a forma revista encontrou-se com a decadência da forma burguesa. [...] Fazia muito que tinha a ideia de utilizar esta forma puramente política, de obter efeitos propagandísticos com uma revista política, mais do que com peças cuja construção e problemas pesados, que tentam deslizar para a psicologização, erguem sempre um muro entre o palco e o auditório. A revista proporcionava a oportunidade de 'ação direta' no teatro. [...] O exemplo devia ser variado, não devia haver mais evasivas. Logo, era necessária a policromia. Era mister confrontar o exemplo com o espectador; o exemplo tinha de levar à pergunta e à resposta, tinha de ser acumulado. [...] E isso mediante a escrupulosa aplicação de todas as possibilidades: música, canção, acrobacia, desenho instantâneo, esporte, projeção, fita de cinema, estatística, cena de ator, alocução. (Piscator, 1968, p. 72; 1968a, p. 60)

> Todo o espetáculo (*Apesar de Tudo!*) foi uma única montagem de autêntico discurso, redação, recortes de jornal, conclamações, folhetos, fotografias e filmes de guerra, da revolução e de personagens e cenas históricas [...]. Na noite do espetáculo milhares de espectadores lotaram a Grande Casa [...], a massa incumbiu-se da direção artística [...], em

---

57. "Dramaturgia Factual" também é a expressão escolhida por Tretiakov para definir seu teatro, com três aspectos: "Um material vital corrente — um material formal estético —, uma função social transformadora" (1977, p. 87). Alguns anos depois, Asja Lācis e Bertolt Brecht conceitualizaram a dramaturgia das chamadas peças didáticas (*Lehrstück*) de forma semelhante.
58. Disponível em: www.marxists.org/portugues/dicionario/verbetes/s/spartakistas_liga_spartakus.htm. Acesso em: 20/04/2020
59. Disponível em: www.marxists.org/espanol/liebknecht/1919/enero/15.htm. Acesso em:20/04/2020

sua maioria (tinham) vivido ativamente aquela época. [...] O teatro, para eles, transformou-se em realidade. Em pouco tempo cessou de haver um palco e uma plateia, para começar a existir uma só grande sala de assembleia, um único grande campo de luta, uma única grande demonstração. Foi essa unidade que, naquela noite, provou definitivamente a força do incitamento do teatro político. (Piscator, 1968, p. 82)

Zumbi, depois, foi todo baseado em noticiário de jornal e na Guerra dos Palmares. (Depoimento de Augusto Boal *apud* Sá; Carvalho, 1998)

Começamos elaborando o Sistema Curinga, que tinha pelo menos dois mecanismos que vinham de uma influência brechtiana. Um mecanismo que era da não apropriação do personagem por um só ator. Todos os atores faziam todos os personagens. Em alguns casos menos o protagonista. Isto é, cada cena era representada por um ator diferente. Então isto permitia — a nosso ver, naquela época — que o ator se emocionasse plenamente, verificasse todo o personagem e ao mesmo tempo o fato de que na cena seguinte já não era mais ele, era um outro, produziria um certo efeito de estranhamento. Este era um dos mecanismos, essa não identificação do ator e personagem. O segundo mecanismo era o mecanismo da presença de um Curinga que era uma espécie de *'meneur de jeu'*, uma espécie de pessoa que maneja a cena e que ao mesmo tempo é o exegeta do espetáculo que está sendo mostrado, isto é, mostrávamos a peça e a exegese da peça por meio da personagem-função do *'Curinga'*, que explicava, que retificava, que apresentava as alternativas. Isto já foi uma influência brechtiana bastante séria no nosso trabalho e que criou toda esta série Arena conta. (Depoimento de Augusto Boal *apud* Bader, 1987, p. 252)

Vamos jogar de tal forma que faremos cena que não seja cena, evidentemente utilizando algumas técnicas do teatro chinês. Uma função, especialmente, é tirada do teatro chinês e cujo ator terá o nome de CORINGA. [...] O outro ator é o CORINGA e essa figura é o extremo oposto do protagonista. Existe um personagem no teatro chinês chamado KUROGA, que pode entrar e sair de cena a qualquer momento e que se convenciona como sendo invisível. Na prática, ele não existe. Faz as vezes de contrarregra, faz o que quiser em cena, porém a plateia não reconhece sua presença. Quando algum personagem tem que se vestir em cena, o Kuroga ajudará, porém para todos os efeitos ele não existe. O nosso CORINGA tem tudo o que o Kuroga tem, porém, ao mesmo tempo, é um personagem fundamente dianoético, isto é,

> racional. Explica as passagens da peça, o que cada personagem deve estar pensando, enfim tudo que for necessário comunicar à plateia ele comunica. É também claro, mediador ou opinador, o *'raisonneur'* (argumentador) do autor. [...] Resumindo, ele é o quebra-galhos. O CORINGA é onisciente, tem a consciência do autor e não a de nenhum personagem. Sabe o que vai acontecer do começo ao fim, o que não se dá com os personagens. [...] Ele tem todas as possibilidades possíveis e imagináveis de sabe tudo, é o personagem que racionaliza, explica e que pode parar a peça. Se ele desejar parar a peça e mostrar *slides*, gráficos, estatísticas etc., ele o fará. É um mestre-de-cerimônia. (Arquivo Augusto Boal, 1966)

Essa função do curinga de *"meneur de jeu"*, que faz um comentário, que brinca com a situação, também tem semelhança com a figura do *"compère"*, ou da *"commère"*, dupla de narradores que vem do Teatro de Revista Parisiense. Ela foi ressignificada por Piscator, na sua RRR (*Revue Roter Rummel*) o *"compère"* e o *"commère"* foram usados em uma lógica do proletário e do burguês para deixar explicita a relação política, trazendo assim um elemento pedagógico para atingir a totalidade da luta de classes (1968, p. 74). Este curinga/*meneur de jeu/compère/commère* apresenta, comenta, fala com a plateia e conduz a ação, costurando a peça do início ao fim em Piscator e no *Arena conta*.

Um dos debates artísticos era como representar a conjuntura da época e também fazer a crítica sobre a ditadura. Poder-se-ia dizer que Boal buscava encontrar alternativas práticas para a proposta teórica de Lukács, que já era estudado no Arena, do "particular típico". Em seu texto *A necessidade do curinga*, o dramaturgo diz:

> Todo o elenco de personagens se constituía de símbolos tornados significativos pelas feições semelhantes à gente nossa. Eram 'universais' flutuando sobre o Brasil. Havia que sintetizar: de um lado o singular, de outro o universal. Tínhamos que encontrar *o particular típico*. O problema foi em parte resolvido, utilizando-se um episódio da História do Brasil, o mito de Zumbi, e procurando-se recheá-lo com dados e fatos recentes, bem conhecidos pela plateia. Exemplo: o discurso de Don Ayres ao tomar posse foi escrito quase que totalmente tomando-se por base recortes de jornais de discursos pronunciados na época da encenação. A verdadeira síntese, é certo, não se lograva: conseguia-se apenas — e isto já era bastante — justapor 'universais' e 'singulares',

amalgamando-os: de um lado a história mítica com toda a sua estrutura de fábula, intacta; de outro, jornalismo com o aproveitamento dos mais recentes fatos da vida nacional. A junção dos dois níveis era quase simultânea, o que aproximava o texto dos particulares típicos. *Zumbi* preencheu sua função e representou o fim de uma etapa de investigação. Concluiu-se a 'destruição' do teatro e propôs-se o início de novas formas. *Curinga* é o sistema que se pretende propor como forma permanente de se fazer teatro — dramaturgia e encenação. Reúne em si todas as pesquisas anteriores feitas pelo Arena e, neste sentido, é súmula do já acontecido. E, ao reuni-las, também as coordena, e neste sentido é o principal salto de todas as suas etapas. (Boal, 1991, p. 203)

Os livros e o debate sobre Lukács também estavam presentes, conta Paulo José:

O Filho do Cão[60] foi uma encomenda do Boal. O Guarnieri tinha a ideia e o Boal insistiu que ele escrevesse. Nós estávamos muito ligados ao realismo do Lukács, que fala muito sobre o realismo crítico, o personagem típico. Então, havia um certo distanciamento dos personagens. Era uma peça não realista, não era mais naturalista. Éramos atores fazendo pessoas extremamente pobres, camponeses absolutamente ignorantes, analfabetos, em um fim de mundo, mas feitos pelos atores sem a preocupação com uma caracterização realista. Havia uma espécie de comentário crítico, quer dizer, o ator está no lugar do personagem. Então os personagens eram um pouco distanciados. Isso não foi muito bem entendido. Estavam esperando um outro realismo. (Paulo José, entrevista ao autor, fevereiro de 2015)

A particularidade, como categoria central da estética, por um lado, determina uma universalização da pura singularidade imediata dos fenômenos da vida, mas, por outro, supera em si toda universalidade; uma universalidade não superada, que transcendesse a particularidade, destruiria a unidade artística da obra. (Lukács, 1970, p. 175)

---

60. *O filho do c*ão, quarta peça de Gianfrancesco Guarnieri, estreou em 21 de janeiro de 1964, encenada pelo Teatro de Arena, com direção de Paulo José. Um espetáculo sobre a reforma agrária, *O filho do cão* teve sua última apresentação em 31 de março do mesmo ano, o dia do golpe, quando o Teatro de Arena foi obrigado a fechar as portas por algum tempo.

A arte, contudo, jamais representa singularidades, mas sim — e sempre — totalidade; ou seja, ela não pode contentar-se em reproduzir homens com suas aspirações, suas propensões e aversões, etc.; deve ir além, deve orientar-se para a representação do destino destas tomadas de posição em seu ambiente histórico-social. (Lukács, 1970, p. 199)

Em 12 de julho de 1925, Piscator colocou um filme no espetáculo *Apesar de tudo!*, que se inicia com a Primeira Guerra Mundial e vai até o assassinato dos líderes comunistas Rosa Luxemburgo e Liebknecht. Ali, o filme ganhou pela primeira vez função dramatúrgica, prática descrita por ele como "Drama Documentário" (Piscator, 1968, p. 74). Além de *Zumbi* e *Tiradentes*, houve dois espetáculos de Sérgio Ricardo que tinham uma estrutura semelhante à proposta épica dialética de Piscator, com o emprego da técnica de filmes e todo um aparato tecnológico. O primeiro, estrelado pelo próprio Sérgio Ricardo, foi *Esse mundo é meu*, de julho de 1965, com direção e roteiro de Chico de Assis, que voltava ao Arena. A peça era definida pelos autores como "Teatro de Vanguarda Musical". O segundo, dirigido por Boal, foi *Sérgio Ricardo na praça do povo*, de janeiro de 1968, que tem a seguinte introdução:

Sérgio Ricardo. Posto em questão.

O *show* era basicamente uma discussão ilustrada por todos os meios audiovisuais disponíveis. Pretende-se utilizar três pilotos de TV, triangular, dispostos a fim de permitir a visibilidade simultânea; dois projetores de *slides* de carrossel, controle remoto (será tentada a experiência de mudar os *slides* dentro do ritmo de cada música, aproximando-se da sequência do cinema) e, finalmente, um projetor cinematográfico. As entrevistas poderão ser gravadas em vídeo-tape ou fita magnética, ou cine, ou em uma combinação de vários desses meios. Personalidades ilustres farão seus depoimentos ou farão perguntas ao cantor (30 de janeiro de 1968. Boal — roteiro e direção). (Boal, 1968)

Pela primeira vez, a fita do cinema se ligaria organicamente aos fatos desenrolados no palco. [...] não se tratava de um artifício técnico, e sim de uma forma de teatro apreendida ao nascer e baseada na filosofia histórico-materialista comum a nós [Piscator e os soviéticos]. Em todo meu trabalho, que coisa me importava? Não a simples propagação de uma filosofia por meio de clichês e teses de cartaz, e sim a demonstração de que tal filosofia, e tudo quanto dela decorre, é única coisa válida para a nossa época [...]. Para tanto, necessito de meios que mostrem a ação recíproca entre os grandes fatores humanos-sobre-humanos e o indivíduo ou a classe. Um desses meios foi o filme. Mas foi tão somente um meio, substituível amanhã por outro melhor [...]. Em *Apesar de tudo!* o filme foi um documento. [...] As filmagens apresentavam brutalmente todo o horror da guerra. [...] Nas massas proletárias aquelas cenas deviam ter influência muito maior que a de 100 relatórios. Distribuí o filme por toda a peça e onde ele não cabia, vali-me de projeções. (Piscator, 1968, p. 80-81)

Foi uma glória voltar ao Arena para mais um *show*. [...] O Boal bolou introduzir pela primeira vez um circuito interno de vídeo integrado a uma ação teatral. A tecnologia experimental do sistema de vídeo fazia correr a imagem gravada por um fio de aço dentro da máquina de projeção jogando-a simultaneamente em quatro monitores espalhados pela plateia e um no palco. Tudo era eletrônico. Inclusive a orquestra que me acompanhava. Absolutamente inovador. [...] Eu dialogava com entrevistados que me faziam perguntas pelo vídeo. Personalidades famosas. Algumas questionando meu posicionamento político e me atirando perguntas agressivas, outras suaves, outras contraditórias etc. Por vezes, as canções respondiam às perguntas. Questionando sobre meu posicionamento sobre as guitarras elétricas que começavam a invadir o mercado, eu respondia cantando um trecho da trilha de *Deus e o Diabo na terra do sol* acompanhando-me com uma guitarra para provar que o problema não era o instrumento e sim o conteúdo que vinha a reboque. Neste clima polêmico se transcorria todo o espetáculo e após um desafio meu comigo mesmo pelo monitor, hilariante, findava o espetáculo com imagens (da guerra) do Vietnã, pungentes, ao som da última canção. A repercussão foi gratificante de público e crítica. (Depoimento de Sérgio Ricardo *apud* Teixeira; Nikitin, 2004)

Após o golpe empresarial-militar de 1964, aconteceu o que se chamou de "golpe dentro do golpe", com a declaração do AI-5, em 13 de dezembro de 1968, endurecendo ainda mais o regime. Com isso, o movimento de guerrilha e luta armada se intensificou, sendo que esta foi travada especialmente de 1967 a 1974. Todos esses fatos se refletem na sociedade como um todo e, consequentemente, nas artes e suas experiências.

Nesse período, Boal fez parte da Ação Libertadora Nacional (ALN) e foi contato/apoio de Carlos Marighella. Boal dizia que, apesar de ser crítico em relação ao PCB, Guarnieri o convenceu a conversar com Marighella sobre o partido. Mas já era justamente no período em que este estava para sair. Boal me dizia que "Marighella criticou tanto o partido, e eu, que tinha dúvida de entrar ou não, então aí que eu não entrei mesmo", e acabou entrando na ALN.[61]

> 2. De onde vem a discordância
>
> Nossas discordâncias não são de agora... O golpe de abril — vitorioso sem nenhuma resistência — mostrou mais uma vez que política e sobretudo ideologicamente estávamos mesmo despreparados. O despreparo ideológico e político da Executiva (PCB) — segundo penso — revela-se em suas concepções, já agora postas em dúvida por muitos militantes. São concepções imbuídas de fatalismo histórico de que a burguesia é a força dirigente da revolução brasileira. A Executiva subordina a tática do proletariado à burguesia, abandona as posições de classe do proletariado. Com isso perde a iniciativa, fica à espera dos acontecimentos. (Marighella, 2019, p. 222)

Outros integrantes do Arena também tiveram relações com organizações armadas de esquerda. Então, não estamos falando de algo fora do cotidiano desses artistas, militantes e, alguns, guerrilheiros.

> Em 1966 grupos armados começaram a se estruturar. Religiosos sinceros aderiram à tese da luta armada: [...] O Partidão (PCB) perdeu militantes importantes, descrentes na tese de duas burguesias, uma nacional, outra estrangeira: Marighela e o Velho Joaquim Toledo, meus amigos, fundaram a ALN. Estudantes e operários, perdidas suas estruturas estudantis e sindicalistas, perdiam tudo, menos a esperança. Expulsos dos seus territórios habituais, em algum lugar tinham que se encontrar. (Boal, 2000, p. 242)
>
> Não sei em que momento Boal foi contatado. Eu não sabia de nada. Minha casa era um recurso quando as pessoas eram procuradas pela polícia e só depois que eram assassinadas que eu percebia que essa pessoa tinha ficado na minha casa. Somente depois soube que o senhor que às vezes ia lá em casa era o Joaquim Câmara Ferreira, o Toledo. (Cecilia Boal, entrevista ao autor, julho de 2020)

---

61. Ver Magalhães, 2013, p. 261; p. 366; p. 509.

> Para Boal, Marighella abriu o mapa do Brasil e explanou sobre a guerrilha no campo.[62] O diretor emprestou sua casa para reuniões de (Joaquim) Câmara. (Magalhães, 2013, p. 366)

> O Boal realmente foi da ALN. Inclusive esteve em Cuba a mando do 'Toledo' Camara Ferreira[63] para levar instruções aos militantes que lá treinavam. Eu trabalhei no Arena a pedido do partidão para organizar a contabilidade e a ditadura não pegá-los por isso. Muitos de nós éramos membros do partidão, mas coincidíamos com Boal em relação à crítica ao PCB da avaliação deste ao golpe de [19]64, tanto que depois saí do PCB. (Depoimento de José Dirceu ao autor, julho de 2021)

> Ninguém daquela geração entrou na ALN. Foi um processo de luta interna dentro do Partidão, iniciada em São Paulo, que empolgou amplos setores do partido, principalmente a juventude e os estudantes. No Rio e São Paulo foram criadas as Dissidências. Uns ficaram com o Prestes, outros com, digamos, Marighella. Boal estava ali, na periferia de onde toda essa turbulência acontecia. Era muito próximo do Câmara Ferreira, e foi ele, Toledo, que deu tarefas da ALN pro Boal executar. Ele não entrou, ele estava, assim como eu e tantos outros.... estávamos lá quando a coisa aconteceu e ficamos. (Depoimento de Paulo Cannabrava Filho ao autor, 10/11/2020)

Um debate que também começou a surgir foi sobre a limitação ou não do Sistema Curinga, por ter uma estrutura única. Nas entrevistas, é possível observar que a questão não era tão consensual entre Guarnieri e Boal, e havia o grande desafio de como colocar em prática a teoria. Esse sempre foi o grande desafio do artista. As ideias de Brecht e Piscator, dentre outros que buscavam fazer formas teatrais críticas às convencionais, contra as engrenagens, muitas vezes não eram aceitas, e as peças eram "incompreendidas" pela crítica. Afinal, como criticar algo que não conhecem?

---

62. Boal costumava nos contar essa história do mapa.
63. Extraído de https://www.marxists.org/portugues/dicionario/verbetes/f/ferreira_joaquim.htm.

Da esquerda para direita, de cima para baixo: fotos de Carlos Marighella e Joaquim Câmara Ferreira, o Toledo; cartaz com o lema da Ação Libertadora Nacional (ALN), que era colado em locais público por militantes.
ACERVO ARQUIVO NACIONAL.

Eu acho que a primeira criação dele mesmo foi quebrar o realismo, com a peça *Revolução na América do Sul* e depois *José, do parto à sepultura*. Com essas duas peças ele mostrou, criou, outra maneira de fazer a dramaturgia brasileira, quebrou o realismo. Eu não era um grande fã do teatro, do Sistema Curinga, não precisava criar aquela rigidez, que parecia que era uma camisa de força que era o oposto do que o Boal tinha nos colocado quando ele criou o método de dramaturgia dialética. Eu acho que ele se entusiasmou com alguma coisa, de fazer um teatro didático popular e de esquerda, claramente marxista, mas ele caiu na própria armadilha. Eu acho que ele mesmo depois se tocou disso. Ele não escreveu nada se penitenciando, não, mas ele abandonou esse Sistema Curinga — sem negá-lo, é claro, não podia negar, porque muita coisa boa foi feita, era uma tentativa didática de politizar o público. Faz parte da história. (Lauro César Muniz, entrevista ao autor, janeiro de 2012)

Esse processo de desistência do Sistema Curinga não foi simples, mas pode-se observar como, aos poucos, Boal foi alterando a forma e buscando novas experimentações. É interessante observar — justamente nos diferentes procedimentos que ele usava, pesquisava, teorizava e praticava — que estava sempre mudando, criando coisas novas a partir de uma nova realidade, como deve ser um teatro que se propõe dialético.

Boal dialogava com várias críticas recebidas por *Zumbi* e *Tiradentes*, mas dedicou um texto especial para rebater a crítica de Décio de Almeida Prado sobre *Arena conta Zumbi*, chamado *Arbitragem e crítica*, do qual reproduzo alguns trechos abaixo para mostrar a importância política e estética do momento:

> É curioso observar que as pessoas que procuram negar aos dramaturgos qualquer utilização de temática política, por motivos políticos, negam a obra de arte. [...] Eu quero afirmar que todos os textos são sempre engajados, ou com as ideias de esquerda ou com sua antítese, e quero cantar com Bertolt Brecht, como canta Zambi em nossa má tradução: 'Ai, tristes tempos presentes, em que falar de amor e flor é esquecer que tanta gente está sofrendo tanta dor'... e por isso é necessário tomar partido, como todas as peças tomam partido, algumas ao lado do poder vigente [...]. É um fato por demais óbvio que todas as peças estão engajadas, inclusive as obras primas do passado, [...] da mesma forma que se afirma que 'há uma certa distância etc.'. Eu quero afirmar que não há distância nenhuma entre o *cabaret* literário, à maneira alemã, o circo à maneira brasileira, a revista à maneira da praça Tiradentes, e o teatro que, na minha opinião, não deve pairar a altura nenhuma, mas deve estar profundamente enraizado no seu momento. [...] Fornecemos certos dados, alguns estatísticos, sobre a luta e a libertação dos negros dos Palmares, e a nossa plateia entende clarissimamente que estamos falando de liberdade em termos mais gerais, falando do cerceamento na nossa liberdade hoje, agora e aqui, falando de brancos, negros e amarelos que no mundo inteiro lutam

> pela sua liberdade, e pela sua vida. [...] Não é possível aceitar que peças diferentes devam ser julgadas segundo critérios iguais. [...] É verdade que nós admiramos Sartre e Brecht, mas seria pecado nosso demonstrar por eles qualquer sentimento de vassalagem. Só porque eles, via de regra, 'autores revolucionários pelo conteúdo do seu pensamento objetivo' nos indiquem os seus caminhos, não quer isso dizer que, outras vezes, não nos possamos sentir tentados a seguir outros caminhos mais furiosos e barulhentos. [...] Não reconhecemos nenhuma lei dogmática que afaste do palco o *'sound and fury'*,[64] como também não reconhecemos nenhum dogma estético que nos impeça de gritar no palco por aquilo em que acreditamos: a liberdade. Muita gente acredita que o teatro não deve tomar partido. Eu, ao contrário, creio que minha presença no teatro brasileiro só se justifica porque tomo partido, sempre. Se assim não fosse, preferiria calar-me. (Blog do Flávio Império, 2012)

Este é um momento de radicalização em vários sentidos, inclusive na criação. As peças *Arena conta*[65] não têm um único estilo. Nelas se reforçam o conceito do desenvolvimento estético desigual e combinado, tendo uma variação e uma mistura de gêneros a partir da necessidade. Existem cenas de *agitprop*, naturalismo, sátira, cultura popular, revista, música de diversos estilos, distanciamento brechtiano e identificação stanislavskiana. Se podemos dizer que tem um ponto comum, é a tomada de partido em favor dos oprimidos contra os opressores, partindo de situações particulares — lutas de negros, independência nacional e latino-americana — para o coletivo, indicando a importância da luta contra a opressão, seja ela qual for. São utilizados variados elementos técnicos, desde notícias de jornais a atas de julgamento, cartas, *slides*, filmes, poemas, entre outros, tudo na perspectiva

---

64. Ver Shakespeare, 2003, p. 238.
65. Tendo, ainda, *Arena canta Bahia*, em setembro de 1965, com Caetano Veloso, Gal Costa, Gilberto Gil, Jards Macalé, Maria Bethânia, Piti, Roberto Molim e Tom Zé; e *Arena conta Bolívar*, proibida e inédita no Brasil e encenada no exterior. E também o musical *Tempo de guerra*, com poemas de Bertolt Brecht, direção de Augusto Boal, e produção do Teatro de Arena. "Bethânia me pediu um espetáculo só com ela. Juntamos músicas de que ela gostava, outras que eu preferia, e demos o título *Tempo de guerra*, inspirado em uma canção de Zumbi, inspirada em Brecht. [...] Bethânia queria ajudar seus amigos baianos, lançá-los no Sul, onde eram desconhecidos. Além de Caetano, ela me apresentou Maria da Graça (que virou Gal Costa), Gilberto Gil, Tom Zé e Piti, e com eles fiz um segundo ato, músicas de Caetano e Gil, e um texto lírico de Caetano" (Boal, 2000, p. 233).

do materialismo histórico — assim como as peças do *Proletkult* soviético, de Piscator e do Centro Popular de Cultura (CPC), que realizaram espetáculos com elementos similares. Um "teatro-documento" que, com base em fatos reais, busca conectar o público com sua realidade para que tome posição.

A partir desse debate, é importante agora pautarmos como esse conhecimento crítico, prático e teórico foi importante na construção do Teatro do Oprimido. Boal desde *Mutirão em Novo Sol* estava introduzindo em suas peças, umas mais e outras menos, a presença de elementos da própria realidade do oprimido, tendo como foco o uso desse material em uma perspectiva da luta de classes. Foi assim no *Opinião* e na série *Arena conta*. Essa forma do "drama documentário", como instituído por Piscator, não se perderia mais de vista e seria cada vez mais incorporada, de diferentes maneiras.

Uma outra hipótese que levanto é em relação ao procedimento de interpretação usado juntando Stanislavski e Brecht. O primeiro precisou desenvolver métodos de identificação porque seus atores eram burgueses, ou pequenos burgueses, e tinham que fazer papéis de oprimidos, como os da peça *Ralé*, de Gorki. No caso do Teatro do Oprimido, que já trabalha com os próprios oprimidos, essa questão não se coloca mais, pois a identificação já é pressuposta. Não se trata mais da questão de caracterização de personagem, mas de análise dos conflitos. Ao mesmo tempo, existem os opressores, representantes da classe dominante, do patriarcado, do racismo estrutural etc., e essa perspectiva dos oprimidos representando os opressores tem como ponto de partida a não identificação.

Essa representação pode, inclusive, usar a sátira em relação ao opressor como um elemento crítico, assim como feito em *Revolução na América do Sul*, nas peças de Brecht ou nos filmes de Chaplin. Talvez essa junção experimentada embrionariamente no Arena possa ter como resultado o que Boal apresenta no segundo capítulo de seu livro *Jogos para atores e não atores*: "Estrutura Dialética da Interpretação". Stanislavski gostava do desafio de trabalhar com atores que tinham uma interpretação orientada para pensamentos, gestos e corpos mecanizados, e a partir daí buscava fazer a proposta das ações físicas — o que Brecht também gostava, por apontar uma relação dialética com situações de contradições na representação: "A teoria das ações físicas de Stanislavski é talvez sua contribuição mais significativa a um novo teatro. Ele a elaborou sob a influência da vida soviética e de suas tendências materialistas" (Brecht, 2000, p. 979).

O ator, como todo ser humano, tem suas sensações, suas ações e reações mecanizadas, e por isso é necessário começar pela sua desmecanização, pelo seu amaciamento, para torná-lo capaz de assumir as mecanizações da personagem que vai interpretar. (Boal, 2009, p. 61)

– E a atuação mecânica? Perguntou Gricha.

– Começa onde a arte criadora acaba. Na atuação mecânica não há lugar para um processo vivo e quando este ocorre é só por acaso.

[...] Compreenderão isto melhor quando chegarem a identificar as origens e os métodos da representação mecânica, que nós chamamos de *carimbos*. Para reproduzir os sentimentos há que saber reconhecê-los pela experiência própria. Não os experimentando, os atores mecânicos são incapazes de reproduzir seus efeitos externos. (Stanislavski, 1994, p. 52)

Quando você interpretar um bom homem, tente descobrir onde ele é mau e, quando você interpretar um vilão, tente descobrir onde ele é bom. (Depoimento de Stanislavski *apud* Magarshack, 1951, p. 68)

Conselhos clássicos de Stanislavski:

– Mostrar a mesquinhez de alguém no instante em que procura ser generoso.

– Não mostrar a raiva, mas os esforços para dominá-la.

– Não mostrar a volubilidade do bêbado, mas os esforços para parecer sóbrio. (Brecht, 2000, p. 975)

Não aos mitos subconscientes; temos que falar diretamente à consciência do povo, mostrar-lhe os rituais que as classes dominantes utilizam para continuar a exploração. A sobrevivência anacrônica e desumana da propriedade privada dos meios de produção determina rituais de posse, obediência, caridade, resignação etc. que devem ser desmitificados e destruídos. Não devemos 'ritualizar' as relações humanas, mas sim mostrar que já estão ritualizadas e indicar como poderemos destruir esses rituais para que se destrua o sistema injusto e se possa criar um novo. Não às 'máscaras psicológicas' que determinam que os nossos rostos sejam 'ferozes' ou 'fleumáticos', 'bons' ou 'maus', ou seja lá o que for. Ao contrário, devemos procurar as 'máscaras sociais de comportamento referido', que mostram os rituais de uma dada sociedade. Ao exigir certas respostas predeterminadas, acaba por impor a cada um a sua 'máscara social'. Somos o que somos porque pertencemos a uma determinada classe social, cumprimos determinadas funções sociais e é por isso que 'temos' que desempenhar certos rituais, tantas e tantas vezes que por fim nossa cara, a nossa maneira de andar, a nossa forma de pensar, de rir, de chorar ou de fazer amor, acaba por adquirir uma forma rígida, preestabelecida, uma 'máscara social'. É horrível, mas é verdade: se não nos precavemos, até mesmo na cama acabamos por nos mecanizar; até o carinho acaba perdendo a graça; até o amor se ritualiza. [...] Todos os operários que realizam o mesmo trabalho terminam por parecer-se até mesmo muscularmente. [...] As pessoas que pertencem a mesma classe social possuem características comuns que fazem parte da máscara. Todas essas pessoas agem, não em função das suas características 'psicológicas', mas em função das suas 'necessidades sociais'; essas necessidades são o 'núcleo' da máscara. O núcleo fará com que os espectadores compreendam que todos os burgueses agirão sempre como tais, seja qual for a diferença individual entre eles. A ação dramática deve mostrar-se não como um 'conflito de vontades livres', como pretendia Hegel, mas sim como uma 'contradição de necessidades sociais', tal como é explicado pelo materialismo histórico. (Boal, 2009, p. 332)

O trabalhador se torna tanto mais pobre quanto mais riqueza produz, quanto mais a sua produção aumenta em poder e extensão. O trabalhador se torna uma mercadoria tão mais barata quanto mais mercadorias cria. Com a valorização do mundo das coisas (Sachenwelt) aumenta em proporção direta a desvalorização do mundo dos homens (Menschenwelt). O trabalho não produz somente mercadorias; ele produz a si mesmo e ao trabalhador como uma mercadoria, e isto na medida em que produz, de fato, mercadorias em geral. Este fato nada mais exprime, senão: o objeto (Gegenstand) que o trabalho produz, o seu produto, se lhe defronta como um ser estranho, como um poder independente do produtor. O produto do trabalho é o trabalho que se fixou num objeto, fez-se coisal (Sachlich), é a objetivação (Vergegenständlichung) do trabalho. A efetivação (Verwirklichung) do trabalho é a sua objetivação. Esta efetivação do trabalho aparece ao estado nacional-econômico como desefetivação (Entwirklichung) do trabalhador, a objetivação como perda do objeto e servidão ao objeto, a apropriação como estranhamento (Entfremdung), como alienação (Entäusserung). A efetivação do trabalho tanto aparece como desefetivação que o trabalhador é desefetivado até morrer de fome. A objetivação tanto aparece como perda do objeto que o trabalhador é despojado dos objetos mais necessários não somente à vida, mas também dos objetos do trabalho. Sim, o trabalho mesmo se torna um objeto, do qual o trabalhador só pode se apossar com os maiores esforços e com as mais extraordinárias interrupções. A apropriação do objeto tanto aparece como estranhamento (Entfremdung) que, quanto mais objetos o trabalhador produz, tanto menos pode possuir e tanto mais fica sob o domínio do seu produto, do capital. Na determinação de que o trabalhador se relaciona com o produto de seu trabalho como [com] um objeto estranho estão todas estas consequências. Com efeito, segundo este pressuposto está claro: quanto mais o trabalhador se desgasta trabalhando (Ausarbeitet), tanto mais poderoso se torna o mundo objetivo, alheio (Fremd) que ele cria diante de si, tanto mais pobre se torna ele mesmo, seu mundo interior, [e] tanto menos [o trabalhador] pertence a si próprio. É do mesmo modo na religião. Quanto mais o homem põe em Deus, tanto menos ele retém em si mesmo. O trabalhador encerra a sua vida no objeto; mas agora ela não pertence mais a ele, mas sim ao objeto. Por conseguinte, quão maior esta atividade, tanto mais sem-objeto é o trabalhador. Ele não é o que é o produto do seu trabalho. Portanto, quanto maior este produto, tanto menor ele mesmo é. A exteriorização (Entäusserung) do trabalhador em seu produto tem o significado não somente de que seu trabalho se torna um objeto, uma existência externa (Äussern), mas, bem além disso, [que se torna uma existência] que existe fora dele (Ausser ihm), independente dele e estranha a ele, tornando-se uma potência (Macht) autônoma diante dele, que a vida que ele concedeu ao objeto se lhe defronta hostil e estranha. (Marx, 2004, p. 80-81)

A alienação do ser humano ao trabalho manual tende a levá-lo de volta a este estágio primário de percepção do mundo. Essa alienação obriga as pessoas a regredir às etapas já vencidas da história humana. Brutaliza. O mesmo acontece com o sectarismo e o fanatismo político, religioso e esportivo. (Boal, 2009, p. 66)

Pode-se observar nas citações acima convergências de diferentes autores que contribuíram para a construção do Teatro do Oprimido. Reconhecemos que o capitalismo em seu processo de opressão mutila o trabalhador e o torna parte, não mais ser humano inteiro, alienando-o de suas possibilidades intelectuais, físicas, subjetivas, objetivas, de sua própria vida e felicidade.

Além do trabalho de laboratório realizado por Boal desde 1956, existia no Arena, por volta de 1967, um curso de Stanislavski e Brecht ministrado por Cecilia Thumim Boal, segunda companheira do dramaturgo, e Heleny Guariba. Essa conexão de Brecht, Stanislavski e o Teatro do Oprimido é uma janela a se pesquisar. A seguir, Cecilia conta mais detalhes sobre a forma de dirigir de Boal:

> Em uma das montagens em que Boal dirigiu o grupo A Barraca, disse: 'Vocês, atores, façam Stanislavski que de Brecht me encarrego eu'. Então, o que ele propunha para os atores era de fato uma identificação com os personagens e quem se encarregava por meio da montagem, da apresentação pro público de tentar produzir esse distanciamento, era o diretor. Stanislavski era a base do trabalho com os atores do Arena. Mas como disse Brecht sobre Marx, era uma teoria que já estava incorporada, estava dentro dele. Tinha sido processada e não precisava de livros, os livros ele já tinha lido, estão nas prateleiras da casa. Era o Stanislavski que se usava como método. As peças que Boal dirigiu nunca foram realistas. Isso que era interessante. Os atores tinham de entrar a fundo no papel, no personagem, e por meio de suas próprias vivências, que é a proposta básica do Stanislavski, usar seus próprios pensamentos, seus sentimentos, o que você sabe, ou seja, não se distancie, se identifique totalmente com o seu papel. Você vê, por exemplo, a *Revolução na América do Sul,* não tem nada de realismo. O estilo mais aproximado é o circo. (Cecilia Boal, entrevista ao autor, julho de 2020)

No Arena, nesse período, as peças estavam usando materiais reais e/ou de documentos históricos e jornais, dentre outros, visando a uma improvisação sobre a temática a ser trabalhada. Na minha experiência, observo que, muitas vezes, quando vamos criar um grupo popular de TO, os integrantes têm uma tendência a querer reproduzir a lógica das novelas. Inicialmente, encontra-se resistência para falarem de suas opressões e não querem mostrar sua "feia" realidade, pois, para eles, o "belo" é o que se vê na TV, num café da manhã com vários sucos, dez pães, 15 frios e trabalhadores negros servindo um casal loiro da classe dominante. Aos poucos, a partir da realização de jogos e técnicas teatrais — em sua maioria sistematizadas no Arena e depois desenvolvidas no exílio e continuadas no Centro de Teatro do Oprimido pós-1986 —, eles vão dialogando por meio do teatro, e o grupo assume uma temática singular, da sua própria realidade, de acordo com o processo de cada um.

No entanto, a interpretação muitas vezes ainda segue presa à lógica televisiva, pois a ideologia dominante é o que se vê na TV massiva, que é interruptamente vista como a correta forma de como atuar. Assim, como vimos no próprio Arena, mesmo lidando com atores experientes, somente a partir dos laboratórios institucionalizados por Boal foi possível romper, aos poucos, com essa forma europeia de o TBC interpretar e chegar a uma forma "brasileira", diria popular. Esse processo de improvisação de uma temática a partir da realidade material e concreta tem semelhanças com a proposta do Teatro do Oprimido. No processo que busca romper com essa ideologia dominante que se impõe, o oprimido mostra a opressão a partir de sua própria perspectiva. E é impressionante observar que Stanislavski, por outros meios, praticamente chega à mesma conclusão que Marx, quando este diz que é o "ser social que determina a consciência e não a consciência que determina o ser social".

> É claro que a greve é mais importante. Mais que o ensaio da greve. O Teatro não substituirá a ação real. Mas pode ajudar a torná-la mais eficaz. Lembro que no Peru trabalhei com operários. Eles pretendiam fazer uma greve no local de seu trabalho. Eles ensaiaram a greve [...] antes de fazê-la! O teatro não é superior à ação. É uma fase preliminar. Ele não pode substituir-se a ela. A greve vai ensinar mais [...] onde podemos representar o ato real, que pode se efetuar. (Boal, 2015, p. 348)

Esse processo de uso do Teatro do Oprimido para ensaiar uma ação futura já foi feita com o Sindicato dos Bancários do Rio de Janeiro, antes de uma greve, e com o MST, para ensaiar a ocupação de terras. Outro ponto que é palco de grande debate é o conhecimento/uso ou não de Boal das famosas ações físicas, um dos últimos procedimentos sistematizados por Stanislavski. Além do que já apontei no capítulo sobre a vida do dramaturgo em Nova York, é importante dizer que para Stanislavski as ações físicas têm uma conexão com o concreto de uma relação e com outros atores, não existindo de forma isolada. Assim, as "relações físicas serão, também, sempre relações psicofísicas, pois no teatro nunca se pode 'interpretar a própria presença'" (Carvalho, 2019, p. 272).

Incluo aqui, também, um trecho da biografia *Stanislavski, a life*, de David Magarshack, que fazia parte da biblioteca de Boal e na qual ele grifou partes referentes à ação física e às últimas descobertas de Stanislavski:

A ideia dominante (*ruling idea*) da peça e sua 'através da ação' (*through-action*) ocupavam cada vez mais seus pensamentos [...]. Durante o último ano de sua vida, depois que seu livro *O trabalho do ator sobre si mesmo* já havia sido escrito, ele frequentemente expressava seu pesar por ter lidado com a ideia dominante e por meio da ação no final de sua vida em vez de no início. Isso como a maior falha do sistema formulado por ele no livro. 'Quando vocês lerem meu livro', advertiu ele (Stanislavski) aos atores, 'devem ter em mente que, na época em que o escrevi, não fui capaz de começar imediatamente com a ideia dominante e por *através da ação* (*through-action*). Isso foi minha culpa como autor. Em uma peça', ele continuou, 'você recebe um extrato de vida, e *através da ação* (*through-action*) passa *através*, como um campo aberto. Tudo o que passa ao longo desse campo é importante. Tudo deve levar a ele, e através dele, a ideia dominante. A ligação geral com ela e a dependência dela de tudo o que acontece na performance é tão grande que o menor detalhe, se não estiver relacionado com a ideia dominante, torna-se supérfluo e prejudicial e pode desviar a atenção do ponto essencial da peça. A principal preocupação do diretor, portanto, deve ser descobrir a ideia dominante da peça e, em seguida, encadear 'através da ação' (*through-action*) nela. Nenhum diretor', ele diz, 'pode dirigir uma peça a menos que encontre primeiro a ideia dominante'.

Stanislavski, portanto, exigia que os atores representassem antes de tudo o enredo da peça, concentrando-se em suas ações físicas. 'Simples ações físicas', disse ele, 'formam a base firme de tudo que as pessoas fazem na vida. Seu valor para a nossa arte reside no fato de serem orgânicos em qualquer circunstância. Mas o ator nunca deve esquecer que as ações físicas são apenas uma desculpa para evocar a ação interior. Quando você tiver aprendido a criar esta linha de ação, e toda sua atenção estiver voltada para ela, poderemos garantir que ao subir ao palco você sempre fará o que for necessário para a causa que a sua arte existe'. Fiel aos seus novos princípios, Stanislavski deixou toda a iniciativa para os próprios atores. Ele apenas assistiu, examinou e dirigiu seus trabalhos. (Magarshack, 1951, p. 372-375)

Nós partimos do princípio de que o ser humano é uma unidade, um todo indivisível. Cientistas têm demonstrado que os aparelhos físico e psíquico são totalmente ligados. O trabalho de Stanislavski sobre as ações físicas vai também nesse sentido; ideias, emoções e sensações estão indissoluvelmente entrelaçadas. Um movimento corporal 'é' um pensamento. Um pensamento também se exprime corporalmente. (Boal, 2015, p. 98)

Foto de Stanislavski no livro *Stanislavski, a life*, de David Magarshack.

Para além do debate sobre o conhecimento/uso de um procedimento especifico, é importante entender o que Boal fez e como fez. Não é somente a prática de uma ou outra técnica que potencializa necessariamente o seu trabalho, mas também o fato de este ser realizado de forma coletiva e impregnado pela conjuntura da época em uma análise concreta de uma situação concreta no princípio de um desenvolvimento estético desigual e combinado.

Cenografia

A cenografia também está em transformação. Em especial com o trabalho de Flávio Império, que rompe vários conceitos no Teatro de Arena, pequeno, sem verba e em formato (arena) que exigia algo diferente. Boal comentava sobre o excelente trabalho de Flávio e do uso já nessa época de elementos reciclados e baratos. O dramaturgo já usava o termo cenografia-curinga, que depois iria desenvolver mais no seu último livro, *A estética do oprimido* (2009).

> Na cenografia 'coringa' ou se utiliza um 'uniforme' para todo o elenco, ou se usam figurinos adaptados de objetos já existentes, mantendo visível a sua origem. [...] O sistema coringa aplica à cenografia as técnicas de '*objet trouvé*'.[66] (Depoimento de Augusto Boal *apud* Marques; Leslie, s/d, p. 13)

> Seria para fazer uma experiência que comecei com o Flávio Império, em São Paulo, em 1966. [...] comecei com ele o que chamamos de Cenografia Coringa, que consistia em utilizar coisas jogadas fora. Quer dizer, utilizar o lixo e transformar o lixo esteticamente, fazer espetáculos cenograficamente extremamente baratos e belos. (Boal, 1986, p. 37)

Uma EAD ou uma ETP[67]

A busca por alternativas para burlar a repressão era variada. Além de criar espetáculos críticos em espaços populares, outro caminho foi a proposta de criação de uma escola de teatro. Assim, aproveitando a estrutura da Escola de Arte Dramática, Boal, Flávio Império e Heleny Guariba fizeram uma proposta de reformulação da EAD, que a transformaria praticamente em uma Escola de Teatro Popular.

> **PROPOSTA DE REFORMULAÇÃO DA EAD**
>
> São Paulo, 12 de março de 1967.
> Exmo. Sr.
> Dr. Alfredo Mesquita
> MD Diretor
> Escola de Arte Dramática de São Paulo

---

66. Objetos previamente manufaturados, ou industrializados, transformados por Marcel Duchamp (1887-1968) em artefatos de contemplação como forma de crítica à arte.
67. A Escola de Teatro Popular (ETP), criada em 2017 por mim e Julian Boal, é um espaço de formação e militância de Teatro do Oprimido e outras técnicas de teatro político com movimentos sociais, políticos e culturais no Rio de Janeiro que congrega vários núcleos teatrais e dezenas de integrantes.

Os professores Augusto Boal, Flávio Império e Heleny Guariba propõem a V.Sa. a realização de um curso dentro da Escola de Arte Dramática, para o aproveitamento de todos os alunos de segundo e terceiro anos dos antigos cursos de dramaturgia, crítica e cenografia. Passamos a expor o desenvolvimento do esquema a que nos propomos:

1. O Curso Especial será dividido em quatro setores principais:

    a. SEMINÁRIO (responsabilidade do prof. Augusto Boal): [...] Os alunos receberiam aulas de dramaturgia, interpretação, cenografia etc., sempre segundo as necessidades específicas dos temas propostos, e não cursos básicos gerais. O Seminário seria, pois, eminentemente objetivo.

    b. LABORATÓRIO (responsabilidade do prof. Flávio Império): este setor centralizaria toda a parte prática das etapas preparatórias, tanto em dramaturgia e cenografia como em interpretação.

    c. DOCUMENTAÇÃO E PESQUISA (responsabilidade da profa. Heleny Guariba): não só a professora responsável como também os alunos desenvolveriam toda a pesquisa e documentação necessária e específica relacionada aos temas propostos.

    d. MONTAGEM (responsabilidade do prof. José Celso Martinez Correa): durante o correr do ano um ou dois dos temas propostos se concretizariam na montagem de textos. Os atores participantes seriam selecionados principalmente entre os ex-alunos da EAD.

2. [...] Para o presente ano, propomos os seguintes temas:

    a. ESTUDO DA LIBERDADE DO PERSONAGEM: análise do personagem como objeto (teatro sacro medieval, teatro épico etc.) e como sujeito (teatro isabelino, teatro romântico etc.). Estudo das teorias que informaram cada técnica (Aristóteles, Hegel, Brecht, Ionesco, Breton, Maquiavel etc.).

    b. ESTUDO DA COMUNICAÇÃO RITUALÍSTICA: estudo de todas as formas de comunicação (palavra, imagem, som)[68] [...].

3. Montagem de um texto para cada tema. Dados os temas propostos, não se pensará na montagem de textos já escritos e completos. Será mais adequada a encenação de fragmentos de diversos textos, coordenados pelos temas que se estudarem.

---

68. Essas ideias vão se desenvolver e se desdobrar em *A estética do oprimido*, último livro de Boal, construído em conjunto com os integrantes do Centro de Teatro do Oprimido (CTO) entre 2004 e 2009.

4. O Curso Especial teria os quatro professores acima mencionados, que seriam responsáveis pelos quatro setores. Além desses, e para a realização de rápidos seminários ou simples palestras, seriam por ora convidados os seguintes professores e especialistas:

Prof. Anatol Rosenfeld
Prof. Roberto Schwartz
Profa. Lúcia Campelo
Profa. Albertina Costa
Prof. Sérgio Ferro
Prof. Rui Fausto
Prof. Jacob Guinsburg
Dramaturgo Gianfrancesco Guarnieri
Diretor Paulo José Gomes de Souza
Diretor Fernando Peixoto. (Dionysos, 1989, p. 94)

Percebe-se aqui uma gama de professores renomados e das mais diversas áreas, trazendo não só uma noção artística, mas também política e social. É praticamente uma seleção brasileira das artes. É possível até realizar um paralelo com a ideia de uma formação transdisciplinar e completa, como era o Dramatic Workshop, dirigido por Piscator, em Nova York. Dessa forma, buscava-se romper com a engrenagem e mostrar a força política do teatro em uma sociedade que estava em plena ebulição. Como colocado na entrevista com Jacó Guinsburg, essa foi uma demanda dos próprios alunos.

> No meu período produtivo no Arena, a prática estava à frente da teoria, pois o país vivia a sua primeira fase da ditadura civil-militar (1964-1968), antes do AI-5, em dezembro de 1968. O teatro para a maioria de nós era uma forma de enfrentar essa ditadura, e várias peças foram montadas com esse objetivo. Era preciso refletir, incomodar, resistir. Portanto, na minha época, discutir Marx, Hegel, Brecht, Piscator não era a tarefa principal. Os ensaios eram árduos, com duração, por vezes, de mais de oito horas. Trabalhávamos com um olho no peixe e outro no gato, pois o Arena era visado pela repressão. Uma estética de esquerda marxista, que via o teatro como um ato de transformação da sociedade e não apenas como um momento de fruição artístico/intelectual. É preciso que isso seja colocado no contexto da América do Sul e do Brasil, em particular, quando muitas lutas de independência se davam no continente africano e muitos movimentos guerrilheiros espocavam

na América Latina, inclusive no Brasil. Já dizia a música: 'É preciso estar atento e forte, não temos tempo de temer a morte'. O socialismo era uma realidade e um sonho em várias partes do mundo. A estética marxista, com Brecht no comando, recusava a ver o teatro simplesmente como uma mercadoria, mas procurava chamar o espectador a uma reflexão sobre a realidade em que vivia. (Izaias Almada, entrevista ao autor, janeiro de 2015)

Boal era muito estudioso. Esses estudos eram mais praticados com aqueles que estavam mais inseridos nos projetos que ele propunha, e de maneira dinâmica eram formados grupos. E componentes desses grupos também indicavam leituras para os jovens iniciantes, e depois se conversava sobre as leituras. Georg Lukács, Antonio Gramsci, depois também Umberto Eco. Lembro dele com livros de Lukács, Gramsci, Kant (*Crítica da razão pura*), outros que não me lembro agora. A gente trabalhou muito o *Pequeno organon*, de Brecht. Não via o Boal muito ligado a Artaud, Gorotowski e ao Living (Theatre). O estudo político não era assim muito aberto. O Boal era um tanto reservado, muitas pessoas passavam por ali e corria que alguns eram informantes da ditadura e a gente nunca sabia quem eram, pois se faziam de militantes empenhados. Enfim, era uma situação às vezes delicada e tensa. No Areninha (segundo andar), o Gil e o Caetano trabalhavam noite adentro em composições e arranjos de músicas, antes dos festivais. Além de dar espaço para cantores da MPB que estavam despontando: Alcione, Alceu Valença, Alaíde Costa e muitos outros. Teve um tempo que o Zé Dirceu esteve lá por uns dias trabalhando no arquivo de notas de imprensa. (Almir Amorim, entrevista ao autor, julho de 2019)

A partir de 1968, a situação se radicaliza. Uma das realidades vividas é a impossibilidade de se fazer produtos fechados, em que somente os "artistas" seriam capazes, seriam os protagonistas. Radicaliza-se ainda mais a necessidade de se buscar novas formas de produção, pois não basta mais o artista saber a necessidade de escrever, interpretar, fazer música, cenário e questionar a propriedade privada do personagem (Sistema Curinga) etc. Esse foi o processo vivenciado pelo Teatro de Arena desde a entrada de Boal, em 1956. Agora é fundamental que todo o povo (revisitando os termos da época) o faça, pois os produtos criados estão sendo engolidos pela engrenagem.

Feira Paulista de Opinião

A *Feira Paulista de Opinião,* produzida pelo Arena sob direção de Boal, foi um dos momentos mais marcantes da história do teatro político brasileiro. Na peça, os artistas participantes — os dramaturgos de esquerda Augusto Boal, Bráulio Pedroso, Gianfrancesco Guarnieri, Lauro César Muniz, Jorge Andrade e Plínio Marcos e os músicos Ary Toledo, Caetano Veloso, Edu Lobo, Gilberto Gil e Sérgio Ricardo — respondiam à pergunta: "O que pensa você do Brasil de hoje?". No primeiro ato estavam presentes as músicas *Tema*, de Edu Lobo; *Enquanto o seu lobo não vem*, de Caetano Veloso; *O líder*, de Lauro César Muniz; *O sr. doutor*, de Bráulio Pedroso; *ME.E.U.U Brasil Brasileiro*, de Ary Toledo; e *Animália*, de Gianfrancesco Guarnieri. No segundo, as obras *Espiral*, de Sérgio Ricardo; *A receita*, de Jorge Andrade; *Verde que te quero verde*, de Plínio Marcos; *Miserere nobis*, de Gilberto Gil; e *A lua muito pequena e a caminhada perigosa*, de Augusto Boal. A censura realizou 71 cortes no texto, de 63 páginas[69], e a Polícia Marítima cercou duas vezes o teatro para impedir a realização do espetáculo.[70] Ainda assim, ela foi apresentada na íntegra em

---

69. Versão censurada e os cortes no texto, os ridículos argumentos dos censores e até tentativa de Boal, em carta, para tentar a liberação da peça: Pag 80 "... autoria Augusto Boal et outros pt trata-se mais um trabalho repleto palavras baixo calão pt bg frases de protesto pt vg passagens incitando luta armada pt vg cenas de achincalhe autoridades constituídas vg etc pt."/ Pag 84 "... o dialogo sobre Erneste "Che" Guevara, onde esse personagem aparece como um mártir, e os militares que o prenderam como feras." / Pag 90 "No final da peça é feita uma exortação, com encenações de guerrilhas e um comandante guerrilheiro morto e enaltecido e que o mesmo só foi eliminado fisicamente". / Pag 92 Carta do Arena ao Dir da PF de Brasília assinada por Boal pedindo a liberação. (30/05/1968) "(Texto de Boal) que se baseia integralmente em notícias publicadas pela nossa imprensa e, portanto, já de domínio público." .. e encerra com "Estamos certos de poder contar com a sensibilidade e a inteligência lúcida de V. Excia. a quem a arte e a cultura paulistas muito ficarão a dever." http://imagem.sian.an.gov.br/acervo/derivadas/br_dfanbsb_ns/cpr/tea/pte/00616/br_dfanbsb_ns_cpr_tea_pte_00616_d0001de0001.pdf. Acervo Arquivo Nacional.
70. Ver Programa da *1ª Feira Paulista de Opinião*, 1968, p. 10. Constam no texto duas ações dos fascistas: "São Paulo, 18 de julho (Urgente) — Elementos não identificados invadiram e depredaram o Teatro Galpão, onde vem sendo representada a peça *Roda Viva* de Chico Buarque, julgada atentatória à moral e à propriedade privada"; "São Paulo, 4 de agosto (Urgente) — Intérpretes das peças de Plínio Marcos, *Dois perdidos numa noite suja* e *Navalha na carne*, foram ameaçados de morte por cartas anônimas deixadas à porta dos respectivos teatros". Aqui incluo também depoimento da atriz Fernanda Montenegro, que foi solidária, acolheu cenas da *Feira* e sofreu ameaças de morte e um atentado a bala contra Fernando Torres. Disponível em: www.youtube.com/watch?v=knZdi8W3JTk. Acesso em: 20/10/2020.

07 de junho de 1968, num ato público de desobediência civil com a participação de vários grupos e artistas. Antes do início, Cacilda Becker leu um manifesto que dizia:

> A representação na íntegra da I Feira Paulista de Opinião é um ato de rebeldia e desobediência civil. Trata-se de um protesto definitivo dos homens livres de teatro contra a Censura de Brasília, que fez 71 cortes nas seis peças. Não aceitamos mais a Censura centralizada, que tolhe nossas ações e impede nosso trabalho. Conclamamos o povo a defender a liberdade de expressão artística e queremos que sejam de imediato postas em prática as novas determinações do grupo de trabalho nomeado pelo ministro Gama e Silva para rever a legislação da Censura. Não aceitando mais o adiamento governamental, arcaremos com a responsabilidade desse ato, que é legítimo e honroso. O espetáculo vai começar. (Soares, 2017, p. 257)

No dia da estreia proibida, surgiu o movimento artístico de solidariedade mais belo que já existiu. Artistas de São Paulo decretaram greve geral nos teatros da cidade e foram se juntar a nós. Nunca houve no país tamanha concentração de artistas por centímetro quadrado: poetas, radialistas, escritores, intelectuais, cinema, teatro e TV, plásticos, músicos, bailarinos, gente de circo e de ópera, jornalistas, profissionais e amadores, professores e alunos, não faltou ninguém. Vieram até os tímidos. Cacilda Becker, no palco, com a artística multidão atrás, em nome da dignidade dos artistas brasileiros, assumiu a responsabilidade pela Desobediência Civil que estávamos proclamando. A *Feira* seria representada sem alvará, desrespeitando a Censura, que não seria mais reconhecida por nenhum artista daquele dia em diante. (Boal, 2000, p. 257)

A polícia também foi ao teatro no sábado

Sábado, a Polícia não deixou que a "I Feira Paulista de Opinião" fôsse encenada no Ruth Escobar, que ocupou o teatro. Mas a peça foi levada "de qualquer jeito", como protesto, no Maria Della Costa.

A Polícia Federal passou quase tôda a noite de sábado na porta do Teatro Ruth Escobar, mas não conseguiu impedir a encenação da **I Feira Paulista de Opinião**, peça em que a Censura Federal fêz 84 cortes. O espetáculo acabou sendo apresentado no Teatro Maria Della Costa, no intervalo da peça **O Homem do Princípio ao Fim**, ás dez e meia da noite.

O espetáculo, de **protesto**, foi considerado pela classe teatral uma **desobediência civil** ás determinações da Censura: ninguém concorda com os cortes na peça. O diretor Augusto Boal, os atores da peça e a classe teatral decidiram ás seis horas de sábado, no Teatro Ruth Escobar, apresentar o espetáculo "de qualquer jeito" e afirmaram que continuarão levando a peça em vários lugares, ainda que ela seja proibida.

Na assembléia do Ruth Escobar, os artistas lembraram que a peça foi levada à Brasília há dois meses, para ser julgada pela Censura. Mas no dia da estréia (quinta-feira passada), ela ainda não tinha sido liberada. Então, êles resolveram fazer um ensaio geral, mostrando o espetáculo para o maior número possível de pessoas.

Sòmente depois dêsse "ensaio geral" é que ficaram sabendo que a peça tinha sido liberada, com 84 cortes. Isso, para Augusto Boal, diretor da peça, significou "a mutilação do texto". Então, êles resolveram partir para a **desobediência civil**. Boal explica:

— O primeiro a transgredir a Lei foi a própria Censura. Segundo a Lei, uma peça precisa ser entregue ao Serviço de Censura Federal quinze dias antes da estréia. Em cinco dias o grupo interessado em levá-la teria a resposta. Nós mandamos a peça há dois meses e só no último dia é que foram liberá-la, mas além disso tôda mutilada.

Após a apresentação do ensaio geral, quinta-feira, houve uma assembléia da classe teatral, onde ficou decidida a **desobediência civil**. No comêço falou-se em greve, mas isso foi logo afastado. Os artistas esclareceram o motivo:

— Tôda a greve é muito onerosa para a classe teatral.

A Polícia Federal chegou ao Teatro Ruth Escobar às cinco e meia da tarde de sábado, quando os atores começavam a se reunir para a assembléia geral que decidiria se levariam o espetáculo ali ou em outro lugar.

Dentro do teatro, os atores traçavam planos para que o espetáculo fôsse levado e a Polícia Federal não interferisse. O delegado Roberto Sampaio, que chefiava os agentes, dava explicações sobre a atitude da Polícia Federal, na porta do teatro:

— Os artistas se rebelaram publicamente contra atos da autoridade constituída.

Na assembléia, porém, os artistas já haviam traçado seu plano:

— O espetáculo sai em outro lugar, que já estamos providenciando. O local só vai ser revelado em cima da hora.

Eram quase oito horas da noite quando três carros da Rádio Patrulha e uma caminhonete da Polícia Federal chegava em frente ao Ruth Escobar para reforçar o policiamento. Havia uma fila enorme de gente que tinha ido assistir á peça **Roda Viva**, de Chico Buarque de Hollanda, que está sendo levada no Teatro Galpão, anexo ao Ruth Escobar. Os agentes pensaram que era para a **1.a Feira Paulista de Opinião** e pediram reforço.

Quase nessa mesma hora, o general Silvio Correia de Andrade mandou chamar os líderes do movimento ao seu gabinete, na sede da Polícia Federal, para dizer:

— A peça não pode ser encenada de maneira alguma. Não sou contra a encenação, mas quero fazer cumprir a Lei.

Walmor Chagas, junto com Gianfrancesco Guarnieri, Sandro Polônio, Cacilda Becker e outros, deixaram claro que iam desobedecer e que essa era "a única maneira do o Ministro da Justiça tomar alguma providência em relação à Censura".

Os artistas pediram ao general que garantisse a exibição da peça, duas semanas pelo menos, para que Augusto Boal, o diretor, pudesse montar um nôvo espetáculo e não levar nenhum prejuízo financeiro. O general Silvio Correia não concordou; aí, êles se propuseram a falar diretamente com o ministro Gama e Silva, que estava em São Paulo. Mas o ministro tinha ido ao cinema — e o general mandou que alguns agentes tentassem localizá-lo.

No Ruth Escobar, artistas teatrais, escritores, estudantes e artistas plásticos esperavam a ordem de ir para algum lugar, onde o espetáculo seria apresentado. Na Polícia Federal, Walmor, Sandro, Guarnieri, Cacilda Becker e outros continuavam protestando "contra o aparato policial" colocado em frente ao Ruth Escobar.

A discussão continuava no gabinete do general Silvio Correia. Às nove e meia da noite, alguns artistas voltaram para o Ruth Escobar, enquanto outros continuavam no gabinete. Às dez e quinze, muita gente começou a sair do teatro, em pequenos grupos. Havia chegado a hora e uma ordem partiu, baixinho:

— Imediatamente para o Maria Della Costa. A coisa vai ser lá.

As outras ordens eram para não fazer comentários na porta do Ruth Escobar e para ficar "de ôlho" na Polícia Federal, impedindo que algum agente descobrisse o local. Os grupos foram chegando aos poucos, entrando pelo fundo do Teatro Maria Della Costa, na rua Paim, onde afinal a 1.a Feira Paulista de Opinião foi apresentada.

Foto com trabalhadores da cultura de vários grupos declarando desobediência civil e mostrando a resistência. ACERVO ESTADÃO CONTEÚDO.

Peça proibida, teatro cercado pela polícia, ação de desobediência civil! Nos dias seguintes, trechos do espetáculo foram encenados em diferentes teatros, graças à solidariedade dos trabalhadores da cultura — fato chamado pelos jornais de "guerrilha teatral". Alguns dias depois, o juiz Américo Lourenço Masset Lacombe[71] conseguiu liberar a peça completa. Esse juiz era, como Boal, membro da ALN.

A *Feira* congregou uma gama de artistas de esquerda, com diferentes visões, e foi literalmente uma feira, um evento com diversas linguagens estéticas. No final do programa tem o convite:

> Se você deseja participar da *1ª Feira Paulista de Opinião* existem várias maneiras: 1) Enviando um quadro; 2) Enviando uma escultura; 3) Enviando uma caricatura; 4) Enviando uma Fotografia; 5) Enviando um Cartaz; 6) Enviando um Poema; 7) Enviando uma Frase ou parágrafo; 8) Enviando um Ensaio; 9) Enviando uma Peça; 10) Enviando uma Canção. (Programa da *1ª Feira Paulista de Opinião*, 1968, p. 16)

Pode-se dizer que a *Feira* foi uma primeira experiência concreta de *A estética do oprimido*. Boal dizia que o teatro é uma arte que pode contemplar todas as outras, pois se pode cantar, recitar, dançar, ter uma pintura, cinema e tudo mais dentro de uma peça de teatro. "O teatro é essencial não porque seja melhor que outras artes, mas porque é a soma de todas!" (Boal, 2009, p. 241). Os Festivais de Estética do Oprimido que o CTO fez com Boal, projetos que desenvolvemos nos anos 2000, tinham organização semelhante à da *Feira*, com músicas costurando as cenas e exposições de arte. A grande e fundamental diferença é que, no caso dos nossos festivais, tudo era feito pelos próprios oprimidos, como exige o Teatro do Oprimido.

No final do programa da *1ª Feira Paulista de Opinião* (1968, p. 19) vinha um indicativo da realização de mais três *Feiras* em 1968 e 1969: a carioca, a latino-americana e a mundial. Destas, só a latino-americana foi realizada. A

---

71. "Juiz é terrorista" (manchete). "O juiz federal Américo Lacombe está preso na "Operação Bandeirante" como terrorista. Ele tinha ligações com Carlos Marighela e outros altos dirigentes terroristas. Sua casa era um "aparelho" onde eram traçados os planos de ações terrorista. O magistrado foi nomeado ex-presidente Castelo Branco para o cargo que ocupava. Esse mesmo cargo era usado para acobertar subversivos." Diário da Noite. Sao Paulo. 31/12/1969.

Feira carioca de opinião — indicada para setembro de 1968, no Teatro João Caetano, no Rio — teria a participação dos dramaturgos Oduvaldo Vianna Filho, Dias Gomes, Nelson Rodrigues, Millôr Fernandes e Antonio Callado; dos compositores Sydney Miller, Gutemberg Guariba, Paulinho da Viola, Zé Keti, João do Vale e Nelson Cavaquinho; e dos cartunistas Ziraldo, Fortuna, Jaguar, Vão Gogo e Zelio. A *Feira mundial de opinião*, indicada para o segundo semestre de 1969, teria a participação de Peter Weiss,[72] Barbara Garson, John Osborn, Armand Gatti e Jack Gelber. Mas veio o AI-5, as perseguições aumentaram e a *Feira carioca de opinião*, no Rio, e a *Feira mundial de opinião*, que seria em São Paulo, não tiveram condições de serem realizadas.

Boal realizou, porém, mais duas *Feiras* fora do Brasil: a *Feira latino-americana de opinião*, que teve alguns nomes diferentes dos indicados no programa de 1968, sem Paco Urundo (Argentina) e Francisco Tobar Garcia (Equador). Ela aconteceu em 1972 e foi produzida pelo Theatre of Latin America (Tola), na St. Clemment's Church, em Nova York. Foram encenadas no evento as peças *Torquemada*, que conta como o dramaturgo brasileiro foi preso e torturado no presídio Tiradentes; *Guardian angel (O anjo da guarda)*, cena de *Revolução na América do Sul* que fala sobre o imperialismo estadunidense e foi amplamente apresentada pelos grupos do CPC Brasil afora; *Animália*, de Gianfrancesco Guarnieri; *El avión negro*, do argentino Roberto Cossa; *El gallo*, do peruano Victor Zavala Cataño; *La autopsia*, do colombiano Enrique Buenaventura; e *Man does not die by bread alone*, do chileno Jorge Díaz. A cenografia foi de Hélio Oiticica. Nessa *Feira* ainda houve poesias, filmes e debates — um dos painéis com o tema *Teatro e revolução... Qual revolução?*, com Julian Beck e Judith Malina, do Living Theatre, e Bernard Dort. A terceira foi a *Feira portuguesa de opinião*, em 1977, em Lisboa, com o grupo A Barraca. O objetivo das *Feiras* era a apresentação de grupos e artistas de esquerda, politicamente engajados, abordando a conjuntura política de sua época por meio da arte.

A Feira Paulista de Opinião foi um marco, uma tentativa de resistência política e estética às vésperas da promulgação do AI-5. No texto do programa, Boal aproveitou para criticar as tendências estéticas da época e fazer uma autocrítica de seu percurso e do Arena até ali. A proposta do Sistema Curinga teve grande conexão com o sentimento de revolta que existia, mas, do ponto

---

72. Sua presença no Programa da *Feira* aumenta a chance de Boal ter tido algum contato com o sistematizador do Teatro Documentário.

de vista de uma forma dramatúrgica que desse conta da realidade da época, não avançou muito. O desafio de ir além da forma drama agora não só batia, esmurrava à porta. Voltamos, então, ao artigo de Gassner que atraiu o jovem Boal para Nova York e que já apontava, como possibilidade, o trabalho de Brecht, em especial as peças didáticas e o Teatro Jornal. A forma épica trabalhada em diferentes momentos no Arena, que teve início com *Revolução na América do Sul*, ia e voltava, mas não se fixava. Os limites de possibilidades, aí incluída a concretude da repressão da ditadura, fizeram com que se buscasse uma unidade dentro da diversidade das propostas estéticas de esquerda.

É fundamental pensar na forma estética não de maneira isolada, mas conectada com o sistema produtivo vigente, incluindo a censura, vivida pela própria *Feira*. Em tempos pré-golpe de 1964, as diferentes iniciativas do Arena, do MCP e dos CPCs conseguiram, de forma experimental e pontual, indicar uma proposta dialética e épica teatral que incluía até mesmo uma alternativa ao modo de produção teatral. Essa possibilidade foi castrada com o golpe, que rompeu os elos entre trabalhadores da cultura, universidades e movimentos sociais e políticos. Algumas pessoas acreditam, romanticamente, que uma ditadura torna os artistas mais criativos e nos fazem criar obras que não seriam possíveis em tempos de democracia, mas eu enxergo da maneira inversa: justamente porque havia uma efervescência democrática, uma busca por organização e radicalização na sociedade, antes do golpe, é que foram proporcionados espaço e fermento para surgirem artistas e obras que marcam época até hoje. O fato de volta e meia, pós-repressão, ainda se produzirem obras marcantes vejo mais como o resultado desse acúmulo anterior — e não por causa da ditadura.

Num dos mais belos e explosivos textos escritos por Boal, *Que pensa você da arte de esquerda?* (Programa da *1ª Feira Paulista de Opinião*, 1968), ele aponta a necessidade de união das diversas tendências artísticas contra os reacionários — e alguns erros dentro da própria esquerda que se deixam levar por eles, faz uma precisa analise do teatro brasileiro e responde às críticas que José Celso havia feito ao teatro engajado em sua entrevista à revista *aParte*. Segundo Boal, as diferenças táticas não podem se sobrepor ao inimigo maior e levar a derrota aos que desejam mudanças radicais na arte e na sociedade, sem deixar de colocar as divergências. O ponto principal é a necessidade de todas as tendências reverem suas metas e seus processos, visto que elas não dão mais conta da atual conjuntura. É urgente, agora, derrotar a "reação", entendida como uma entidade concreta, eficaz e organizada:

> 'Reação' é o atual governo oligarca, americanófilo, pauperizador do povo e desnacionalizador das riquezas do país; 'reação' são as suas forças repressivas, caçadoras de bruxas, e todos os seus departamentos, independentemente de farda ou traje civil; é o [Serviço Nacional de Teatro] SNT, o [Instituto Nacional de Cinema] INC, é a censura federal, estadual ou municipal e todas as suas delegacias; são os critérios de subvenções e proibições; e são também todos os artistas de teatro, cine ou TV que se esquecem de que a tarefa de todo cidadão, por meio da arte ou de qualquer outra ferramenta, é a de libertar o Brasil do seu atual estado de país economicamente ocupado e derrotar o invasor, o 'inimigo do gênero humano', segundo a formulação precisa de um pensador latino-americano recentemente assassinado.[73] (Programa da *1ª Feira Paulista de Opinião*, 1968)

Boal continua sua forte análise expondo os perigos e seduções do repertório e do mercado sobre elencos que apenas usam suas verbas para satisfazer "plateias tranquilas" e se tornam copiadores da arte europeia desconhecedora da realidade brasileira, além de mostrarem "apenas visões róseas do mundo" ou um "psicologismo anglo-saxônico". Afirma, ainda, que

> o mercado é o demiurgo da arte [...] que entre o artista e o consumidor, numa sociedade capitalista, insere-se o mediador-capital, o mediador-patrocinador. O dinheiro, este sim, é o verdadeiro demiurgo do gosto artístico posto em prática. O mercado consumidor de teatro é, em última análise, o fator determinante do conteúdo e da forma da obra de arte, da arte-mercadoria. (Programa, 1968)

Segundo Boal, (a maioria dos) nossos artistas servem ao mercado e se "atrelam aos desejos mais imediatos da 'corte burguesa' da qual se tornam servis palhaços, praticando um teatro de classe, isto é, um teatro da classe proprietária, da classe opressora. A consequência lógica é uma arte de opressão". Ele deixa explícita sua proposta de que todo grupo de esquerda

---

73. Che Guevara (1967, p. 44), em texto escrito para a I Conferência de Solidariedade aos povos da África, Ásia e América Latina, realizada em Havana de 03 a 15 de janeiro de 1966, disse: "Toda a nossa ação é um grito de guerra contra o imperialismo e um clamor pela unidade dos povos contra o grande inimigo do gênero humano: os Estados Unidos da América do Norte".

deve ter, em primeiro lugar, o compromisso de "incluir o povo como interlocutor do diálogo teatral", pois isso fará mudar "o conteúdo e a forma do teatro brasileiro". E cita como exemplo e referência o trabalho dos Centros Populares de Cultura: "Se um teatro propõe a transformação da sociedade, deve propô-lo a quem possa transformá-la: ao contrário será hipocrisia ou gigolotagem" (Programa, 1968).

Ao golpe empresarial-militar de 1964, o teatro respondeu com *O berro*: "A violência militar foi respondida com a violência artística", reagiu Boal, exortando e berrando porque "os tanques tomaram o poder". Mas só havia o teatro, e "as forças populares estavam desarmadas e não puderam assim, com arte apenas, vencer as metralhadoras". Depois de um tempo, começaram as contradições e "surgiu a tendência francamente adesista". Boal passa a analisar, então, três tendências da arte de esquerda; aponta suas limitações e propõe que "as três devem agora serem superadas. Isto deve ser feito não por meio da luta das três tendências entre si, mas sim por meio da luta desse conjunto contra o teatro burguês" (Programa, 1968).

A primeira das tendências é o "neorrealismo", que retratava a realidade como ela é, mostrando a vida, os locais e as linguagens reais dos oprimidos. Assim, acabava mostrando "mensagens de desesperos, perplexidades e dores", correndo o risco de cumprir a "mesma tarefa da caridade em geral e da esmola em particular: a esmola é o preço da culpa". A etapa documental do "realismo" foi fundamental para entender onde vivíamos, mas acabou sendo "mais documental do que combativa. E, nos dias que correm, o teatro brasileiro carece de maior combatividade". A segunda tendência é o "Sempre de pé", identificada com os últimos trabalhos do Arena, como a série *Arena conta,* que buscava que o público vencesse a opressão. O problema era ter como transformador um público burguês: "O teatro 'sempre de pé' só tem validade no convívio popular [...] como nos espetáculos do CPC. Esta é a linguagem do teatro popular. A verdade não era nunca tergiversada — apenas sua apresentação era simplificada". A direita nos atacava, considerando-nos maniqueístas e colocando a necessidade de haver "neutralidade, isenção, equidistância", pois deveríamos começar a

> nossa purificação simultaneamente: torturados e torturadores devem simultaneamente purificar seus espíritos antes de cada sessão de tortura. Que isto fique bem claro: a linha 'sempre de pé', suas técnicas

específicas, o maniqueísmo e a exortação — tudo isto é válido, atuante e funcional, politicamente correto, para frente etc., etc., etc., etc. Mas, igualmente, não se deve nunca esquecer que o verdadeiro interlocutor deste tipo de teatro é o povo, e o local escolhido para o diálogo deve ser a praça. (Programa, 1968)

A terceira tendência é a que recebe mais crítica, o "tropicalismo chacriniano-dercinesco-neorromântico". Boal aponta uma falta de organização e de metas de suas principais lideranças teóricas e práticas. Dessa forma, muitos falam em seu nome com

> afirmações dúbias do gênero 'nada com mais eficácia política do que a arte pela arte' ou 'a arte solta ou livre poderá vir a ser a coisa mais eficaz do mundo', passando por afirmações grosseiras do tipo 'o espectador reage como indivíduo e não como classe' (fazendo supor que as classes independem dos homens e os homens das classes), até proclamações verdadeiramente canalhas do tipo 'tudo é tropicalismo: o corpo de Guevara morto ou uma barata voando para trás de uma geladeira suja'. (*O Estado de São Paulo*, reportagem "Tropicalismo Não Convence", 30/04/1968) (Programa, 1968)

As afirmações acima são típicas de quem nunca fez teatro popular e na rua. Quem diz ser contra a burguesia, que é a sua única plateia, e pede que esta se liberte por ações individuais — sendo justamente essa a proposta histórica de uma burguesia liberal e que pode, como já ocorreu historicamente, descambar para um reacionarismo. Esse projeto anárquico de vale-tudo foi definido por Boal como retrógrado e antipovo, pois "agride o predicado e não o sujeito" e é "homeopático", submetendo-se às regras da mídia, adaptando-se, e não propondo mudanças. Segundo ele, ataca "somente as aparências e não a essência da sociedade", sendo "tímido e gentil" e conseguindo encantar apenas a burguesia. Seria, ainda, "importado", copiando o que vem de fora sem uma perspectiva crítica: "Esta terceira tendência do teatro brasileiro atual é mais caótica e é, também, aquela que, tendo sua origem na esquerda, mais se aproxima da direita". Boal finaliza sua crítica com "e agora?", deixando explícito que "nenhuma perspectiva de diálogo se abre, principalmente porque não existe língua comum" (Programa, 1968).

Maniqueísta foi a ditadura. Contra ela e contra os seus métodos deve maniqueisticamente levantar-se a arte de esquerda no Brasil. É preciso mostrar a necessidade de transformar a atual sociedade; é necessário mostrar a possibilidade dessa mudança e os meios de mudá-la. E isso deve ser mostrado a quem possa fazê-lo. Basta de criticar as plateias de sábado — deve-se agora buscar o povo [...]. Necessário, agora, é dizer a verdade como é [...]. Isto nós não o conseguimos sozinhos, mas talvez possamos lográ-lo em conjunto. É necessário pesquisar nossa realidade segundo ângulos e perspectivas diversas: aí estará seu movimento. Nós, dramaturgos, compositores, poetas, caricaturistas, fotógrafos, devemos ser simultaneamente testemunhas e parte integrante dessa realidade. Seremos testemunhas na medida em que observarmos a realidade e parte integrante na medida em que formos observados. Esta é a ideia da *1ª Feira paulista de opinião*. O Teatro de Arena de São Paulo sabe ser necessária a superação da atual realidade artística: o simples conhecimento verdadeiro dessa realidade estará criando uma nova realidade. Será um passo muito simples, mas será um passo no sentido certo, no único sentido, pois o único sentido é a verdade. E a verdade será a Feira. (Programa da *1ª Feira paulista de opinião*, 1968)

Capa da revista *aParte*.
Programação visual:
Ricardo Ohtake.

Completando a proposta, Boal responde em entrevista na revista *aParte*:[74]

> APARTE — Qual a ideologia atual que baliza o teatro de vanguarda e o seu programa de ação, em vista do fracasso da ideologia de antes do golpe?
>
> BOAL — Vamos simplificar: em primeiro lugar, a 'ideologia de antes do golpe' não fracassou. Evidentemente não se podia esperar que o teatro de vanguarda derrotasse nas ruas os tanques golpistas. O que fracassou foram as organizações políticas. O teatro mais avançado da época era realizado pelos Centros Populares de Cultura e por algumas companhias que se propunham à popularização. Dezenas de CPCs respondiam quase que imediatamente às variações da política nacional e internacional. Nunca o teatro foi tão contemporâneo dos acontecimentos representados. O *Auto do bloqueio furado*[75] foi representado quando ainda os navios americanos não tinham regressado às suas bases [...]. Eu estou certo de que nunca, em nenhuma parte do mundo, o teatro foi tão guerrilheiro. Nesse tempo, companhias profissionais se deslocavam pelo Brasil, especialmente pelo Nordeste, levando espetáculos nas ruas, circos, igrejas.
>
> [...] Toda esta atividade foi aniquilada. Cada CPC, além do seu trabalho teatral, exercia também uma função cultural mais ampla, incluindo corais, danças e até cursos de alfabetização. Tudo isso foi suprimido. [...] Porém, mesmo sofrendo a mais violenta repressão (houve casos até em que a polícia invadiu teatros e prendeu todo o elenco, como aconteceu com *Arena canta Bahia* e *Tempo de guerra*), o teatro mais esclarecido não se cansou de botar a boca no mundo durante os primeiros anos de ditadura. Sua ideologia podia ser simplificada: 'o bom cabrito é aquele que mais alto berra'. Durante muito tempo, enquanto a maioria guardava cuidadosamente o rabinho entre as pernas, era o teatro o único lugar onde se podia pelo menos ouvir falar em liberdade, em abaixo a

---

74. Revista *aParte*, do Teatro dos Universitários de São Paulo (Tusp), lançada em 1968. Teve dois números (terceiro impedido pela ditadura) e tinha textos estético-políticos revolucionários, tencionando quem não entendia a produção da cultura como questão de classe — fosse a classe burguesa, fosse a "intelectual".
75. Peça do CPC sobre o bloqueio que os EUA fizeram a Cuba, em 1962. Eram escritas rapidamente com material coligido por uma equipe, ensaiadas às vezes horas antes da apresentação. Os temas marcantes sempre mereciam um "Auto", o CPC era quase um jornal. Documento original datilografado por Vianinha em 1962 disponível em: https://cultura emarxismo.files.wordpress.com/2012/03/documento-do-cpc-i.pdf. Acesso em: 25/07/2020.

ditadura, em *'Yankees go home'*, e outras coisas agradáveis [...]. A tática e a programação podem variar, porém o objetivo é sempre o mesmo: exortar, explicar, ensinar, divertir o público no sentido de que se prepare o caminho para uma sociedade sem classes; e o teatro deve utilizar para isso meios artísticos. [...] O ser social condiciona o pensamento estético. (*aParte*, 1968, p. 17)

Boal já tinha se posicionado em relação à armadilha do mercado para os produtos ditos de esquerda, ou seja, toda a possibilidade de fetichismo ao qual esses produtos poderiam ser incorporados — e aceitos como bens de consumo. E propôs, mesmo consciente das diferenças, um esforço conjunto de todos os grupos para incluir o "povo" como "interlocutor" nesse diálogo teatral. Permanecendo crítico, Boal se colocou aberto e em dúvida, buscando possibilidades, sem uma receita pronta e fechada. Ele também falou sobre

Maria Bethania, Boal e Gal Costa em ensaio de "Arena canta Bahia".

os limites da arte e do próprio teatro, que, sem estar conectado ou associado às organizações políticas, não faria as devidas transformações. Expôs, ainda, a prática (que já acontecia) dessa interlocução com o "povo" e até mesmo de algumas mudanças feitas, quando necessário, para que fosse possível dar conta das diferentes realidades, incluindo a proposta concreta dos CPCs como uma possibilidade. Essa prática de agitação e propaganda nas intervenções — como nos "Autos do CPC" —, que Vianinha chamava de "jornal vivo", continuou sendo realizada por Boal. Quando estava no CTO, participei de vários momentos da campanha de Boal para vereador, durante o seu mandato pelo Partido dos Trabalhadores (1993 a 1996), e em outras campanhas de esquerda. Essa ação direta no período do mandato foi batizada de "incêndio". Havia a urgência de que precisava ser feita uma peça, que poderia ser uma ação pontual antirracista, uma manifestação no Dia Internacional das Mulheres, ou uma greve geral: era nosso momento "pastelaria".[76] O elenco do CTO e Boal se juntavam, criávamos cenas rápidas, sem muitas palavras, mas com imagens e músicas próprias ou paródias no melhor estilo agitprop, pois na maioria das vezes as apresentações eram nas ruas. Continuo esse trabalho hoje na ETP, atuando em várias manifestações. Nas eleições de 2022 nossos grupos foram para a rua e fizemos muita arte contra o fascismo.

Boal já denunciava que uma proposta mais popular não seria considerada teatro — como ainda é hoje —, o que fez com que o debate artístico criasse um paralelo com a frase de Marx, trazendo a reflexão de que o ser social também condiciona o pensamento estético. Muitas vezes, isso é negligenciado pela própria esquerda, pois mesmo esta não está imune a ter uma concepção de estética burguesa.[77] E podemos entender esse aspecto estético de maneira ampla, não só no sentido do "gosto" dos produtos artísticos, mas da própria

---

76. "A verdade é que, de dezembro de 1961 a março de 1964, em muitos momentos especialmente urgentes e conturbados da vida política brasileira [...] o Centro Popular de Cultura se transformou, em muitas ocasiões, nessa espécie de pastelaria de dramaturgia e espetáculos. Nessa época assumia integralmente, com plena consciência de sua necessidade e limites, uma tarefa de agitação e propaganda deliberadamente circunstancial. E sem medo de um inevitável esquematismo: o objetivo não era substituir o imprescindível comício ou a passeata, mas sim ajudar com o espetáculo teatral — geralmente a sátira de efeito imediato —, contribuindo, graças ao quase improvisado trabalho histriônico dos atores, como urgente elemento lúdico e participante" (Peixoto, 1989, p. 9).
77. Um exemplo é o debate que Piscator e Brecht tiveram de enfrentar entre os grupos de esquerda nos EUA sobre suas montagens.

visão de mundo em outras áreas. Seria como quando uma sociedade define que o patriarcado é o correto e o homem é superior à mulher; mesmo que não "abertamente" mas concretamente ao aceitar que um homem ganhe mais que uma mulher pelo mesmo trabalho; ou ao defender uma sexualidade heteronormativa, dizendo que pessoas homoafetivas são anormais ao não reconhecer suas relações; ou que uma raça é mais bela que a outra ao só vermos brancos na TV; ou na economia, que o certo é conter despesas sociais e pagar juros dos bancos e qualquer proposta diferente o mercado fica "nervoso". Esses valores e ações, portanto, acabam virando o normal, o correto, o dito universal na forma de ser, imaginar e até sonhar, visto serem estes os únicos referenciais aceitos.

O momento é de crise política e estética. Se a proposta apontada era a possibilidade de um trabalho coletivo — trabalhadores da cultura e movimentos sociais —, esta estava barrada pela ação da ditadura. O que fazer? Os dilemas sobre a ação dos intelectuais pequenos burgueses, como Boal, naquele momento, também eram questionados, assim como seus limites e possibilidades. Não à toa a revista *aParte*, no mês de estreia da *Feira*, apresentou na abertura de seu segundo número o texto *Propostas sobre a crítica e a produção artística,* assinado pelo Teatro Universitário de São Paulo (Tusp):

> 'Os intelectuais devem se suicidar enquanto categoria social'. Para tal é preciso muito mais que cantar ou agredir simbolicamente a burguesia. O papel dos intelectuais no processo revolucionário é o de se integrar plenamente nessa luta. 'E chega um momento como hoje, em que é necessário aprender da e na luta revolucionária'. Como disse alguém, 'somos todos alunos da revolução' [...]. Deixemos a questão apenas levantada e a resposta apenas indicada: 'o intelectual deve se suicidar como categoria social, para renascer como revolucionário'. (aParte, 1968a, p. 3)

Em 1966, num texto clássico (*A arma da teoria*) de Amílcar Cabral, revolucionário marxista de Guiné-Bissau, lemos:

> para desempenhar cabalmente o papel que lhe cabe na luta de libertação nacional, *a pequena burguesia revolucionária deve ser capaz de suicidar-se como classe*, para ressuscitar na condição de trabalhador revolucionário, inteiramente identificado com as aspirações mais

profundas do povo a que pertence. *Essa alternativa* — trair a revolução ou suicidar-se como classe — *constitui o dilema da pequena burguesia no quadro geral da luta de libertação nacional!* (Cabral, 1976, p. 213)

As referências a Amílcar Cabral foram apontadas também por Sérgio Ferro, diretor do primeiro número da revista *aParte*: "É provável sim, na época líamos muito Amílcar Cabral, bem como Franz Fanon"[78] — que este, também como Boal (nessa época já na ALN), não acreditava num papel transformador da burguesia nacional. A questão da luta armada está posta. Os atores da *Feira* se armaram, visando se proteger de ações do Comando de Caça aos Comunistas (CCC), dos paramilitares e da própria polícia.

> Nós nos perguntávamos para que existíamos. Serviríamos para alguma coisa, suaves artistas, naquele tempo de guerra? Questionávamos nossa arte, a função na sociedade, identidade, nossas vidas. [...] No nosso teatro jogaram bomba de gás sulfuroso [...]. No Arena, raptaram Norma Bengell [...] ao sair de cena [...] havia sido sequestrada pelo exército. A partir desse dia, Norma só sai [...] acompanhada por dois seguranças de elite: Mauricio Segall e eu. A mão no bolso da japona, dedo no gatilho. [...] o elenco da *Feira* passou a acrescentar um aquecimento a mais, antes de entrar em cena: descíamos ao porão, tiro ao alvo. Já que estávamos armados, melhor aprender a usar nossas armas. Em cena, atores trabalhavam com o dedo no gatilho — literalmente!! [...] Quando se aproximava o fim do espetáculo, é normal que atores se preparassem para os aplausos. Nós, nervosos, para a invasão [...]. Nós em linha frontal, revólveres e fuzil apontados para a sala [...] caso espectadores avançassem armados contra a cena. Seria o momento de levantar o pano, apontar armas [...]. Quando a *Feira* foi para o Rio de janeiro, pessoas na plateia, assustadas com um objeto rolando no chão, deram gritos, provocando a interrupção do espetáculo, luzes acendidas. Fomos ver: uma granada tinha sido atirada contra o palco. Felizmente *made in Brazil*, não explodiu. Mas imaginem se fosse tchecoslovaca?! A granada foi fotografada e a foto divulgada pelos jornais com a face que expunha seu número e origem: a Marinha Nacional. (Boal, 2000, p. 255-258)

---

78. Consulta a Sérgio Ferro via sua companheira, Ediane Lobão Ferro.

> Hoje, ser 'violento' ou um 'terrorista' é uma qualidade que enobrece qualquer pessoa honrada, porque é um ato digno de um revolucionário engajado na luta armada contra a vergonhosa ditadura militar e suas atrocidades. (Marighella, 2003, p. 3)

> A razão para a existência do guerrilheiro urbano, a condição básica para qual atua e sobrevive, é o de atirar. O guerrilheiro urbano tem que saber disparar bem porque é requerido por este tipo de combate. (Marighella, 2003, p. 13)

> Os fatos dispensam-nos de usar palavras para provar que o instrumento essencial da dominação imperialista é a violência.[79] Ninguém duvida de que, sejam quais forem as suas características locais, a dominação imperialista implica um estado de permanente violência contra as forças nacionalistas. Não há povo no mundo que, tendo sido submetido ao jugo imperialista (colonialista ou neocolonialista), tenha conquistado a sua independência (nominal ou efetiva) sem vítimas; o que importa é determinar quais as formas de violência que vêm a ser utilizadas pelas forças de libertação nacional, para não só responderem à violência do imperialismo, mas também para garantirem, através da luta, a vitória final da sua causa, isto é, a verdadeira independência nacional! [...] a via normal da libertação nacional, imposta aos povos pela repressão imperialista, é a luta armada. (Cabral, 1976, p. 211)

> Líamos Franz Fanon, *Os condenados da terra* e *Psicologia do torturador*, os africanos que eram a favor das lutas de independência — Moçambique, Angola e outras —; do Vietnã, Ho Chi Min; tudo do Mao-Tse Tung; discursos do Tito da Iugoslávia; Togliatti, do PC italiano, fazendo críticas ao Krushchov; os clássicos do marxismo, a obra do Trotsky era vetada; toda a obra do Lenin, do Marx e do Engels, lido e discutido. *O capital,* havia grupos de estudo. Éramos estudantes base do PCB, mas já críticos, tanto que depois do golpe rompi com o partido. (Cecilia Coimbra, entrevista ao autor, fevereiro de 2021)

A luta contra a burguesia dos países subdesenvolvidos está longe de ser uma posição teórica. Não se trata de decifrar a condenação lançada contra ela pelo julgamento da história. Não basta combater a burguesia

---

79. "Em 1965, o governo dos Estados Unidos ajudou o Exército indonésio a matar aproximadamente 1 milhão de civis inocentes — eliminando o maior partido comunista fora da China e da União Soviética e inspirando outros programas de terror semelhantes na Ásia, África e América Latina" (Bevins, 2022).

nacional nos países subdesenvolvidos porque ela ameaça frear o desenvolvimento global e harmonioso da nação. É preciso opor-se resolutamente a ela porque a rigor ela não serve para nada. Essa burguesia, medíocre em seus ganhos, em suas realizações, em seu pensamento, procura esconder a mediocridade sob as construções de prestígio em escala individual, sob os cromos dos carros americanos, as férias na Riviera, os *weekends* nas boates neonizadas. (Fanon, 1968, p. 145)

Chamamento ao Povo Brasileiro. Fevereiro de 1968.

De algum lugar do Brasil me dirijo à opinião pública, especialmente aos operários, agricultores pobres, estudantes, professores, jornalistas e intelectuais, padres e bispos, aos jovens e à mulher brasileira. Os militares tomaram o poder pela violência em 1964 e foram eles mesmos que abriram o caminho à subversão. [...] Não derrubaremos a ditadura por meio de quarteladas, nem de eleições, redemocratizações ou outras panaceias da oposição burguesa consentida [...]. Não cremos na solução pacífica. As condições para violência nada têm de artificiais e estão criadas no Brasil desde que a ditadura se impôs pela força. Violência contra violência. E a única saída é fazer o que estamos fazendo: utilizar violência contra os que tiveram a primazia em usá-la para prejudicar os interesses da pátria e das massas populares. [...] A iniciativa revolucionária está em nossas mãos. Já passamos à ação. (Marighella, 2019, p. 257)

Na peça de Boal na *Feira, A lua muito pequena e a caminhada perigosa*, o Sistema Curinga ainda está presente. Boal a define como "colagem, Brasil 1968", e mais uma vez usa elementos da realidade, como uma proposta de Teatro Documentário, como um ensaio do futuro Teatro Jornal. A peça abre com o poema *Tonada de Manuel Rodrigues*,[80] de Pablo Neruda, continua com trechos do *Diário de Che Guevara na Bolívia*, e termina com um texto de Júlio Cortázar em homenagem a Che Guevara — Boal faz colagem de vários textos do Che. A proposta da luta armada é bem explícita.

---

80. Guerrilheiro chileno que libertou o Chile com San Martín. O poema está no livro de Pablo Neruda *Canto geral*.

ANTONIO RODRIGUEZ FLORES — Comandante: é certo que existem duas posições válidas diante da luta de libertação dos povos. Existem aqueles que creem na luta armada. Existem aqueles que acreditam na coexistência pacífica entre as nações, entre as classes e entre os homens desiguais: Comandante, será necessário luta armada?

COMANDANTE — Não há um só exemplo na história de uma classe dominante que tenha abdicado graciosamente do poder. (Boal *et al.*, 2016, p. 183)

COMANDANTE — É preciso levantar em armas dois, três, muitos pequenos povos que lutem.[81] É preciso forçar o inimigo a lutar em lugares onde seus hábitos de vida se choquem com a realidade imperante. O país inimigo do gênero humano [Che, 1967, p. 44] consegue dominar a humanidade menos pela força enorme que possui do que pelo medo que sentimos. Se nós conseguirmos vencer o nosso próprio medo, conseguiremos vencer o inimigo. (Boal *et al.*, 2016, p. 193)

As alusões a Amílcar Cabral e Franz Fanon também estão presentes em outro grande parceiro e influenciador de Boal na construção do Teatro do Oprimido: Paulo Freire. Em seus livros *Cartas a Guiné-Bissau — registros de uma experiência em processo*, *Pedagogia do oprimido* e *Pedagogia da esperança*, o educador usa conceitos dos dois e mostra enorme admiração por estes revolucionários marxistas — apontando, inclusive, o desejo de fazer um livro sobre Amílcar Cabral. "Nasceu daí precisamente o sonho de fazer um estudo, uma espécie de biografia da práxis. Eu cheguei até a ter o nome do livro que eu quis escrever, que não pude escrever, que se chamaria *Amílcar Cabral, pedagogo da revolução*" (Freire, 2009).

Boal está impregnando e sendo impregnado por todo esse debate que mostra uma realidade não só brasileira, mas de lutas em toda a América Latina, Ásia e África nos anos de 1960 e 1970. Eram presentes, também, os temas da luta armada, do colonialismo, dos limites e contradições entre opressor e oprimido, da libertação, do conceito de violência, do agir ético do militante e seus conflitos. Nesse período, os autores citados (e muitos

---

81. Assim como no texto do programa, Boal faz uma referência explícita ao discurso de Che Guevara (1967) *Mensagem aos povos do mundo através da Tricontinental*, que diz na abertura: "Criar dois, três... muitos Vietnãs é a palavra de ordem".

outros) estão também vivendo realidades revolucionárias e/ou de repressão que impõem uma necessidade urgente de aprender e pôr em prática o aprendido, democratizando-o. Fazer no mundo e com o mundo, tendo o oprimido como protagonista, construindo sua própria história e buscando valorizar os processos de estar sendo, os seus devires. Por meio do teatro, que é a arma que Boal tem, pode-se realizar essas ações não de forma isolada e impositiva, mas dialogando e problematizando com os oprimidos — sob uma ditadura que se fechava cada vez mais. Qual a forma de teatro a ser utilizada? Boal, que estava sempre se refazendo dialeticamente, tem na *Feira* um ponto ápice de crise em relação ao que tinha feito e vinha fazendo, e o texto do programa (1968) expõe isso de forma aberta e militante. Esse esforço da *Feira* produziu atos de desobediência civil dos trabalhadores da cultura e algumas ações de resistência, mas as coisas ficariam ainda pior: em 13 de dezembro de 1968 foi instaurado o AI-5.

Uma possibilidade de romper com a engrenagem: Teatro Jornal

A sociedade buscava responder à repressão e se organizava de diferentes formas. Em 26 de junho de 1968, no Rio de Janeiro, aconteceu a passeata dos 100 mil, com a participação de vários movimentos, artistas e intelectuais. No Congresso Nacional o deputado Márcio Moreira Alves fez um discurso pedindo boicote ao desfile de 7 de setembro e ao militarismo. Em 13 de dezembro foi decretado o Ato Institucional n. 5, para acabar com o pouco que sobrava do Estado de Direito. O general presidente Artur da Costa e Silva fechou o Congresso Nacional, com o poder de fechar as Assembleias Estaduais e as Câmaras Municipais e afastar ministros do Supremo Tribunal Federal.

> O Teatro Jornal é a primeira modalidade de teatro de agitação e propaganda. [...] Tudo o que significa o *agitprop* está conformado no Teatro Jornal. As outras modalidades nós podemos considerar diferentes tipos de variante. Seu objetivo está dado, é uma intervenção — uma intervenção que tem como objetivo informar e promover questões políticas. Agitação e propaganda, tudo ao mesmo tempo — daí a palavra *agitprop*. (Costa, 2012; Lima, 2012, p. 12)

> Na base, todo militante, não importa se da frente de guerra ou do setor de abastecimento, pode ser visto como um agitador. [...] Ao teatro é atribuído um papel importante, compreensível num país onde a tradição dos espetáculos populares era forte [...] e devido ao analfabetismo das massas. [...] a ROSTA (Agência Telegráfica Russa, criada em 7 de setembro de 1918) encontrou uma série de substitutos para a imprensa: o Jornal Vivo das leituras públicas; o Jornal Mural manuscrito,

arena BR DFANBSB NS.CPR.TEA.PTE.2\SS p 8
sociedade cultural teatro de arena de são paulo

"TEATRO JORNAL: Primeira Edição" - show

O "Teatro-Jornal" é um show sem texto. Consiste apenas em ler notícias de jornal, anúncios, publicidade, etc., de nove maneiras diferentes:

1. Leitura simples, sem acrescentar nada;
2. Dramatização;
3. Leitura com ritmo: tango, samba de morro, bossa nova, etc.;
4. Leitura acompanhada de mímica;
5. Jingles publicitários;
6. Noticiario simultaneo;
7. Histórico;
8. Reportagem;
9. Figuração concreta da notícia.

O Teatro Jornal é um show jogo de salão. No Brasil, o futebol é um esporte extremamente popular porque na plateia todo mundo sabe jogar futebol. O teatro não é popular, porque na plateia quase ninguém sabe fazer teatro. O objetivo do Teatro Jornal é mostrar que, da mesma forma que ninguém precisa ser atleta para jogar futebol, também assim ninguém precisa ser artista para fazer teatro. Por isso, o Teatro Jornal apresenta formas simples de fazer teatro, que podem ser utilizadas por pessoas sem nenhuma habilidade especial, e na forma de jogos de salão.

Texto da peça *Teatro-Jornal*, 1ª edição, entregue à censura. Em sua primeira página apresentava as nove técnicas usadas e introduz um dos principais pontos do Teatro do Oprimido, que afirma que "qualquer pessoa pode fazer teatro - até mesmo os atores. O Teatro pode ser feito em todos os lugares, até mesmo dentro dos teatros". A peça é liberada, mas no parecer da censura tem algumas pérolas como "Cenas: condicionadas a ensaio", "Valor educativo: Nenhum" e "Conclusão: com a eliminação da expressão 'lamento de cornudo', na 1ª pág. e a frase 'Notícia da mulher que dava em benefício do marido' na pág. 2 poderá ser apresentada a qualquer público". Depois acaba sendo liberada para 18 anos. Sobre a necessidade de ensaios Boal contava que quando o censor foi assistir ao ensaio, ele pediu aos atores e a músicos para errarem, gaguejarem, desafinarem, fazer tudo errado. Assim o censor fica ligado na má qualidade artística e não percebe o potencial político. Ao final Boal disse que o censor sai as pressas e diz "tá aprovado, mas pelo amor de deus, vê se ensaiam mais." (depoimento ao autor). ARQUIVO NACIONAL desenhado ou pintado, inaugurado em Moscou em 28 de outubro de 1918, que um ano depois produziu as famosas 'janelas de sátira', cartazes colados em vitrines vazias por Maiakovski; e, finalmente, o Teatro Jornal, notícias propriamente encenadas, que se tornou uma das especialidades das trupes de agitação, especialmente o primeiro Teatro de Sátira Revolucionária (Terevsat), criado em Vitebsk pela seção local da Rosta em novembro de 1919. (Morel, 2015, p. 14)

O TEREVSAT foi uma criação do diretor do ROSTA em Vitebsk, Mikhail Pustynin .. A ideia de Pustynin de que as notícias poderiam ser tornadas mais acessíveis através da dramatização levou à concretização do Jornal Vivo. Pustynin, um poeta que mais tarde trabalhou com o Blusas Azuis[82] e ... foi apoiado (por), N.P. Abramsky, pelo secretário local do Sindicato dos Trabalhadores de Arte, A.A. Goldman, pelo artista Marc Chagall, que era diretor do Instituto de Arte de Vitebsk, e pelo diretor do teatro local, Alexander Sumarokov. Um ex-ator do Espelho Distorcido de Evreinov, Mikhail Razumny, tornou-se diretor do grupo e a sua primeira atuação teve lugar a 7 de fevereiro de 1919. Começa com uma canção, "A Marcha do TEREVSAT", cantada por todos os intérpretes numa melodia de opereta cativante, acompanhada ao acordeão. (Leach, 2005,p. 77)

---

82. BLUSAS AZUIS- Foi o maior e mais famoso coletivo de Agitprop da URSS. Criado por Boris Yuzhanin com a ajuda do Instituto de Jornalismo de Moscovo em 1923. Trabalhavam muito com Teatro-Jornal. Em cinco anos se multiplicaram e chegaram a ter sete mil grupos na URSS, profissionais e amadores, totalizando mais de 100.000 pessoas. O nome vem da cor do uniforme dos operários. O grupo fazia recitações colectivas, paródias, canções populares e danças desportivas, poesia artística de propaganda, discursos corais e outras formas populares. Normalmente, as actuações começavam com uma marcha - desfile (entrada). Atuavam com os trabalhadores em clubes e fábricas. Viajaram para a Alemanha, Polónia, Escandinávia e China, influenciando o movimento teatral em diferentes países. Artistas como Vladimir Mayakovsky, Osip Brik, Sergey Yutkevich, Vasili Lebedev-Kumaç e Sergey Tretyakov escrevem obras para o coletivo Camisa Azul; o coreógrafo Nikolay Foregger e a pintora e figurinista de vanguarda Nina Aizenberg juntam-se às camisas azuis. O coletivo também contou com o apoio de Lunacharsky, atraiu a vanguarda da época e os artistas de variedades de Moscou A organização das companhias Camisa Azul não se baseia na divisão do trabalho nos teatros clássicos; Cada 'Camisa Azul' é visto como responsável por toda a performance: iluminador, cantor, maquiador, dançarino, etc. Assim como nos coletivos de Teatro do Oprimido. Mais informações livro Agitprop: Cultura e Política. ESTEVAM, Douglas; VILLAS BOAS, Rafael; e COSTA, Iná Camargo. Expressão Popular.

Cartaz publicitário e cromolitografia do Coletivo Blusas Azuis de Moscou, de 1929.
BIBLIOTECA NACIONAL RUSSA.

O Teatro de Arena pode ser considerado uma das primeiras tentativas de fazer teatro moderno sem um mecenas, ou seja, sem um capitalista pronto para investir dinheiro na empreitada. Era um grupo com uma proposta diferente, não só no conteúdo, mas na forma de fazer arte: repertório, direção, divisão de funções e de finanças, democratização dos personagens, seminários de interpretação e de dramaturgia etc. O grupo tinha uma lógica permanente de trabalho coletivo, assim como Piscator propunha em 1920:

> O teatro proletário deve cumprir duas funções principais: uma se refere ao fato de que como empresa deve romper com as tradições capitalistas e criar uma relação de igual condição entre a direção, os atores, os cenógrafos e todos os trabalhadores técnicos e comerciais, assim como entre esse conjunto e os consumidores (quer dizer, os espectadores) e de igual modo deve fomentar o interesse comum e uma vontade de trabalho coletivo. (Piscator, 2013, p. 54)

Dentro de uma sociedade capitalista sem a conjuntura de transformações sociais, políticas e culturais da época e disputando sozinho no mercado teatral, o Teatro de Arena não duraria muito. Contudo, os debates políticos e culturais no espaço e as experimentações e descobertas de diferentes formas e conteúdos de produção e de criação artística tiveram um papel fundamental nesse devir revolucionário teatral. Esse processo do desenvolvimento estético desigual e combinado reafirma a suprassunção (*Aufheben*) do Teatro de Arena na busca por realizar um teatro crítico, tentando romper com a engrenagem na qual a arte também é mercadoria.

> Nenhuma produção é possível sem trabalho passado, acumulado, mesmo sendo este trabalho apenas a destreza acumulada e concentrada na mão do selvagem pelo exercício repetido. O capital, entre outras coisas, é também instrumento de produção, também trabalho passado, objetivado. (Marx, 2011, p. 41)

Esse acúmulo de experimentações permitiu que o Arena criasse novos processos e produtos a partir do trabalho realizado, mas os produtos eram consumidos e referendados por um público de "esquerda", composto por estudantes, intelectuais e classe média progressista. Isso não foi suficiente para alterar a engrenagem e, muito menos, as relações de força da sociedade.

Se somente um grupo de teatro (ou até mesmo vários) estivesse envolvido nesse processo, como aponta na proposta da *Feira paulista de opinião*, não seria suficiente para responder a uma estrutura capitalista e, principalmente, repressora da ditadura pós-AI-5.

Como fazer para que os espetáculos e o trabalho do Arena não se tornassem apenas mais uma mercadoria? Roberto Schwarz (2017), em seu artigo sobre o seminário de *O capital*, afirma que este permitiu que se enxergasse e se estudasse uma perspectiva das propostas de Marx para um país da periferia. Entretanto, uma das críticas que Schwarz (1999, p. 103) faz é, justamente, ao insuficiente debate sobre o fetichismo da mercadoria. Como radicalizar essa crítica? Sabe-se que não basta apenas fazer uma obra com conteúdo de esquerda, pois conteúdo e forma estão conectados e integrados de modo que a própria forma define os objetivos de uma proposta ser contra a engrenagem ou somente reformista.

> Temos que transformar integralmente o teatro, portanto não somente o texto, ou o ator, ou mesmo a totalidade do espaço cênico. Também temos que incluir o espectador, cuja atitude tem que ser modificada. (Brecht, 1999, p. 163)

Essa busca era permanente no Arena, assim como vários teóricos do marxismo enfrentaram o mesmo debate: Brecht, Lukács, Walter Benjamin, Sergei Tretiakov entre outros. O artigo *O escritor e a vila socialista* (Tretiakov, 2006), escrito com base nas experiências do *kolkhoz*, foi apresentado em Berlim em 21 de janeiro de 1931. O material causou grande impacto. Benjamin respondeu com o ensaio *Autor como produtor* (1994), de 1934, no qual diferencia alguns tipos de escritores. Para ele, não bastaria escrever um romance progressista, de "tese" (panfletário), pois para se considerar um revolucionário era preciso uma prática revolucionária, militante, e realizar tarefas políticas, não sendo apenas mais um intelectual. Estes que se solidarizam apenas no campo das ideias seriam os "escritores rotineiros", que, além de não quebrarem a lógica da produção burguesa, não estão dispostos a passar os meios de produção para os oprimidos. Para Benjamin, o papel da revolução não seria criar novos clássicos e grandes romances, o mais importante seria democratizar os meios de produção, o conhecimento de como fazer. Assim, todos os oprimidos poderiam mostrar a sua própria capacidade de escrever.

A tendência política, por mais revolucionária que pareça, está condenada a funcionar de modo contrarrevolucionário enquanto o escritor permanecer solidário com o proletariado somente ao nível de suas convicções e não na qualidade de produtor. (Benjamin, 1994, p. 131)

Em seu artigo, Tretiakov debate não só o fazer artístico, mas como e com quem fazê-lo. Não se pode tirar uma temática da cabeça e depois tentar materializá-la. A criação tem de partir da realidade e da luta concreta. A vida de cada pessoa está repleta de possíveis livros a serem escritos, o desafio é como pari-los. A revolução deve parir escritores além dos ditos profissionais, é a "desprofissionalização da literatura". Deve-se buscar a democratização da capacidade de escrever e romper com a lógica desta ser uma habilidade individual, tornando-a uma "propriedade da educação pública. Ao incorporar-se

Foto em Moscou, anos 1930. Na foto Brecht juntamente com Asja Lācis (militante intelectual e comunista, diretora de teatro, ensaísta, feminista, criadora do Teatro Proletário para Crianças que trabalhou com Brecht e Piscator), Bernhard Reich (compaheiro de Asja Lācis), Erwin Piscator, Sergey Tretyakov, Gordon Craig (ator e diretor inglês), Dagmāra Ķimele (filha de Asja Lācis), Slatan Dudow (cineasta e diretor de Kuhle Wampe), Semjon Kirsanov (poeta) e Maria Kerzhentseva. AKADEMIE DER KÜNSTE, BERLIM, BERTOLT-BRECHT-ARCHIV, FOTOARCHIV 6/135.

aos processos econômicos, o escritor deixa de estar confinado a uma guilda. Entrando em brigadas coletivas operativas, ele se separa dos fetichistas do trabalho artesanal individual" (Tretiakov, 2006. p. 63-70).

Boal transita por essa linha de raciocínio ao pensar a questão crítica não só do ponto de vista ideológico, mas como as obras são produzidas, conforme apontam Benjamin, Canclini, Tretiakov, Piscator e Brecht. Assim, ele estrutura uma proposta periférica-marxista ao apontar que o capitalismo se apropria, prioritariamente e de maneira total, dos meios de produção artística e nos aliena desse capital, um "capital artístico".

> A nossa libertação cultural não é 'nacional'. Não é a totalidade da nação que se liberta da cultura importada. A nossa libertação cultural coincide com nossa libertação popular. O povo (as classes trabalhadoras e os grupos sociais que a elas se associam) necessita criar a sua própria cultura. [...] Os artistas produzem e os espectadores consomem: esta é uma visão nitidamente burguesa que tem de ser eliminada. 'Os espectadores devem também ser produtores'. O verdadeiro artista popular é o que, além de saber produzir arte, deve saber ensinar o povo a produzi-la. Não é o produto acabado que deve ser popularizado, mas sim os meios de produção. (Boal, 1988, p. 93)

Pode-se dizer que, até antes da influência da infraestrutura, as próprias relações de consumo e a produção cultural, que acontecem desde a infância em um processo de permanente formação, tornam-se mercadorias a serviço do capital. O trabalho cultural dominante não é neutro, mas tem uma proposta política e ideológica muito explícita a serviço da manutenção de uma estrutura opressora, da engrenagem. Dessa maneira, Boal se aproxima de marxistas que não têm uma visão economicista, porém consideram as transformações culturais e econômicas como resultado de um processo histórico, não havendo uma hierarquia mecânica entre elas, e, sim, uma relação dialética.

> É pela posse da Palavra, da Imagem e do Som que os opressores oprimem, antes que o façam pelo dinheiro e pelas armas. Temos de reagir contra todas as formas de opressão. Essa luta deve-se dar, também, nesses três importantes campos de batalha do Pensamento Sensível. Temos que reconquistar a Palavra, a Imagem e o Som. (Boal, 2009, p. 40)

O desafio, portanto, era buscar uma forma que pudesse atender a uma conjuntura cada vez mais repressiva, na qual perseguições, torturas, mortes, fechamento de espaços e censura eram constantes. O Teatro de Arena se encontrava em uma situação de não saber o que fazer e uma crise poderia provocar a busca de experimentações — como afirma a máxima Brecht "não partir do antigo bom, mas do novo ruim" (Benjamin, 2017, p. 121). Outro ponto problematizado por Brecht é quanto ao artista manter a mesma forma para um mundo em transformação, tornando-se um formalista, preso a uma prática que não dá mais conta da realidade.

> Se queremos falar ao povo, temos de ser entendidos pelo povo. Mas também isto não é uma simples questão de forma. O povo não entende apenas as formas do passado. Marx, Engels e Lenin recorreram a formas muito novas para revelarem ao povo a causalidade social. [...] Lenin falou não só de coisas diferentes, mas também de forma diferente. O que ele queria não era falar na forma antiga, nem também numa forma nova. Ele falou de forma adequada. [...] Temos de empreender a luta contra o formalismo como realistas e como socialistas. (Depoimento de Bertold Brecht *apud* Machado, 1996, p. 292)

> Já durante *Tiradentes* as coisas não estavam bem paradas. Começamos a divergir! Já estávamos sofrendo um pouco com todo o processo político e começou-se a pensar em fazer um teatro que atuasse mais. Então, é criado o Núcleo Dois do Arena, e o Boal propõe o Teatro Jornal. Com isso, no próprio elenco começa a surgir uma divisão de conceitos. Havia, de um lado, a acusação de desvio formalista. (Depoimento de Gianfrancesco Guarnieri *apud* Khoury, 1983, p. 49)

Boal sempre se preocupou com o sistema produtivo que foi sendo construído nesse processo do Arena, em paralelo com a realidade. Havia uma preocupação com a renovação formal não somente da parte de Brecht, Piscator, Tretiakov e Boal, bem como de todo artista revolucionário. Eles não pretendiam ficar parados no tempo, buscavam se atualizar permanentemente e enxergavam a forma vinculada à sua significação histórico-social — a forma, basicamente, como a estrutura, o gênero, e não o conjunto de artifícios estilísticos ou decorativos mobilizados por uma subjetividade isolada. Era preciso criar uma nova estrutura. As formas são as estruturas pelas quais a nossa sociabilidade tem de acontecer, são as canalizações por onde fluem as relações sociais. Nesse processo, a forma tem uma conexão dialética fundamental com o conteúdo. A questão não é um renovar por renovar, sem uma significação, sem um objetivo popular e transformador conectado com as lutas de classes.

A possibilidade do Teatro Jornal já estava presente há alguns anos e se apresenta, agora, nessa nova conjuntura. É importante observar como se chega à técnica do *agitprop* usado na Revolução Soviética e na Alemanha dos anos 1920 — também feito por Jacob Levy Moreno pós-1921, em Viena, e, depois, nos Estados Unidos dos anos 1930, como Living Newspaper.

> Tentei em primeiro lugar o Jornal Vivo. Trata-se de uma síntese entre teatro e jornal, completamente diferente, porém, da tradição russa e medieval de um jornal oral e falado. O 'jornal dramatizado' não é uma locução: é a vida, ela própria, que é encenada'. (Moreno, 1973, p. 14)

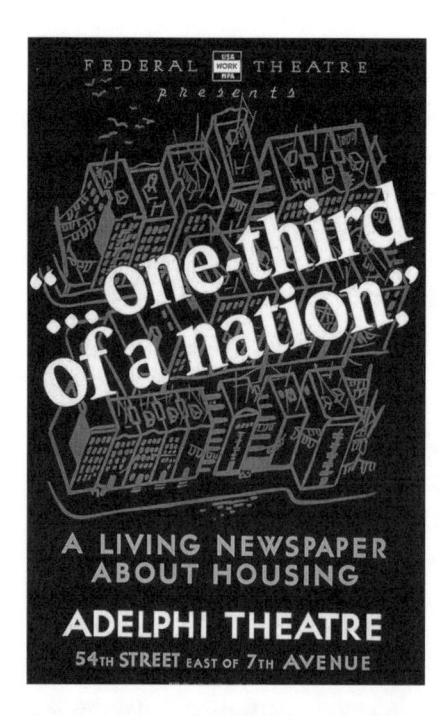

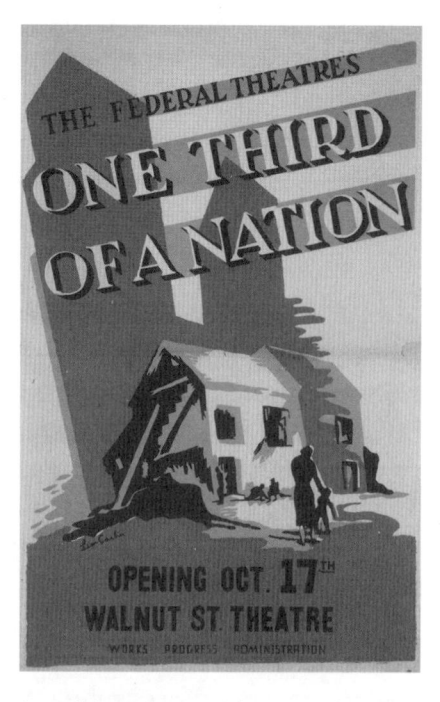

Cartazes da peça *One-third of a nation* (*Um terço da nação*), escrita por Arthur Arent, de 1938, que falava sobre o problema de moradia nos EUA realizada pelo Federal Theatre Project.

O jornal possui uma afinidade natural com a forma de teatro espontâneo, [...] por exemplo os acontecimentos sociais e culturais sempre novos e variados que chegam, de momento a momento numa redação de jornal. Neste sentido o jornal vivo não era somente teatral, mas, sobretudo, sociodramático. (Moreno, 1997, p. 416)

Esta foi uma das técnicas citadas por John Gassner em artigo publicado no livro *European theories of drama* (1947), que atraiu Boal a estudar com ele em Nova York, e em outros escritos, como o livro *Producing the play* [*Produzindo uma peça*] e o panfleto *Human relations in the theatre* [*Relações humanas no teatro*].

A variante do 'épico' conhecido como 'jornal vivo' já provou sua potência em peças como *Poder* (*Power*) e *Um terço de uma nação* (*One third nation*). Deve ser distinguido dos tipos descritos acima em sua forma completamente documental e expositiva. Não dramatiza a experiência de um indivíduo ou uma história pessoal, mas uma situação geral como a história da habitação ou os problemas dos serviços públicos neste país. (Gassner, 1948, p. 67)

Jornais vivos para a comunidade: as revistas musicais que montam podem facilmente acomodar uma ou duas esquetes que satirizam o preconceito [...]. Acima de tudo, podemos nos beneficiar do exemplo do 'Federal Theatre Project-FTP' [Projeto de Teatro Federal] na década de 1930, quando seus membros reuniram 'jornais vivos' sobre uma variedade de tópicos, como a luta contra doenças venéreas e os problemas impostos pela agricultura, as concessionárias de energia e a moradia nas favelas [...]. Consistindo em breves episódios, documentados com estatísticas e animados com humor e caricatura, esse amálgama de drama e alto grau de jornalismo provou ser instrutivo e divertido. O 'jornal vivo' é uma forma em que o empreendimento coletivo é uma necessidade primordial. [...] Uma maneira melhor de envolver uma comunidade ou escola tanto emocional quanto intelectualmente em um empreendimento comum dificilmente pode ser concebida. (Gassner, 1949, p. 38)

Com isso, Boal recorreu a uma proposta antiga, a fim de usá-la de forma nova em uma conjuntura de grande tensão política, pós-golpe empresarial-militar. Essa proposta completou o processo de rompimento com a engrenagem, pois deu continuidade a todos os questionamentos que já estavam acontecendo desde a formação do Arena — sobre quem poderia ser ator e autor; sobre a própria forma arena de encenar; e onde fazer teatro em busca do "povo": nos sindicatos, nas universidades, no interior e no Nordeste. Um questionamento sobre todo o processo de produção teatral que já estava presente nos debates do CPC e do MCP.

Chega, então, o momento de se abrir mão do poder da palavra, por meio de uma técnica em que não existe um autor: abre-se mão do dramaturgo e, consequentemente, do texto dramatúrgico e se aproveita um texto pronto e conhecido do cotidiano. A experiência da série *Arena conta — Zumbi, Tiradentes, Bahia* e *A lua muito pequena e a caminhada perigosa* — ia nessa direção, ao absorver textos históricos de jornais, teóricos, jurídicos, poesias e músicas, entre outros. Ou seja, fazendo colagens e readaptações, visando a perspectiva do oprimido, como propunha Piscator.

> Colagens de textos, poemas, documentos, etc. [...] cenicamente corporificados. Diversos grupos em toda a América Latina utilizam na preparação de espetáculos de montagem de textos, poemas, documentos, diários, etc., numa técnica bastante simples, aproveitando esse material em forma teatral, como se tivesse sido esse o seu destino específico. [...] Uma das cenas mais contundentes de *Arena conta Zumbi* era a transcrição literal de um diário do capitão João Blaer,[83] que tentou a primeira invasão à República Negra de Palmares, no Brasil, no século XVII. [...] O Teatro de Arena de São Paulo apresentou um espetáculo inteiramente baseado em depoimentos de gente do povo a quem se fazia uma pergunta da conhecida canção popular: 'creem que a Bahia é verdadeiramente a terra da felicidade'?[84] Com as respostas obtidas, estruturadas dramaticamente e acrescidas de colagem de canções, fez-se o espetáculo que tinha, então, um caráter de 'teatro-verdade'. [...] Era quase um documentário ilustrado com as canções. (Boal, 1988, p. 53).

---

83. A fonte é o *Diário da viagem do capitão João Blaer aos Palmares* (1645), que está transcrito na obra *O Quilombo dos Palmares* (Carneiro, 2019, p. 209).
84. *Na baixa do sapateiro*, música de Ary Barroso, conhecida na voz de Dorival Caymmi.

Nas citações já podemos ver o uso e a indicação de técnicas do Teatro Jornal em *Arena conta Zumbi* e em *Arena canta Bahia*. A sistematização das técnicas do Teatro Jornal viria a partir do acúmulo de trabalho político e estético que Boal desenvolvia no Arena, afinal "nenhuma produção é possível sem trabalho passado, acumulado" (Marx, 2011, p. 41). O Sistema Curinga, que foi usado em algumas peças, já estava sendo criticado e revisto. A cada nova peça, Boal o usava cada vez menos. E, para completar essa estrutura de elenco, o Sistema Curinga tem "em caráter permanente uma única estrutura de espetáculo para todas as peças. Este divide-se em sete partes principais: Dedicatória, Explicação, Episódios, Cenas, Comentários, Entrevistas e Exortação" (Boal, 1980, p. 205). Podemos ver fortes elementos épicos na forma como cada uma delas funciona:

> Ao tratar das quatro técnicas agora adotadas — a desvinculação de ator e personagem, os atores agrupados sob a perspectiva de narradores, o ecletismo de gênero e de estilo, e a presença da música —, parece que ele está aplicando, com palavras semelhantes, o *Organon* brechtiano. (Magaldi comenta *Arena conta Tiradentes* apud Magaldi, 1998, p. 127)

Abaixo, texto de Boal sobre os objetivos do Teatro Jornal e as nove técnicas iniciais sistematizadas no Arena e nos anos seguintes foram acrescentadas mais três:

> A forma de Teatro Jornal tem vários objetivos. Primeiro, procura desmistificar a pretensa 'objetividade' do jornalismo: demonstra que uma notícia publicada em um jornal é uma obra de ficção. A importância de uma notícia e o seu próprio caráter dependem de sua relação com o resto do jornal... O Teatro Jornal é a realidade do jornalismo porque apresenta a notícia diretamente ao espectador sem o condicionamento da diagramação... O segundo objetivo é tornar o teatro mais popular. Em geral, quando se pretende popularizar o teatro pretende-se impor ao povo um produto acabado, feito sem a sua participação e, às vezes, sem os seus pontos de vista... O Teatro Jornal, ao contrário, pretende popularizar alguns meios de se fazer teatro — a fim de que o próprio povo deles se possa utilizar para produzir o seu próprio teatro. Mal comparando: se temos rotativas, *não pretendemos fabricar o nosso jornal e popularizá-lo — pretendemos ceder nossas rotativas*. Por isso, nesta

primeira edição os meios são bem simples e o espetáculo pretende ser apenas demonstrativo. Esta é a sua estética: o fino acabamento pertence a outra estética. O terceiro objetivo consiste em demonstrar que o teatro pode ser praticado mesmo por quem não é artista, da mesma maneira que o futebol pode ser praticado mesmo por quem não é atleta... Todo mundo pode fazer teatro como pode participar de uma assembleia e defender seus pontos de vista sem que para isso seja necessário fazer um curso de oratória. E, paralelamente, tudo é passível de um tratamento teatral: notícias de jornal, discursos, *jingles*, livros didáticos, a Bíblia, filmes documentários etc.

1. 'Leitura simples' — A notícia é lida destacando-se do contexto do jornal, da diagramação, que a torna falsa ou tendenciosa;
2. 'Improvisação' — Os atores informam-se da notícia e improvisam uma cena. [...] A notícia serve apenas como vago roteiro [...] pode-se improvisar o que terá acontecido após o fato [...] Ou os motivos;
3. 'Leitura com ritmo' — A notícia é cantada em vez de lida, usando-se o ritmo [...] para transmitir o conteúdo que se deseja: samba, tango [...] que o ritmo funcione como filtro crítico da notícia [...];
4. 'Ação paralela' — A notícia é lida por um ator ou no gravador, enquanto que em cena se desenrolam ações que explicam a notícia ou a que a critiquem;
5. 'Reforço' — a notícia serve de roteiro preenchido com todo tipo de material já conhecido pelo público [...]: *jingles* comerciais, *slides*, propaganda, filmes documentários, frases de anúncios famosos etc.;
6. 'Leitura cruzada' — Duas notícias são lidas de forma cruzada, uma lançando luz sobre a outra [...];
7. 'Histórico' — Notícia é representada com outras cenas ou dados, que mostrem o mesmo fato em outros momentos históricos [...];
8. 'Entrevista de Campo' — [...] utilizando-se todas as técnicas espetaculares dos costumeiros entrevistadores. A solenidade de certos manifestos, certos discursos, são assim relativizados pela sua transcrição numa linguagem também conhecida, esportiva [...];
9. "Concreção da abstração" — Concreta-se cenicamente o que a notícia, às vezes, esconde [...]: mostra-se concretamente a tortura, a fome, o desemprego etc., mostrando-se imagens gráficas, reais ou simbólicas;

10. "Texto fora do contexto" — Uma notícia é representada fora do contexto em que sai publicada [...];
11. "Leitura complementar" — Acrescentam-se dados e informações geralmente omitidos pelos jornais das classes dominantes;
12. "Inserção dentro do verdadeiro contexto" — Os programas sensacionalistas usam com muita frequência mostrar o detalhe como fato principal, o acidente como essência [...].

O importante não são as técnicas em si mesmas, mas sim dar a todos a possibilidade de disporem do teatro como um meio válido de comunicação. Pela primeira vez o Teatro de Arena não tenta apenas popularizar um produto acabado, mas sim dar a todos os meios de fazer teatro: e o teatro feito pelo povo, independentemente de suas habilidades artísticas, será, é desnecessário dizer, "popular". Informações sobre o Teatro-Jornal. Em São Paulo já foram organizados mais de 40 grupos (1972) que praticam o Teatro-Jornal. A maioria de estudantes universitários e secundaristas, mas também de operários. Alguns desses grupos já formaram seus próprios grupos, aos quais dão apoio, especialmente na sua fase de formação.

DEBATES

Em cada apresentação de Teatro Jornal, o próprio espetáculo já é um debate em si. A plateia está observando, participando novamente de situações muitas das quais já foram vividas por diversos elementos da plateia, na mesma semana, ou no dia mesmo do espetáculo. Assim, portanto, um debate depois de apresentação sempre se converte numa demonstração de sua eficácia (Boal, 1988, p. 43-44; 1982, p. 43-44; 1982a, p. 49-63; 1975, p. 56-73; 1972a, p. 71-90; Blog do Augusto Boal, 2017). Começamos a fazer Teatro Jornal não somente com notícias de jornais, mas também com atas de reuniões, de assembleias. Todo documento podia ser objeto de aplicação das técnicas de Teatro Jornal (Depoimento de Augusto Boal *apud* Abellan, 2001, p. 181).

"TEATRO-JORNAL, 1ª Edição"

texto e direção de
AUGUSTO BOAL

IMPRÓPRIO ATÉ 18 ANOS

(o elenco entra em cena)

CORINGA – No Brasil, o futebol é um esporte extremamente popular. Por muitas razões. Uma delas é que na arquibancada todo mundo também joga futebol. Pra se jogar futebol não é preciso ser atleta; pra entrar na seleção sim, precisa, mas também se pode jogar na várzea, num terreno baldio ou no quintal de casa. O espectador de futebol também joga futebol, e isso é importante.

No Brasil o teatro não é muito popular. Por muitas razões. Uma delas é que na platéia quase ninguém faz teatro. Todo mundo pensa que pra fazer teatro é preciso ser artista. O espectador de teatro não "joga" teatro, e isso é uma pena.

Mas nós achamos que teatro deve ser um jogo que todo mundo possa jogar, uma forma de comunicação com a qual todo mundo possa se comunicar. Ninguém precisa ser orador para participar de uma Assembléia, ninguém precisa ser atleta pra jogar futebol; e também assim ninguém precisa ser artista prajogar teatro.

Por isso nós resolvemos fazer uma série de espetáculos mostrando algumas maneiras simples de se jogar teatro. Neste primeiro espetáculo de "teatro-jornal" vamos começar da maneira mais simples possível mostrando nove técnicas diferentes de se tranformar uma notícia de jornal em cena teatral. Pesquisamos nove técnicas e provavelmente existem mais algumas dúzias. Vocês que pesquisem em casa, na escola ou no clube. E contem pra gente depois.

A primeira não é nem técnica. Consiste em ler a notícia exatamente como foi publicada. Sem alterar uma palavra. É o NOTICIARI

O ELENCO LE NOTICIAS CURTAS. GONGO DE BOX.

A segunda técnica é a dramatização. A gente pega a notícia do jornal e representa como se fôsse um exercício de laboratório.

GRAVADOR – NOTICIA DA PERUCA.
ELENCO DRAMATIZA.
GONGO DE BOX.

CORINGA – A terceira técnica consiste em ler uma notícia com ritmo. Todo ritmo, em si mesmo, tem um conteúdo próprio, desperta certas emoções, certas imagens, certas ideias. Qualquer letra de music pode variar de sentido, dependendo do ritmo. Uma letra que fale de tristeza, solidão, abandono, em bossa nova é nostalgia, em tango é lamento do cornudo. A notícia publicada no jornal é fri pode ser interpretada de muitas maneiras diferentes. Ler com ritmo é interpretar, emprestando à notícia o conteúdo do ritmo escolhido.

O ELENCO INTERPRETA A CENSURA. GONGO.

A quarta técnica a gente chama de ação paralela. A notícia é lida e em cena se desenvolvem ações que expliquem melhor a notícia, que critiquem a notícia.

GRAVADOR – NOTICIARIO SOBRE VIETNÃ, ORIENTE MEDIO, INUNDAÇÕES NO RECI

O ELENCO DESENVOLVE AÇÕES TAIS COMO JOGO NA LOTERIA ES ORTIVA, DESPERTAR, VER TV, DANSAR, COMPRA DE UM CARRO, ETC.

Roteiro da peça *Teatro-Jornal*, 1ª edição, página 2.

GRAVADOR – NOTICIA SOBRE A MULHER QUE DAVA EM BENEFICIO DO MARIDO.

CORINGA – Esta é a quinta técnica, chamada REFORÇO. A noticia é representada com a ajuda de jingles, propaganda, slides, tudo já conhecido pela platéia. Outro exemplo é o horóscopo.

O ELENCO REPRESENTA O HOROSCOPO? DANSANDO. GONGO.

Agora uma técnica bem simples: NOTICIARIO CRUZADO. Duas noticias lidas simultaneamente: uma explica a outra.

O ELENCO REPRESENTA LEITURA CRUZADA: Delfim explica o modelo proprio de desenvolvimento e o assalto aos trens do nordeste. Outra cena possível: futebol no Piaui e na Copa do Mundo. GONGO.

A sétima técnica é o HISTORICO. Uma noticia é sempre melhor compreendida se o espectador tiver algumas informações historicas adicionais.

GRAVADOR – NOTICIA DO MASSACRE DO CAMPONES.

O ELENCO INTERPRETA AS PALAVRAS CRUZADAS. GONGO.

CORINGA – Antigamente, quando o dramaturgo queria revelar à platéia o intimo dos personagens escrevia um monólogo, e o personagem começava a falar sozinho, a se perguntar se era melhor ser ou não ser. Hoje em dia foi inventada a televisão e quando a gente quer saber o que vai no intimo dos personagens a gente faz uma entrevista de campo.

O ELENCO INTERPRETA CRUNA. O PRESO HÁ 30 ANOS SEM CULPA FORMADA. GONGO.

Mas a televisão tambem nos habituou a conviver com tudo que há de mais terrível: guerra, mortes violentas, terremoto, chacina, estupros, todo tipo de crime. Os noticiarios são quase sempre na hora do almoço e na hora do jantar. Ver sangue na TV durante o almoço, hoje em dia, é tão importante como o sal da comida. Na quarta feira junto com a feijoada a gente tem que ver um belo dum bombardeio na Indochina; xxxxxxxxxxxxxxxxxxxxx xxxxxxxxxxxxxxxxxxxxxxxxxxxxxx e o molho a bolonhega da macarronada da quinta feira é o sangue de um estudante bale no dos Estados Unidos. Nós comemos tranquilos. A informação já não informa. E ficamos tão insensíveis como um computador eletronico. A morte é abstrata. Por isso é preciso tornar concretas certas palavras.

GRAVADOR – NOTICIA DA MORTE DO OPERARIO NO FORNO.

CORINGA – A gente pode ouvir uma noticia como essa e não se emocionar. A última técnica do teatro jornal que nós vamos mostrar hoje consiste em tornar concretas certas palavras.

O ELENCO INTERPRETA BARRA MANSA.

Roteiro da peça *Teatro-Jornal*, 1ª edição, página 3.

ATACOU A ESTUDANTE E ROUBOU A SUA PERUCA!

A vaidade feminina não tem limites em se tratando de andar na moda. Pelo menos assim pensa Cecilia Roque Garcia (22 anos, casada, residencia ignorada), que sonhava ter uma peruca de qualquer maneira.

O dinheiro curto, a vontade imensa. Então, veio o plano. Num ponto de ônibus da Praça da República, por volta das 23 horas, Cecilia analisou a peruca da estudante Suely da Penha Correia (21 anos, solteira, rua Sete Lagoas, 28, Penha) e n' resistiu. Com um golpe violento conseguiu deixar a out. em os cabelos artificiais e saiu correndo como um índi. depois de arrancar o escalpo do homem branco.

PRESA

Enquanto Suely, aluna do «Caetano de Campos», gritava por socorro a outra com a cabeleira nas mãos afastava-se correndo. Já estava na rua Vieira de Carvalho quando dois soldados do policiamento ostensivo conseguiram prendê-la. Foi conduzida ao 3.º Distrito e autuada em flagrante pelo delegado Severino Nilton Bataglia. Logo depois, foi encaminhada para o presídio de mulheres, do recolhimento Tiradentes.

O roteiro do *Teatro-jornal, 1ª edição* se dava a partir de notícias teatralizadas. Por exemplo, a notícia em destaque não tem muita importância, mas a partir de uma teatralização dialética ganha outro significado. É a forma e o conteúdo de forma crítica. "Queríamos falar sobre a tortura, mas não podíamos. Então lemos uma notícia de uma mulher que tinha sido presa porque tinha roubado uma peruca da cabeça da outra, no ponto de ônibus. Seria uma notícia cômica e banal. E nós fizemos como se essa mulher tivesse sido presa e torturada, acusada de ter roubado a peruca para se disfarçar - seria uma terrorista disfarçada. A gente inventou essa história: ela era uma simples pessoa que tinha a vontade de ter uma peruca e, quando chega na delegacia, é acusada de ser terrorista, de estar roubando a peruca para se disfarçar. Essa cena eu (Denise Del Vecchio) e o Celso fazíamos; eu era a mulher que roubava a peruca. Não tínhamos técnica nenhuma e eu me machucava nessa cena, porque era muito violenta; eu apanhava, era jogada no chão e arrastada. E a gente não sabia fazer" (Lima, 2012, p. 134).

Fazenda esconde a miséria

Do enviado especial

A Fazenda Cesário, uma propriedade que a Siderúrgica Barra Mansa tem em Itapetininga para a fabricação de carvão, é uma fazenda proibida. Seus portões estão sempre fechados e guardados. Eles escondem a miséria social que existe lá dentro, envolvendo centenas de operários, que trabalham e se definham nas bocas dos fornos que alimentam, em troco de um salário que não chega a ser o mínimo.

Ali, homens, mulheres e crianças lutam num clima de trabalho insalubre e perigoso. Não há assistência médica, não há respeito humano e o máximo que um homem pode produzir, usando na árdua tarefa toda a família, não chega para atender as necessidades de açoáinho e de alimentação. Não têm carteiras profissional nem direitos trabalhistas. Todos vivem em casas miseráveis, sem água, sem luz, sem instalações sanitárias e infestadas de ratos.

Esta é a situação de 127 carvoeiros e embaladores de Itapetininga que movem ação trabalhista contra a Siderúrgica Barra Mansa, pleiteando apenas a condição de trabalhador industrial, como meio de conquista de uma vida mais decente, humana. A empresa insiste e prefere que eles sejam rurais, assim mais desamparados e presas fáceis de exploração.

Mas a primeira etapa dessa luta já foi vencida pelos operários.

A decisão

O juiz Dirceu Rocha Lima, da Comarca de Itapetininga, julgou a ação procedente, condenando a Barra Mansa a atender às reclamações dos seus trabalhadores: "Proceder à anotação nas carteiras profissionais dos seus reclamantes, efetuar o recolhimento de importâncias que a partir do reconhecimento dos reclamantes como industriários sejam descontados dos autores, bem como o pagamento das diferenças salariais, salário insalubridade calculado no grau médio de 20%, horas extraordinárias, indenizações por tempo de serviço, aviso prévio, férias proporcionais e o 13º salário àqueles reclamantes despedidos".

O valor da ação trabalhista é de Cr$ 250.000,00.

Além disso, o juiz determinou que a Barra Mansa devolvesse, com correção monetária e juros de mora legal, os valores que recebe, indevidamente, a título de contribuição previdenciária não recolhida ao INPS.

"Em razão deste comportamento da empresa — recomenda ainda — este processo deverá ser encaminhado ao digno representante do Ministério Público, tão logo transite em julgado esta decisão ou antes da subida do processo ao E. Superior Instância, para as providências cabíveis, visto existir crime em tese a ser apurado".

As irregularidades da Fazenda Cesário, bem como de outras propriedades do mesmo grupo naquela região, são objeto de processos na Delegacia Regional do Trabalho — DRT — no Instituto Nacional de Previdência Social e mesmo no SNI, que já está a par do que ocorre naquele campo de trabalho.

A Fazenda Cesário

[...], com 4 metros de diâmetro, providos de 5 respiradouros e abertura para entrada.

A redução da lenha se opera em temperatura superior a 250°, podendo chegar até 1.000° e o tempo ideal para o resfriamento do forno para a retirada do carvão é de 5 a 8 dias. Na Fazenda Cesário, entretanto, os operários são obrigados a abrir o forno, no máximo em 3 ou 4 dias de resfriamento, enfrentando alta temperatura, para conseguirem uma produção razoável exigida pela empresa e pela necessidade que têm de comer e subsistir.

Assinala o laudo pericial, elaborado pelo sr. Canuto de Almeida Moura, engenheiro habilitado em higiene e segurança do trabalho, que o grau de caloria dentro do forno, quando os empregados nele penetram para retirar o carvão, é de 89°.

Os carvoeiros não dispõem de proteção alguma, nem máscaras, nem luvas ou roupas apropriadas, trabalhando até descalços e sem camisa.

Atualmente, a Barra Mansa paga aos seus empregados Cr$ 0,25 por saco de carvão, quando a média paga por outras carvoarias, na região, é de Cr$ 0,35 e até mais.

Para se ter uma ideia do quanto representa, em termos de rendimento mensal, é importante saber que um operário em perfeitas condições, trabalhando uma média de 10 horas por dia, sem sábado nem domingo livres e dispondo de boa lenha e arriscando sua saúde em alta temperatura, poderá conseguir uma produção média de 700 sacas por mês, o que representa um salário de Cr$ 175,00 abaixo do nível regional que é 177,00. Mas acontece que a média mensal, para um homem de 400 sacas.

A ação trabalhista cita como produção-padrão a do operário Jair Vieira Soares, também citado pela empregadora. Ele trabalha com a mulher e dois filhos, conseguindo uma produção mensal de 300 a 3.151 sacas, de acordo com a qualidade da lenha, sendo que a mulher oferece um ordenado inferior a Cr$ 250,00 para o trabalho de 4 pessoas.

Insalubridade

Referindo-se ainda às condições de trabalho, destaca o laudo pericial que "a carbonização do eucalipto produz diversos subprodutos, tais como o carbono com 84,6%, hidrogênio 2,8%, oxigênio 4,3% e água 7,5%. Na operação de carbonização do eucalipto, desprendem-se produtos químicos voláteis, como ácido pirolenhoso, ácido acético, acetona, alcatrão ácido carbônico, óleos pesados, resinas e outros produtos. O desprendimento desses gases afeta a saúde do trabalhador, mormente quando este é fraco e mal [...]

Outro exemplo de roteiro do *Teatro-jornal, 1ª edição*, que teatraliza a notícia da "morte do operário no forno". "Era uma notícia que tratava de uma fazenda [do grupo Votorantim] em que tinha esses fornos, ainda, de carvão vegetal. (...) para aumentar a produção, acabavam obrigando os operários a entrar cada dia mais cedo dentro do forno. Em princípio, o resfriamento seria de cinco dias, e ele foi para quatro, três e, quando entrou com dois, teve dois operários que morreram com o sangue coagulado, virou literalmente chouriço. E essa notícia era o ponto alto do espetáculo, era uma das notícias em que ele culminava - o próprio Boal analisou assim. Era feita primeiro com várias recriações da vida desses operários - com um aspecto quase que realista - misturadas a narrações. Era uma técnica que o Boal chamou de "concreção". Tratava-se de pegar uma imagem e, por analogia, torná-la concreta. E era uma cena muito violenta (...) nas primeiras vezes que a fizemos, acendíamos um fogareiro e colocávamos minhocas dentro. Encenamos no Areninha, que era uma sala pequena, um palquinho minúsculo, e era muito violento. E resolvemos mudar. (...) E começamos a trabalhar com bonecos de plástico. Na época, tinha uma propaganda do governo (...) que era em cima de uma música do Bach (...) e mostrava uma menininha correndo de branco no jardim. (...) E colocava propaganda da ditadura. Então, a cena culminava com esses bonecos sendo derretidos, a música da propaganda da ditadura e, no fundo, um discurso do Hitler. Ia fundindo, fundindo e crescia - e era muito forte. A concreção, portanto, não tinha simplesmente a ideia de chocar, mas tinha a ideia de chocar para poder provocar o raciocínio, ilações e tudo o mais" (Lima, 2012, pág. 119).

Existem elementos pontuados na proposta do Sistema Curinga presentes nas técnicas do Teatro Jornal. As técnicas quebram uma lógica sequencial e apresentam cenas independentes. Em *Teatro Jornal: primeira edição* havia cenas que tinham um todo e poderiam ser apresentadas de forma individual, como na estrutura do Teatro Épico. É feita uma "rediagramação" do jornal da classe dominante, agora com uma perspectiva do oprimido. O uso de um elemento cotidiano, o jornal, levou à busca de elementos não convencionais, extra teatrais, típicos das vanguardas artísticas, um antiteatro para fazer um novo teatro. É interessante observar que esse movimento não acontece de forma isolada. Pode-se ver conexões entre o Teatro Jornal e o que Peter Weiss apresenta sobre o Teatro Documentário, que também foi feito pelo Federal Theatre Project (FTP) nos anos 1930, ou mesmo antes, com Hallie Flanagan,[85] futura diretora do FTP.

> 1) O Teatro Documentário é um teatro de relatório. Interrogatórios, atas, cartas, quadros estatísticos, comunicados da Bolsa, balanços de bancos e indústrias, declarações governamentais, discursos, entrevistas, declarações de personalidades conhecidas, reportagens jornalísticas e radiofônicas, fotografias, filmes e outros testemunhos do presente constituem a base da representação. O Teatro Documentário renuncia a toda invenção, usa material documentário autêntico difundido a partir da cena, sem modificar o conteúdo, mas estruturando a forma. Diferente das informações incoerentes que nos chegam diariamente de todas as partes, mostra-se na cena uma seleção que se concentrará em um tema determinado, geralmente social ou político. Esta seleção crítica, assim como o critério segundo o qual estes fragmentos da realidade se ajustam, garantem a qualidade desta dramaturgia do documento.

> 2) O teatro documentário é parte integrante da vida pública, tal como esta nos é apresentada pelos meios de comunicação de massa. A tarefa do teatro documentário será determinada, neste aspecto, por uma crítica em diferentes níveis.

---

85. "(Hallie) chegou a montar em sua escola um espetáculo experimental com as técnicas que vira ali. Trata-se do *Can you hear their voices?*, de 1931, peça de Teatro Documentário onde é exposta a situação de pequenos fazendeiros do Arizona sob os efeitos da depressão e da seca. Hallie Flanagan usou todos os recursos técnicos disponíveis, como projeção de artigos de jornal, dramatização de debates no Congresso (sobre a destinação de verbas públicas, ou subsídios, à agricultura), cenas de irresponsabilidade social burguesa (como o baile de debutantes que parou a capital do país) e assim por diante" (Costa, 2001, p. 101).

a) Crítica da camuflagem [...].
b) Crítica da falsificação da realidade[...].
c) Crítica da mentira. [...]

3) O teatro documentário deve conseguir penetrar nas fábricas, escolas, ginásios de esportes, salas de reuniões. Assim como ele se liberta das regras estéticas do teatro tradicional, deve colocar constantemente seus próprios métodos em questão e criar técnicas adaptadas às situações novas. (Weiss, 2015, p. 9, p. 13)

Esse texto de Peter Weiss, com 14 pontos, foi escrito em 1967. O *Show Opinião*, que já tinha elementos de Teatro Documentário, é de 1964. Em um mesmo período, semelhantes formas estavam sendo gestadas em diferentes países. Podemos encontrar vários pontos comuns a partir do Teatro Documentário, relacionando-o com as técnicas que já estavam apontadas no Sistema Curinga e chegando ao Teatro Jornal, no qual Boal radicaliza e rompe com a lógica do teatro convencional. Podemos ver a atualidade destas técnicas e desse debate no trabalho do crítico anticapitalista Noam Chomsky, que sistematizou os "cinco filtros da mídia" (Chomsky; Herman, 2008, p. 148) usados hoje — não nos países considerados como ditadura, mas nos países com governos ditos democráticos, que, segundo ele, vivem "uma democracia de espectadores" (Chomsky, 2014, p. 8).

> A propaganda política está para uma democracia assim como o porrete está para um Estado totalitário [...]. É necessário superar as restrições doentias ao uso do poder militar e outros desvios democráticos. [...] se aplica a qualquer outro assunto, basta escolher: Oriente Médio, terrorismo internacional, América Central, qualquer que seja a situação, a imagem do mundo que é apresentada à população tem apenas uma pálida relação com a realidade. A verdade dos fatos encontra-se enterrada debaixo de montanhas e montanhas de mentiras. Do ponto de vista de evitar a ameaça à democracia, tem se mostrado um sucesso formidável, alcançado num contexto de liberdade, o que é extremamente interessante. Não é com um Estado totalitário, em que é feito por meio da força. Esses feitos acontecem num contexto de liberdade. (Chomsky, 2014, p. 11, p. 17, p. 21)

Por mais que no início do trabalho de Boal já existisse essa busca pelo "povo", as peças ainda eram feitas pelos ditos artistas. Ainda assim, em conexão com a realidade nacional, como a tríade *Eles não usam black-tie*, *Chapetuba Futebol Clube* e *Revolução na América do Sul*. Boal foi radicalizando a proposta e, cada vez mais, incorporando o oprimido — com temáticas reais, como em *Mutirão em Novo Sol*, oficinas de dramaturgia nos sindicatos e mudanças de textos clássicos —, até chegar ao Sistema Curinga. Mesmo com seus processos de radicalidade e da incorporação da realidade, faltava ainda a ação revolucionária colocada por Tretiakov e Benjamin, que seria a democratização dos meios de produção.

O Teatro Jornal no Arena foi iniciado por um grupo de jovens artistas composto por Dulce Muniz, Hélio Muniz, Elísio Brandão, Celso Frateschi, Denise Del Vecchio e Edson Santana. Após participarem de um curso ministrado por Cecilia Thumim Boal e Heleny Guariba, no próprio Teatro de Arena, eles sentiram a necessidade de dar continuidade ao projeto.

> Veio-me à cabeça antiga ideia que eu havia desenvolvido com Vianninha, mas nunca realizada: espetáculos diários com jornais da manhã. Nossa ideia era ler os matutinos, selecionar material teatralizável, ensaiá-lo à tarde e representar, cada noite, um espetáculo diferente (Boal, 2000, p. 270).

> Na verdade, queríamos continuar juntos no Arena e o curso tinha acabado. Fomos à casa da Heleny, em um jantar que ela deu de final de curso, e falamos para o Boal sobre a pesquisa de Teatro Jornal que ele tinha, a qual ele não havia levado adiante, antes de 1964. (Depoimento de Celso Frateschi *apud* Lima, 2012, p. 72).

> O Boal, quando foi assistir ao exercício, gostou muito e falou assim: 'Vamos montar'. Eu falei: 'Mas não dá para montar'. Ele: 'as notícias de jornal já estão censuradas, então eles não vão poder censurar de novo'. Nós apresentamos essas notícias que foram chanceladas. Na hora do ensaio para a censura, o Boal fez a seguinte indicação: 'Vocês, por favor, façam o pior possível. Gaguejem, errem o texto, tropecem, façam o escambau, de forma que eles não entendam o que vocês estão falando'. E para o Mário Masetti, que fazia trilha sonora e operava o som: 'Em qualquer momento que tiver alguma coisa possível de estragar, você, por favor, aumente o som'. [...]

O Boal teve uma sacação de transformar o Teatro Jornal não numa peça de teatro, mas em alguma coisa que tinha a ver com essa coisa extremamente narrativa, que ia além. Ele começa a peça com um prólogo que dizia que o futebol no Brasil era muito popular. E era popular porque, de alguma maneira, todo mundo jogava futebol. Ou aprendia a jogar futebol. E ele achava que o teatro só podia se tornar popular se todo mundo jogasse teatro. Então, o espetáculo era uma demonstração de como dramatizar ou de como teatralizar notícias. E ele acabou estruturando um espetáculo bastante contundente, que rendeu uma discussão muito interessante na época, uma discussão estética. Eu me lembro até hoje das colocações do Anatol Rosenfeld [...]. Chegamos a fazer quase 70 grupos ao todo, 20 *só na USP. Formavam-se os grupos, a gente coordenava, apresentavam-se nas escolas, apresentavam-se também no* Areninha, foi um movimento interessante. Mas começamos a perceber que não existia nunca o segundo espetáculo do grupo. Era sempre o primeiro, porque, depois, o pessoal já ia formar o DCE de novo, ia formar o Centro Acadêmico, ia formar as coisas que tinham sido destruídas pela prisão dos líderes de Ibiúna. E a gente percebeu que o Teatro Jornal foi, de alguma maneira, útil, para reestruturar aquele determinado momento; foi, talvez, mais importante porque serviu como [...] vou usar uma maneira mística, uma varinha de vodu, que juntou o pessoal de esquerda [...]. Começamos a falar de uma maneira cifrada e acabou funcionando como uma forma de essas pessoas se reorganizarem e, por meio do teatro, voltarem a discutir, voltarem a trabalhar de uma maneira mais efetiva (Depoimento de Celso Frateschi *apud* Garcia, 2002, p. 100-103).

O Augusto Boal abriu um espaço para fazer um curso de teatro — ele queria transformar o Arena em uma escola de teatro, uma escola mais popular.[86] [...] O curso, que era para ser uma vez por semana, acabou virando diário. A gente se incorporou àquele espaço e ficava manhã, tarde e noite [...]. Ele falou que estava com uma ideia de fazer Teatro Jornal e perguntou se topávamos fazer [...]. Todo dia haveria uma edição nova. O objetivo dele era ler as notícias de forma diferente, pelas entrelinhas. Tinha toda uma colocação política por trás do trabalho do Boal, a gente acabou fazendo várias edições fechadas. A gente ia para o teatro à tarde, lia o jornal, via as notícias mais interessantes e fazia para grupos fechados. A partir dessa experiência, o Boal começou a pensar em uma

---

86. Proposta que Boal tentou na EAD, em 1967, mas não conseguiu colocar em prática. Hoje, buscamos isso na Escola de Teatro Popular-ETP.

multiplicação de trabalho. Começamos a ir para faculdades e fizemos várias edições fechadas para grupos de fora do Arena... fomos criando vários grupos em escolas e faculdades. Paralelamente a isso, fizemos uma experiência, também com o Boal, que era o Teatro Bíblia. Eu me lembro que eu era bem cabeludo, barbudo, e eu sempre fazia Jesus. Fizemos algumas edições fechadas em seminários e conventos. O Boal queria criar dessa maneira: selecionar alguns episódios da Bíblia e apresentá-los como algo Histórico. A gente acabou fazendo alguns episódios, como os Macabeus [...] usávamos a técnica do Teatro Jornal. Líamos os episódios bíblicos e, a partir daí, encenávamos a história. (Depoimento de Hélio Muniz *apud* Lima, 2012, p. 156)

A proposta era pautada em técnicas simples que pudessem ser rapidamente repassadas, para que fossem criados novos grupos de Teatro Jornal. Muitos desses foram formados por estudantes, resultando num movimento de mobilização e crítica no melhor estilo *agitprop*, e ajudando, de alguma maneira, a reorganizar o movimento estudantil, que, na época, era um dos mais importantes na resistência contra a ditadura. Boal sistematizou as técnicas desenvolvidas pelos jovens atores, chegando mais perto de realizar a proposta de Benjamin, Tretiakov, Piscator e Brecht de democratização dos meios de produção teatral — o que aconteceu nas ações do CPC e do MCP, que foram interrompidas pelo golpe empresarial-militar, e o Teatro Jornal radicalizou.

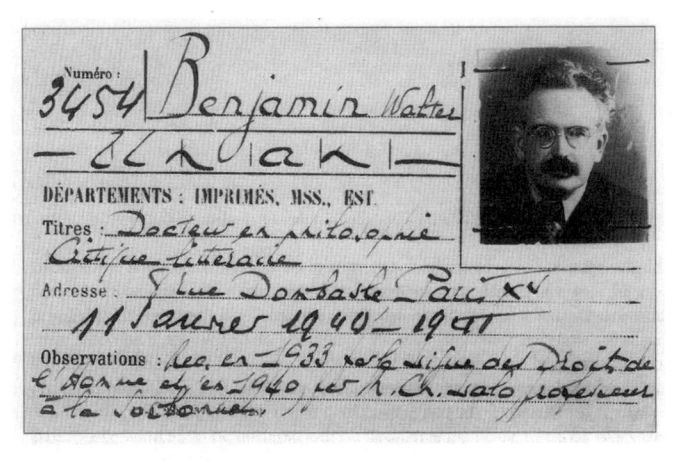

Cartão de membro de Walter Benjamin da Bibliothèque Nationale de France.
BIBLIOTHÈQUE NATIONALE DE FRANCE / WIKIMEDIA COMMONS.

Depois dos conflitos artísticos e políticos, subjetivos e objetivos provocados pela *Feira*, Boal optou por retornar a uma forma dialética e épica de fazer teatro. Existia uma estrutura de textos de jornal e improvisações, numa radicalidade antidramática, e antiteatro, que provocava a participação de todos. Após as apresentações, se debatia e já se buscavam novos grupos para as técnicas serem multiplicadas, democratizando-as e transferindo-as para estudantes, trabalhadores e movimentos sociais interessados. O Teatro Jornal tornou-se, assim, algo profundamente prático a partir da observação da realidade da conjuntura pós-AI-5, e teve utilização rápida e de grande capacidade de transferência. Veja abaixo trecho de uma entrevista com Boal em um pequeno jornal de Uberlândia.

> P (PERGUNTA) — Augusto Boal, você tem apresentado ao país novas concepções de teatro, amplas e originais; para alcançar tais concepções, você utiliza algum método especial?
>
> R (BOAL) — O método é o da observação da realidade. À medida que vejo a realidade, procuro responder a uma necessidade da mesma realidade, e à medida que a realidade vai se modificando, também vai se tornando necessário que a gente invente uma maneira nova de dialogar e responder a essa realidade [...]. Antigamente, a gente tentava popularizar o teatro. Hoje, nós tentamos popularizar os meios de se fazer teatro. Como, por exemplo, o Teatro Jornal que atualmente fazemos e que é urna sequência de técnicas que permitem a qualquer pessoa, artista ou não, também fazer teatro [...]. Só em São Paulo conseguimos formar mais de 20 grupos, que estão praticando, e isso tem uma grande importância, pois aquilo que a gente faz não tem o sentido de feito heroico, procuramos dar-lhe um efeito e um resultado sempre práticos. Em outras cidades, como Londrina, Curitiba, Santa Catarina e Porto Alegre, outros grupos estão sendo formados, e cada um de acordo com sua própria realidade, com a necessidade de cada cidade. Nesse sentido é que a gente descobre uma maneira nova, e essa maneira tende a se propagar, como é o caso do Teatro Jornal, que está rapidamente se propagando. (Arquivo Augusto Boal, 1970)

A proposta introdutória do programa de *Teatro Jornal: primeira edição* colocava a necessidade da democratização dos meios de produção teatral, fazendo uma ponte com o futebol e buscando uma popularização do fazer, teatralizar e multiplicar. A proposta de *agitprop* era muito clara e direta. No programa e nas propagandas do espetáculo havia descontos especiais para estudantes, professores e sindicalistas, mostrando seu foco de mobilização.

> Você tem algum problema? Não discuta, encene. Forme o seu grupo de Teatro Jornal. Já existem 17. Nós ajudamos [...]. Teatro Jornal também pode ser usado como processo pedagógico. Não tem contraindicações! Experimente você mesmo. (Programa de *Teatro Jornal: primeira edição apud* Arquivo Augusto Boal, 1970, p. 5)

> Informações sobre o TEATRO JORNAL: Em São Paulo já foram organizados mais de 20 grupos que praticam o Teatro Jornal. A maioria deles de estudantes, universitários ou secundaristas e também grupos de operários. Alguns destes grupos já formaram seus próprios grupos, aos quais dão apoio, especialmente nas suas fases de formação. (Boal, 1971, p. 55)

Com o Teatro Jornal, inaugura-se de vez a proposta do Teatro do Oprimido, que ainda vai se desdobrar em outras técnicas. No entanto, o objetivo de ter um teatro feito pelos oprimidos, com os oprimidos e para os oprimidos, a partir da democratização dos meios de produção, é atingido. Buscava-se, também, que os oprimidos pudessem realizar de maneira concreta todas as etapas do processo de produção. No fim das apresentações no Arena, ocorriam os debates. Às vezes com participação de intelectuais, como Octávio Ianni, Anatol Rosenfeld, José Arthur Giannotti e Sábato Magaldi, mas principalmente com a presença de outros grupos sociais interessados em multiplicar e reproduzir.

> Quando nós fizemos as primeiras sessões nós chamávamos os amigos do movimento estudantil, as lideranças sindicais e intelectuais, alguns colegas que eram de outros grupos de teatro... Naquela época havia uma ligação muito grande entre o que se fazia no combate à ditadura com o Teatro de Arena. Quando nós fizemos as primeiras 5 apresentações clandestinas chamamos pessoas e amigos que estavam na clandestinidade [luta armada]. *Boal também era um militante clandestino. Embora ele não fosse clandestino, mas ele pertencia à ALN.* Sempre tinha os debates, um o Sábato estava e ele se levanta e fala: 'Olha aqui, quero dizer para vocês que o que esses meninos estão fazendo aqui é

ótimo teatro, é de muito boa qualidade e além do mais é um exercício de liberdade'. Ele falou isso, aí nós ficamos... [risos]. Todos nós ficamos amigos do Sábato. (Celso Frateschi, entrevista ao autor, junho de 2015).

A partir dessa iniciativa, foram criados mais de 70 grupos de Teatro Jornal. A apresentação não tinha um fim em si mesma e seguia outro princípio do Teatro do Oprimido, quando se diz que a ação teatral começa quando termina, mas agora na vida real. Esses grupos usavam o que foi debatido no palco para transformar sua realidade. De acordo com Boal, "*Teatro é ação!* Pode ser que o teatro não seja revolucionário em si mesmo, mas não tenham dúvidas: *é um ensaio da revolução!*" (Boal, 1980, p. 169).

> O Boal não só era o grande dramaturgo que ele foi, o grande diretor que ele foi, mas também um grande militante. O Boal era um militante de esquerda — e marxista! [...] então ele queria que o teatro estivesse sempre atento às mudanças, às possíveis transformações que as organizações clandestinas, sociais ou de trabalhadores pudessem realizar [...]. Nós éramos, na maioria, militantes de organizações clandestinas, inclusive o Boal. A Heleny era de uma, o Boal era de outra, o Celso de outro, eu e o Helio éramos de outra, e certamente havia outras pessoas [...].
>
> Ele [Boal] disse que precisávamos mostrar [Teatro Jornal] para todo mundo. Quando ele falou isso, encarregou-se de sistematizar, codificar, organizar aquilo que tínhamos feito empiricamente [...]. E formamos nessa época grupos, grupos e grupos. Nós ficávamos formando, porque a gente fazia, às vezes, até cinco apresentações do Teatro Jornal por dia. Era extraordinária a capacidade que esse tipo de teatro, feito em plena ditadura, ocasionou nas pessoas.
>
> É claro que se tratava de teatro, mas o teatro é poderoso. E ao lado do teatro, o fato de você formar grupos, tanto nas comunidades, nas periferias, quanto nas faculdades, é muito importante [...]. Estudávamos muito. Eu, por exemplo, pertencia ao glorioso Partido Operário Revolucionário Trotskista (Port) — não era guerrilheiro. Eu tinha que estudar para caramba [...]. E no Arena a gente estudava para caramba! De manhã, entrava para estudar Hegel, Aristóteles, Marx [...]. E ainda as teorias de teatro: Brecht, Heleny Guariba, uma ferrenha adepta do teatro popular, o Boal também [...]. Com a criação do Teatro Jornal, veio também o nascimento do Teatro Bíblia, do Teatro Escola. Muitos alunos, na própria USP, quando iam fazer aquelas demonstrações,

faziam com Teatro Jornal. Depois, o Boal vai sistematizando, elaborando e codificando todas as categorias que resultam naquele livro dele, "Teatro do Oprimido" — fazendo um paralelo, desde o começo, com Paulo Freire. [...] A gente formava muitos grupos [...] eram sempre estudantes, movimentos sociais, as igrejas, movimentos populares desde o primeiro minuto. Era para formar grupos, influenciar na luta direta. E formar grupos, formar grupos! [...] Ele [Boal] brincava muito com a gente, costumava dizer que o marxismo era solução para tudo. 'Está com olho de peixe (verruga), estuda um pouco de marxismo que vai sarar'. Ele falava: '*Yo soy* marxista leninista apostólico cubano'... O Boal foi muito, muito, muito torturado, as pessoas não sabem. Pensam que ele foi preso como um intelectual, mas não foi! Ele foi muito torturado, inclusive pessoalmente por aquele senhor, aquele famigerado Sergio Fleury. (Depoimento de Dulce Muniz *apud* Lima, 2012, p. 111)

O Boal não morreria tão cedo, eu tenho absoluta convicção de que ele viveria mais. Ele só morreu com a idade que ele morreu porque ele foi muito torturado; te pendura, tira sua roupa, dá choque no seu calcanhar e fala 'eu estou te torturando porque tem tortura no Brasil', que era o que ele relatou para nós que o Fleury falou quando estava dando choque nele. Boal falava do Freire, falava do Brecht e falava muito, muito, muito de combater a ditadura. Fazíamos a democratização dos meios de produção, então o Teatro Jornal era uma forma de preparar, dividir técnicas com os grupos organizados. Nós íamos para as igrejas, comunidades eclesiais de base, em sindicatos, vinha estudante da Geologia, da Física, da Química, das Letras, da Medicina... O pessoal da Medicina lá de Pinheiros fez um Teatro Jornal sobre o Olavo Hansen [primeiro operário morto no Dops]. O Celso [Frateschi] e eu cuidávamos de não sei quantos grupos da USP, de grupos e sindicatos. Eu me lembro muito que eu fui na Medicina. Cada grupo era muito autônomo, era horizontal, era tudo muito orgânico, espontâneo, embora fosse tudo organizado. Então, o grupo da USP ia para não sei onde, formava um grupo lá. O Arena era aberto. Era tudo muito difuso porque não havia tempo, o tempo urgia. O momento era de grande repressão. Então você ficava responsável por seu grupo e você fazia mais 20 grupos. (Dulce Muniz, entrevista ao autor, junho de 2015)

Começamos a fazer e a apresentar para os estudantes, que eram a nossa referência. O Teatro Jornal acabou tendo uma função política além do próprio espetáculo, que era esse aspecto da formação dos grupos. A gente perdeu a conta do número de grupos formados, mas aqui em São Paulo eram uns 40, organizados na universidade, nos bairros. Muita gente começou fazendo Teatro Jornal [...]. Aqueles que formavam grupos de Teatro Jornal, na semana seguinte poderiam reestruturar o grêmio ou o centro acadêmico. (Depoimento de Celso Frateschi *apud* Lima, 2012, p. 120)

Também nos apresentamos nas Letras, na Filosofia. Teve uma repercussão muito grande! Fomos fazer na História e na Geografia, na Faculdade de Arquitetura e Urbanismo (FAU), e na Medicina. Na Medicina o pau quebrou — o pessoal da direita quase botou a gente para correr! Depois, fomos fazer na Escola Politécnica. Também nos apresentamos na sala dos cadáveres, na Medicina Experimental, que era atrás da Veterinária. Íamos a todos os lugares. O pessoal achava que o Teatro Jornal era teatro de guerrilha, achava que éramos malucos, que nem éramos mais legalizados. E a gente era da escola, ia todo dia à aula! Não fazíamos propaganda da luta armada, mas enfrentávamos a ditadura de um jeito tão maluco. Você não imagina o que eu apanhei na tortura por causa do Teatro Jornal! Os caras tinham os nossos textos, sabiam das nossas encenações, das coisas que a gente falava. Os caras da repressão tinham ódio do Teatro Jornal, ódio! Mas o Teatro Jornal formou uma geração inteira dentro das escolas. Partiu desse grupão (de 20 grupos da USP) e cada um foi montando o seu. Foram surgindo os filhotes. Tinha na Medicina, na Poli, em todo lugar. Tinha uma capilaridade absurda. Formou gente para caramba (nas escolas). É que, também, tínhamos uma pressa, queríamos formar o grupo, o ator, o texto, formar o ouvido para as músicas e queríamos também formar um guerrilheiro, ao mesmo tempo. Queimamos (o material/textos) todo e jogamos fora para a polícia não pegar. A gente não podia ter contato de um grupo com outro. Era uma regra, senão a gente se dava mal. Só em grandes momentos a gente se juntava. Porque o contato era a chave da cadeia. (Depoimento de Adriano Diogo, ex-deputado estadual, *apud* Lima, 2012, p. 142).

Tem gente que até acha que o Teatro Jornal, naquela fase aqui de São Paulo, devia ter o nome de teatro de guerrilha. O Teatro Jornal foi um elemento central no processo de reorganização da resistência. Aqui em São Paulo, o Teatro Jornal foi A linguagem. Eu entro na USP, em 1969, e estava todo mundo preso, foragido, perseguido, destruído. Eu via o cara em um dia, no outro dia estava preso, sumia, não voltava mais, ia para o exílio, morria, explodia uma bomba. Todo dia, em todos os lugares, se discutia o Brasil. Eu não tenho dúvida nenhuma em dizer

> que, embora tenha havido dois golpes, em 1964 e 1968, em 1968 nós fizemos a revolução cultural. E o Boal teve uma tremenda de uma contribuição, foi um revolucionário. A gente aprendia a fazer as coisas no Arena, mas estava muito vigiado, perigoso, gente presa e começamos a trabalhar mais na USP. A proposta era reabrirmos os centros acadêmicos através de uma proposta cultural. A gente começou a ver a força que o teatro tinha. Nós fizemos uma dramatização da morte do Olavo Hanssem. Um operário, um cara que era da Port. Nós éramos da ALN. Virou uma febre, todo mundo queria montar. E a gente era convidado pra ir pra tudo quanto é canto. Já não tinha mais contato com o Boal, já tinha autonomia. Então, virou um movimento popular de teatro, até na periferia a gente formava grupo de Teatro Jornal. Não tinha, assim, um núcleo que pensava, eram grupos quase que espontâneos. Os grupos iam se contagiando. O movimento foi de 1969 a 1973. (Adriano Diogo, entrevista ao autor, março de 2015)

Temos abaixo mais dois depoimentos de ex-alunos da USP que participaram do processo do Teatro Jornal como integrantes de grupos e depois como multiplicadores. O primeiro é José Antônio de Oliveira Lima, aluno de Medicina de 1969 a 1974, integrante do Centro Acadêmico Oswaldo Cruz (Caoc)[87] entre 1970 e 1973, e diretor do Grupo Teatral Medicina (GTM) de 1971 a 1973:

> Eu entrei na universidade em 1969, inicio minhas atividades no CAOC da Medicina em 1970, e começo a me integrar ao GTM. Em 1970, alguns foram convidados para participar do Grupo de Teatro Jornal da USP, com alunos de Geologia, Sociologia e Psicologia. Éramos em torno de dez a 15 pessoas, dirigidas pelo Celso Frateschi e pela Denise Del Vecchio, e montamos um espetáculo que rodou a universidade por vários meses em várias apresentações, sempre em espaço aberto. Eu e outras pessoas do GTM já frequentávamos o Arena, foi esta proximidade que me colocou em contato com o Boal e permitiu o convite para que ele viesse conversar com os centros acadêmicos da saúde (Medicina, Enfermagem, Fisioterapia e Fonoaudiologia). Esses encontros começaram no segundo semestre de 1970 e se estenderam até duas semanas antes dele ser preso, em 1971. As conversas com Boal giravam em torno do teatro popular — Teatro Jornal enquanto ferramenta de informação,

---

87. O Caoc, um dos mais importantes centros acadêmicos na luta contra a ditadura, teve vários militantes presos e mortos. O GTM era o reflexo do que era o Caoc.

formação e pedagógica — e evoluíam invariavelmente para discussões políticas, sobre os conceitos marxistas. No Grupo de Teatro Jornal [GTJ] da USP utilizávamos os métodos de aprendizagem do Teatro Jornal, seus exercícios e jogos teatrais. Quando, em meados de 1971, assumi a direção do GTM, introduzi em nossos exercícios de cena os laboratórios e jogos que utilizamos no GTJ [o grupo durou cerca de um ano]. Importante dizer que as discussões políticas acompanhavam tanto os momentos de Teatro Jornal feitos na universidade quanto fora dela. Reencontrei com o Celso Frateschi apenas em 1982 fazendo trabalhos na periferia de São Paulo, junto a sindicatos, associações de trabalhadores, comunidades eclesiais de base etc., tendo como ferramenta o Teatro Jornal e as discussões políticas. (José Antônio de Oliveira Lima, entrevista ao autor, julho de 2020)

O segundo depoimento é de Conceição Aparecida de Almeida Santos Reis, aluna de Fisioterapia da USP em 1971 e hoje professora de Fisioterapia na PUC-Campinas.

Éramos do GTM, que fazia parte do Caoc da Faculdade de Medicina da USP. Mas trabalhávamos juntos: Fisioterapia, Medicina, Terapia Ocupacional, Enfermagem e Nutrição. Quem dirigia a gente era o Joacir Castro. Mas a primeira vez que conheci Boal foi antes de eu entrar na faculdade, num grupo externo de teatro, no meio de 1970. Boal falou conosco sobre Stanislaviski, disse para lermos *A construção do personagem* e ensinou alguns exercícios. Mais para o fim de 1970, Boal voltou, falando do Teatro Jornal. Acho que era uma ideia nova. Nos deu a ideia de irmos para rua e montar em cima de uma notícia de jornal, bem forte. Ele estava muito ligado na ideia! Fizemos duas tentativas na Estação da Luz, às 18h30, para pegar trabalhadores que saíam do trabalho. Mas, inocentes, bem na cara do Dops. Paramos logo, porque na segunda apresentação baixou polícia e tivemos que correr muito! Logo depois disso, começo de 1971, soubemos que Boal tinha sido preso. Ele plantou muitas sementes, era tão simples e falava com tanta paixão, que todos nós, que o ouvimos, ficamos marcados pela forma viva como mostrava sua experiência e suas ideias. Todos do Teatro Caoc ficaram com grande senso crítico e lutadores por justiça social. Penso que Boal teve sua contribuição nisso. Hoje, o diretório de Fisioterapia da PUC-Campinas tem meu nome — Conceição Reis —, uma homenagem recente que os alunos me fizeram. (Conceição Aparecida de Almeida Santos Reis, entrevista ao autor, julho de 2020)

Além das ações dos grupos de Teatro Jornal, Celso Frateschi falou também sobre intervenções que faziam em espaços públicos no início dos anos 1970, em pleno recrudescimento da repressão:

> A gente fazia bastante intervenções públicas quando estava começando, nos primeiros anos do Teatro Jornal. Fazia com o movimento estudantil. O Teatro Jornal se multiplicou entre grupos estudantis, que tiveram vida própria. A ideia era provocar uma situação que chamasse atenção. Várias vezes, dentro de um restaurante, a gente subia numa mesa e começava uma cena, uma leitura de um poema, uma notícia simples — Boal não participava diretamente, mas ele se informava. Eram cenas de Teatro Jornal: por exemplo, teve a notícia de uma série de saques no Nordeste devido à fome. Isso estimulava a gente a fazer nos restaurantes, era sempre uma coisa muito ágil. Aproveitava aquela notícia, explorava o máximo possível com caráter performático. Isso permaneceu depois. Eu lembro que fiz com a Denise [Del Vechio] várias intervenções em lugares importantes de São Paulo, Guarulhos e na periferia. Isso se esticou, indo até 1974, 1975 com o Teatro Jornal.
> (Celso Frateschi, entrevista ao autor, agosto de 2020)

Mesmo depois da prisão, da tortura e do banimento de Augusto Boal, o trabalho continuou.

> Não se falava mais em Teatro Jornal, mas seria possível dizer que era uma continuidade daquela semente, por ser um teatro mobilizador. Chegamos a ter naquela época, em São Paulo, 600 grupos de teatro de bairro. Fazíamos várias reuniões e mostras itinerantes de teatro. Fazíamos apresentações em igrejas e escolas, em sistema de rodízio, indo cada fim de semana para um lugar diferente. Por várias vezes, houve intercâmbio com o trabalho do Celso e da Denise, do Edson e outros grupos [...]. Nem todos estavam com espetáculos montados, mas eram atuantes [...]. A semente vinha de lá [do Teatro Jornal]. [...] A própria proposta do Boal de fazer um teatro mais comunitário, trabalhar com os oprimidos, foi um gérmen que acabou se desenvolvendo.
> (Depoimento de Hélio Muniz *apud* Lima, 2012, p. 153)

É importante observarmos todas essas influências épicas que impregnavam Boal e o Arena. Pelo prólogo do dramaturgo sobre o futebol e o teatro se pode desenvolver vários paralelos com outras experiências de como era possível democratizar os meios de produção teatral. Tivemos a oportunidade de revisitar aqui textos de autores épicos e não épicos, aos quais Boal tinha acesso. No caso específico de Brecht, além do *Pequeno organon* (ver entrevista com Paulo José), houve influência de *Escritos sobre teatro* — entre outros. No texto *Sobre a decadência do velho teatro* [Über des Untergang des alten Theaters 1924-1928] eram abordadas questões que envolviam a experimentação do Teatro Épico na época. O ensaio afirmava que o teatro tinha um dilema sobre sua relação com o público: "Um teatro sem contato com o público é um *non-sens*" (Brecht, 1967, p. 83). O público buscava diversão, mas que tipo de diversão poderia ser? Outro importante texto, *Mais e melhor esporte* [*Mehr guten Sport*, 1967, p. 81], escrito em 1926, já colocava questões que Brecht iria desenvolver ao longo de sua vida. Para ele, a arte deve ser repleta de prazer e o ator que não tem prazer "não pode pretender que essas coisas sejam fontes de prazer para outras pessoas" (Brecht, 1967, p. 83). Piscator também disse algo parecido quando afirmou que "se queremos um público inteligente, para quem o teatro é mais do que um entretenimento, precisamos romper com a quarta parede do palco" (Malina, 2012, p. 151).

Os espetáculos esportivos viviam grande efervescência e, tanto na época de Brecht (1926, com a explosão do boxe) quanto na de Boal (1970, com a euforia do futebol), ambos têm objetivos em comum: estão visando à transformação do ator e do público. Na pesquisa e na prática do Teatro Jornal existe, claramente, a radicalidade do rompimento com a especialização do ator. Não mais especialistas, agora todos podemos e devemos "jogar teatro". O que esperam do público é uma atitude de observador, que conhece e que domina, da mesma forma que apresenta a atitude do torcedor, do técnico e do cientista. Para tanto, seria preciso mudar a natureza do teatro e se aproximar do público que frequenta os espetáculos esportivos. O que Brecht e Boal buscam não é o conteúdo em si, mas a forma popular do esporte, algo que todos conheçam e que possa ser facilmente democratizado e multiplicado.

É essa a prática do *agitprop* soviético do início da revolução, do Arena, do CPC, do MCP e de outras iniciativas que, ao buscarem novos públicos e espaços, vão se radicalizar com a prática do Teatro Jornal. De forma simples, objetiva e crítica, o teatro busca reunir, dar prazer e proporcionar conhecimento ao público, diferenciando-se do teatro burguês e da estrutura da engrenagem.

Brecht faz uma ponte entre o torcedor e o espectador, este como um especialista popular, que tem o espírito de alguém que sabe e, ao mesmo tempo, repassa e vivencia esse conhecimento, incentivando uma lógica coletiva e de organização. O dramaturgo chega a identificar as práticas esportivas como referência, modelo e proposta para se opor à tendência individualista e "psicologizante" do drama burguês — o que, no caso de Boal, pode ser visto como opção contra uma proposta niilista.

> No Teatro Jornal — quarta categoria do Teatro Popular —, o teatro é feito *pelo povo e para o povo*. Nas três categorias, o povo recebe, consome, é passível. No Teatro Jornal, pela primeira vez, o povo é o agente criador, não somente inspirador e consumidor. É ativo: *produz* teatro. Nas três primeiras categorias intervém a presença mediadora do 'artista', enquanto no Teatro Jornal o próprio povo é o artista, eliminando, assim, a contradição 'artista-espectador'. (Boal, 1972a, p. 72)

O debate de como se fazer uma arte revolucionária faz parte do marxismo em vários momentos da história e com diferentes pontos de vista. Durante a Revolução Soviética houve apontamentos diversos, principalmente do período pré-revolucionário até o fim dos anos 1920 e início dos anos 1930. Depois, esta riqueza de práticas e iniciativas foi autoritariamente reprimida, inclusive com mortes, e triunfou a versão oficial do realismo socialista[88] do período stalinista, em que a literatura (e as outras artes) deveria ser otimista e heroica. Mas antes de chegar a esta proposta houve muita luta e inúmeros movimentos de grupos como Proletkult e LEF (Frente de Esquerda das Artes). Sergei Tretiakov e Borís Arvátov participaram ativamente desse debate pela LEF.

> A democratização da(s) (obras de) arte como praticada atualmente talvez tenha uma qualidade positiva: presta um serviço educacional familiarizando as massas com as expressões estéticas das gerações anteriores. A verdadeira 'arte para todos' nunca deve continuar a transformar todas as pessoas em espectadores, ao contrário: consiste em dominar o que era, anteriormente, propriedade particular dos especialistas em

---

88. Considera-se que o lançamento oficial do realismo socialista foi no 1º Congresso de Escritores Soviéticos, em 1934, que repercutiu em todo o movimento comunista internacional. Os ideólogos do projeto foram Maximo Gorki, Josef Stalin e Andrej Zdanov. A proposta também ficou conhecida como zdanovismo.

> arte — dominar todas as qualidades e habilidades necessárias para construir e organizar a matéria-prima. Isso vem em primeiro lugar. O segundo é o envolvimento das massas nos processos de 'criação', que até agora apenas os indivíduos usaram para conduzir suas 'liturgias'. Nossa vida prática em seu movimento, em suas subidas e descidas, descobertas e catástrofes, alegrias e infortúnios; nossa vida que, ao coletivizar a produção e o consumo, está obrigando indivíduos separados a se unirem no bloco de granito do coletivo; nossa vida em sua totalidade — este é o único assunto importante e essencial em torno do qual palavra, som, cor, material e atividade humana devem ser organizados. Em conexão com a revolução e as perspectivas que ela possibilita, devemos introduzir e investigar a questão da arte como produção e consumo estéticos — a questão das inter-relações entre arte e vida. A cada momento, todas as manifestações da vida prática devem ser coloridas pela arte. Todos devem se tornar artistas-construtores desta vida. (Tretiakov, 2006a, p. 13)

Pode-se ver no texto de Tretiakov esta proposta "antiespectador" no sentido de o público não se limitar a ser passivo, mero consumidor da arte. Para reforçar e concretizar uma arte revolucionária, ela não pode ser contemplativa, mas deve conectar sua prática com sua própria realidade, rompendo essa ideia de separação entre produtor e consumidor. Para isso, é necessário democratizar os meios de produção cultural e romper com essa ideia do especialista. Todos devem e podem produzir sua própria arte, mas para fazê-lo de forma concreta o processo da multiplicação é fundamental. Não é só o fazer, é o ensinar a fazer. Dessa forma, Boal se alinha a este marxismo radical e revolucionário.

> Devolver o Teatro ao povo é o primeiro objetivo do Teatro-Jornal. O segundo busca desmistificar a pretendida 'objetividade' do jornal, mostrando que toda notícia publicada é uma obra de ficção a serviço da classe dominante. (Boal, 1982a, p. 47)

> Cada grupo de Teatro do Oprimido (TO) deve colaborar em alguma ação coletiva da comunidade onde se apresenta. Após um evento artístico, não devemos abandonar o local como uma companhia itinerante que deixa saudades, em trânsito para outra cidade: temos que manter contato, formando redes de apoio. Não devemos nem podemos tomar o lugar dos oprimidos; ajudá-los, sim, sempre [...]. Vale a pena aquele

instante! Melhor, no entanto, será que esses grupos organizem outros grupos, aos quais possam transmitir o aprendido, buscando o efeito multiplicador, criando redes. Grande opressão é a solidão. Temos que ensinar o que aprendemos, por solidariedade e até em proveito próprio: ensinar expande e fixa o conhecimento, reavaliando o aprendido ao explicá-lo. Aprende-se ensinando. Este é um círculo virtuoso: só aprende quem ensina, só ensina quem aprende! (Boal, 2009, p. 213).

O Teatro de Arena respirava uma série de experimentações constantes. Após investigarmos essa jornada, podemos concluir que ele conseguiu aplicar uma proposta diferenciada das teorias de Piscator, Brecht e Weiss — não de forma sequencial exata, etapista, mas dentro da lógica do desenvolvimento estético desigual e combinado, em que se misturava técnicas antigas com novas e poderia se criar outra para dar conta da realidade e da conjuntura daquele momento.

A RESISTÍVEL ASCENSÃO DE ARTURO UI

("Der Aufhaisame Aufstieg des Arturo Ui")
de Bertolt Brecht (escrita originalmente em colaboração com M. Stettin)

tradução de Luiz de Lima e Hélio Bloch;
cenografia de Marcos Weinstock;
trilha sonora de Mario Masetti (os trechos do julgamento de Nuremberg, discursos de Hitler, Goering, números musicais de Marlene Dietriech, e outros, são reproduções autênticas de documentários oficiais, até recentemente secretos);

direção geral: Augusto Boal

elenco: Gianfrancesco Guarnieri, no papel de Arturo Ui;
os demais atores interpretam todos os personagens segundo o "Sistema Coringa":
Antonio Pedro
Bibi Vogel
Luiz Carlos Arutim
Antônio Fagundes
Walter Marins
Dante Ruy
Haylton Faria
Luiz B. Neto
José Carlos Alcântara
Paulo Ferreira

Última peça dirigida por Boal no Arena. Interessante observar que usou o "sistema curinga", que também era usado para outras peças e não somente para a série "Arena conta".
ACERVO FLÁVIO IMPÉRIO
IEB-USP.

Os grupos de Teatro Jornal se multiplicavam e a repressão aumentava. Nesta mesma época enquanto o Teatro-Jornal, 1ª edição estava no Areninha(sala do 2º andar), "tinhámos de continuar o Arenão. Falar de nosso tempo. Nada melhor que *A Resistível Ascensão de Arturo Ui,* de Brecht: mostrava que a ascensão do fascismo que nos avassalava era resistível"(Boal, 2000, p. 271). No dia 10 de fevereiro de 1971, saindo do ensaio de *Arena conta Bolívar*,[89] Boal é sequestrado e preso. Tanto sua casa como o Arena são invadidos e revistados. Ele fica cerca de três meses na prisão, os primeiros sete dias incomunicável, sem ninguém saber o que havia lhe acontecido até que seu irmão, oficial do exército na reserva, encontra-o no Dops. Mas Boal ainda fica cerca de um mês na solitária antes de ser transferido para o Presídio Tiradentes, em 10 de março, onde é mantido por mais dois meses.

> Só vim a saber que Boal era meu companheiro na ALN quando ele apareceu preso no Presídio Tiradentes, onde eu já me encontrava. O que me pareceu um bom sinal, pois quanto menos um companheiro soubesse do outro, tanto melhor. Sei que fiquei muito feliz ao saber que Boal aderira à proposta de Marighella. (Frei Betto, entrevista ao autor, maio de 2015)

Ainda na prisão, apesar de proibido, Boal inicia a escrita da peça *Torquemada* e do livro *Milagre no Brasil*, ambos abordando questões sobre a tortura. Boal usa a estratégia de fazer anotações por meio de desenhos para o filho Fabian, com palavras em francês que as autoridades pensavam ser estudo do idioma.

> Na Amaral Gurgel — fazia escuro e chovia — três homens armados saíram de um fusca. Dois, reconheci: interioranos que nunca tinham ouvido falar de Eurípedes, torcendo meu braço, perguntaram se ia ser necessário me algemar ou se iria por bem. Não tive escolha: foi sequestro. Eu estava preso [...]. Prisão: janelas tinham grades, mesas, metralhadoras, homens, armas. Caras, carrancas. Palavra ódio. Rotina. Respondi perguntas diferentes com palavras iguais; empobreceu-se meu vocabulário: Não! Não fui eu, não conheço, não vi, não sei, não me disseram, nunca soube de nada, não! Iam me soltar [...]. Não querendo assumir responsabilidade, o subchefe barbado telefonou

---

89. *Arena conta Bolívar* foi a última da série de musicais do Arena, dirigida por Augusto Boal, mas nunca apresentada no Brasil.

MINISTÉRIO DA JUSTIÇA
DEPARTAMENTO DE POLÍCIA FEDERAL

DR DFANBSB NS.CPR.TEA.PTE. 2133, p. 52

SERVIÇO DE CENSURA DE DIVERSÕES PÚBLICAS
TURMA DE CENSURA DE TEATROS E CONGÊNERES

PARECER

I) Documentação

a) Título em Português: SIMON BOLIVAR

b) Título original: _____

c) Autor: AUGUSTO BOAL

d) Tradutor: _____

e) Diretor: _____

f) Produtor: _____

g) Companhia: _____

h) Classificação da Censura: 18 ANOS C/CORTES - PAG. 7,8,10,17,18,30,31,36, 37, 38 E 40......x.x.x.

II) Análise.

a) Gênero: SÁTIRA.

b) Argumento: APRESENTA A PRINCIPIO A DEGRADAÇÃO EXISTENTE NA EUROPA EM ÉPOCAS PASSADAS, APÓS PASSAR, ASOB FORMA DE SÁTIRA, A NARRA FATOS DA VIDA DE SIMON BOLIVAR E DO INTERÊSSE EXISTENTES NAS POTÊNCIAS DE ENTÃO PELO DOMINIO DA AMÉRICA LATINA. MOSTRA AS FACETAS DOS EM PODER ECONÔMICO DURANTE AS LUTAS DE SIMON BOLIVAR.

c) 1 - Mensagem: CRITICA AOS INTERÊSSES SUPRA-NACIONAIS, EXISTENTES NA ÉPOCA DA COLONIZAÇÃO DA AMÉRICA LATINA.

2 - Impressão final: COINCIDE COM A MENSAGEM.

d) Diálogos: EM ALGUNS TRECHOS PORNOGRÁFICOS, E EM OUTROS COM CITAÇÕES EM ESPANHOL, FRANCÊS E INGLÊS.

e) Cenas: CHAMO A ATENÇÃO DA CHEFIA, PARA QUE RECOMENDE AO TC ENCARREGADO DO ENSAIO GERAL.

Trecho do relatório da censura da Polícia Federal sobre o "Arena conta Bolívar". Nos pontos apontados para analisar a peça o próprio censor escreve que a peça denuncia o colonialismo e a exploração dos países europeus sobre os da América, o que é liberado sem problema. Mas censura o que chama "trechos pornográficos" pedindo que se retire termos como "trepar", "carajo", "porra", "puta (2)", "bunda", "suruba", "trepada", "bolinação", "foda" e "puta que os pariu". Resumindo: uma censura meramente moralista. ARQUIVO NACIONAL.

ao superchefão drogado:[90] feliz, mandou que me hospedassem por uma noite [...]. Segurança máxima. Eu não era perigoso: a cela sim, feita para prisioneiros imponentes: grades grossas, inventadas para guerrilheiros medonhos... Fechava os olhos, explodiam na memória rostos de Cecilia e Fabian [...]. Naquela noite, Fabian dormiu sem histórias, sem violões sonhando passarinhos [...]. Não só o prisioneiro é preso [...]. Presos família e amigos, mesmo soltos, trancados na cela lembranças, sorrisos. Um prisioneiro é grande multidão [...]. De manhã, vozes da manhã. Ao lado, voz amiga, prisioneira [...]. Augusto? Heleny?[91] Havia meses estava no presídio. Heleny me deu conselhos. Primeiro: não confessar nunca, nada [...]. Negue, diga não, não sei, não fui, não foi. Mentir é dever cívico.[92] O chefão mandou me chamar. Tenho nojo de escrever seu nome — assassino contraventor, drogado e traficante, exercia o comando da luta contra guerrilheiros. Inventor do Esquadrão da Morte, corruptos atiradores de elite, especializados em matar pelas costas prisioneiros algemados. (Boal, 2000, p. 272-276)

A peça *Torquemada* tem duas versões, uma no livro *Teatro latinoamericano de agitación* (Boal, 1972b, p. 63-176) e outra no livro *Teatro de Augusto Boal* (Boal, 1990, p. 99-152). A primeira versão, cubana, tem algumas diferenças em relação ao texto brasileiro, Boal faz algo como uma combinação do Sistema Curinga com a técnica do Teatro Jornal. Se nas peças da série *Arena conta* já podemos observar elementos do Teatro Jornal, nesta isso fica mais demarcado. Na versão cubana existem três episódios com três *noticieros*, que é aquele que traz a notícia, assumindo o papel do curinga para revelar as novidades, podendo também fazer perguntas a algum personagem para que revele a ideologia de suas ações. Na edição brasileira de 1990 se retiram

---

90. Sérgio Fleury, delegado do Departamento de Ordem Política e Social (DOPS) e um dos principais torturadores e chefes dos Esquadrões da Morte.
91. Heleny Guariba, que dava aula com Cecilia Boal no Arena, foi sequestrada, presa e torturada. Depois solta, mas pouco tempo depois desapareceu e permanece como desaparecida política até hoje.
92. "Eu tinha 19 anos, eu fiquei três anos na cadeia e eu fui barbaramente torturada e qualquer pessoa que ousar dizer a verdade para interrogadores compromete a vida de seus iguais. Entrega pessoas para serem mortas. Eu me orgulho muito de ter mentido, porque mentir na tortura não é fácil... A dor é insuportável... Eu me orgulho de ter mentido, porque eu salvei companheiros da mesma tortura e da morte" (Depoimento da ex-presidenta Dilma Rousseff, em 7 de maio de 2008, na Comissão de Infraestrutura do Senado Federal. Disponível em: https://www.youtube.com/watch?v=Tiyezo1fLRs. Acesso em: 05/03/2020).

Capa do livro com peças de *Agitprop* editadas pela Casa de las Americas/Cuba.

os três *noticieros* e não se nomeia curinga, apesar de a função continuar. E também se retira um personagem chamado "Desiderio", um torturador profissional que no seu momento de entrevista diz:

> LOCUTOR 2 — [...] Qual é a sua verdadeira profissão?
>
> DESIDERIO — Bem, do ponto de vista profissional, isto é, o bife dos meus filhos (diga o nome da comida nacional do país onde acontece o espetáculo). Eu ganho com a minha verdadeira profissão, ou seja, sou um torturador profissional, ou seja, eu torturo.
>
> LOCUTOR — E como você se sente?
>
> DESIDERIO — Sinto-me como quem trabalha pelo bem do seu país, pela grandeza do seu continente, pela liberdade da sua raça, por Deus, pelo bife, enfim, por todas as coisas boas da vida. [...] todos temos que trabalhar mais. Porque os subversivos não colaboram. Eles demoram muitas horas, muitos dias, para confessar muito pouco. Eles são antipátria. Eles consomem o dinheiro da nação. Meu salário é pago pelo país, os subversivos têm que entender. Quanto mais rápido eles se comprometerem, mais produtivo será nosso trabalho e mais lucrativo. Aqui, no seu programa, aproveito para fazer um apelo a todos os subversivos: sejam patriotas! Quando você for torturado, confesse tudo nos primeiros minutos [...]. Quando iniciamos uma tortura estamos dispostos a ir até as últimas consequências, ou seja, para o cemitério. Denuncie, denuncie, o informante sirva à sua Pátria! (Boal, 1972b, p. 115)

Esse primeiro *noticiero* ainda apresenta um trabalho de alfabetização, tendo inspiração de Paulo Freire e do MCP, importante influência para Boal. O texto é bem direto e político: "Proletários começam com pro.../Protesto também.../Salário (*sueldos* em espanhol) com su... /Greve (*huelga*) com hu.../ Rua (*calle*) com ca.../Nas ruas, proletários em greve protestam e exigem aumento salarial!/Mais um letrado!/Abaixo o capitalismo, que começa com ca..." (Boal, 1972b, p. 85). No segundo e no terceiro *noticieros* se faz uso da técnica de notícias cruzadas do Teatro Jornal, na qual se expõe a relação entre os empresários, bancos nacionais e internacionais, o crescimento econômico, as práticas de tortura (*Torquemada*) e a repressão contra os diferentes movimentos sociais. O capitalismo nasceu e se mantem por meio das formas mais brutais de repressão no campo político coletivo e sobre os corpos oprimidos marcados por sua classe, raça e gênero. Abaixo, parte do prólogo da peça:

TORQUEMADA. RELATÓRIO DE AUGUSTO BOAL.

Para Heleny, assassinada nas prisões de Torquemada.

Uma sala pequena, com uma janela fechada, duas pequenas mesas e algumas cadeiras; um pau comprido no chão e sobre uma das mesas uma garrafa de água com sal. Fios, cordas e algemas. Alguns frades estão em cena. Um deles... tira de uma caixa um aparelho elétrico, como um reostato, adaptado de um aparelho de TV... Depois de alguns instantes entram um frade e o Dramaturgo. Não falam, apenas se ouvem alguns sons. O Barba é o chefe das operações.

BARBA — Aqui todos confessam. Nós temos duas maneiras de descobrir a verdade: a primeira, conversando. Tem gente que é compreensiva, fala e abre. Tem até uns que já entram aqui falando. Não dão trabalho. A segunda é aqui. Aqui todos confessam. Estes cadernos são seus?

DRAMATURGO — São.

BARBA — Começou bem. Agora explica: quem é o Aluísio?[93]

DRAMATURGO — Não sei.

BARBA — O nome dele tá aqui no teu caderno. Como é que não sabe?

DRAMATURGO — Pode ser.

BARBA — Como é que o nome dele veio parar aqui?

DRAMATURGO — Alguém deve ter-me dado. Tem muitos endereços aí nesse meu caderno que eu não sei de quem são.

BARBA — Então você já decidiu que não vai responder?

DRAMATURGO — Eu já respondi.

BARBA — Pode tirar a roupa.

---

93. Esse Aluísio possivelmente é Aloysio Nunes Ferreira, da Ação Libertadora Nacional, que depois de participar dos assaltos foi para Paris e se tornou um representante internacional da ALN. Após a redemocratização do país, se afiliou ao PSDB e foi vice-governador de São Paulo (1991-1995), senador (2011-2017) e, recentemente, ministro das Relações Exteriores (2017-2019) no governo golpista de Michel Temer.

O Dramaturgo senta no chão e encolhe as pernas. Barba e Atleta passam o pau de madeira entre os seus joelhos e as suas mãos, que são amarradas uma na outra: posição fetal.[94]

BARBA — Pode pendurar.

O Dramaturgo fica com a cabeça para baixo pendurado pelos joelhos. O pau é apoiado nas extremidades das duas mesas. O Atleta faz a ligação elétrica, amarrando um fio a um dedo do pé e a um dedo da mão, e liga o aparelho na corrente elétrica da parede.

BARBA — Quando foi que você conheceu o Aluísio?

DRAMATURGO — (Pendurado) Eu não conheço nenhum Aluísio.

BARBA — Começa...

O Atleta liga a corrente elétrica alguns instantes. O Dramaturgo grita.

BAIXINHO — Aluísio é nome de guerra ou é verdadeiro?

DRAMATURGO — Não sei.

BARBA — Não é que ele não saiba: ele não se lembra. Dá um pouquinho de memória aí pra ele (novo choque elétrico, novo grito).

BAIXINHO — A gente tem provas que você se encontrava com o Aluísio em Paris.

DRAMATURGO — Eu me encontrei com muita gente em Paris, mas não lembro os nomes de todo mundo.

BARBA — Está melhor: você se encontrou com o Aluísio, mas quando você entregou os recados você ainda não sabia como era o nome dele, não é verdade?

---

94. A técnica de tortura "Pau de Arara" era ensinada na Escola das Américas, um instituto do Departamento de Defesa dos Estados Unidos, fundado em 1946 e até 1984 esteve situada no Panamá, graduando mais de 70 mil militares de 23 países da América Latina — alguns conhecidos por seus crimes contra a humanidade, como os generais Leopoldo Fortunato Galtieri, Emílio Massera e Jorge Rafael Videla, da Argentina, e Manuel Noriega, do Panamá. Em 1961, seu objetivo oficial passou a ser a "formação de contrainsurgência anticomunista". Em 2001, a "escola" foi renomeada para Western Hemisphere Institute for Security Cooperation [Instituto do Hemisfério Ocidental para a Cooperação em Segurança], e atualmente é situada em Fort Benning, no estado americano da Georgia. A instituição é mantida pelos Estados Unidos e, oficialmente, ministra cursos sobre assuntos militares a oficiais de outros países.

DRAMATURGO — Não, eu não disse isso. Eu não levei nenhum recado pra ninguém.

BAIXINHO — Recado não, mas artigos você levou. Recados, você trouxe... Recados sobre armas para subversão, barra pesada (choque e grito). Armas!

DRAMATURGO — Não é verdade nem uma coisa nem outra.

BAIXINHO — Mas os artigos foram publicados! Sim ou não? (para Atleta) Pergunta! (choque e gritos). Na revista *Temps Modernes*.[95] Sim ou não?

BARBA — Mais forte (choque e gritos). Porque se você não confessar, não vai sair daí nunca. Vai morrer pendurado.

DRAMATURGO — Confessar o quê?

BARBA — Confessar que você difama o nosso país quando viaja para o exterior.

DRAMATURGO — Como que eu difamo?

BARBA — Você difama, porque quando você vai ao exterior, você diz que no nosso país existe tortura.

(Há um silêncio. O Dramaturgo, pendurado no pau-de-arara, não consegue evitar um sorriso).

BAIXINHO — Ele está rindo.

DRAMATURGO — (Tentando parar o riso) Não, não, eu não estou rindo, quer dizer, eu só ri um pouquinho, quer dizer, como você disse que eu difamava porque aqui não existe tortura... Bom, quer dizer, o que é que eu estou fazendo aqui? Isto daqui o que é que é? Isso é tortura!

BARBA — Manda bala para que ele aprenda. Deixa, deixa um pouco mais de tempo pra que ele aprenda.

---

95. A tarefa de Boal em Cuba teria sido manter o diálogo de Marighella com Fidel e assegurar a troca de informações sobre um possível apoio da Coreia do Norte ao movimento de luta armada brasileiro. Boal foi acusado, também, de ter se encontrado com militantes clandestinos, que teriam feito a ponte com Sartre para que o filósofo publicasse uma coletânea de textos da ALN na revista *Les Temps Modernes*: *A Luta armada no Brasil; ALN — Olho por olho; ALN — Sobre o papel da ação revolucionária na constituição da organização revolucionária; ALN — Sobre princípios e questões estratégicas; ALN — Questões de organização; ALN — Operações e táticas de guerrilha* (nov. 1969, n. 280, Gallimard).

BARBA — Claro que isso é tortura. Mas você tem de reconhecer que estou te torturando com todo o respeito. Não estou te dando porrada na cara nem apagando cigarro aceso na tua boca. Estou fazendo o mínimo indispensável (filosófico). Estes subversivos falam, e falam e falam, porque o povo, o campesinato, o proletariado, e não sei que mais, e as empregadas domésticas, e os pretos, e toma que eles falam, e falam e falam, mas ficam no bem-bom na sua casa, tomando uísque importado, e viajam por toda parte, e dão a volta ao mundo, e vão viver na Europa.

BARBA — E eu, que não defendo nem os operários, nem as empregadas, nem o povo, nem ninguém, nem nada, eu que só defendo a democracia, eu não viajo.

BAIXINHO — Então como é que é? Você quer fazer a gente ficar aqui trabalhando a noite toda?

FRADE 1 — Eu prometi a minha mulher que ia jantar com as crianças.

BARBA — Dá uma rapidinha para ele acordar (Dramaturgo grita). Viu? Já acordou... Você gosta de eletricidade?

DRAMATURGO — (Subitamente muito acordado) Não, não é isso, o problema é que eu já não sinto as minhas mãos. O sangue está inchando os dedos. Eu sinto que vai arrebentar alguma veia.

BARBA — Vão se arrebentar todas as veias. Não uma, todas! Fala de uma vez e tchau, já vamos embora.

DRAMATURGO — Eu confesso que escrevo peças de teatro. Só isso.

BARBA — E pra que você tinha tanta música subversiva? Será que só existe subversão na América Latina? Não existe também paz, trabalhadores pacíficos, bons pais de família? Olha só o Chile, faz dois meses que o Allende tomou o poder e já começaram as secas.

BARBA — E para que você foi ao Norte da Argentina? Lá naquela porra só tem índio.

BAIXINHO — Você soube que o Che morreu?

DRAMATURGO — Claro que sim!

BAIXINHO — E como é que você ficou sabendo? Quem são os teus contatos? Qual é o ponto que você marcou para amanhã? (choque e gritos). Que armas o Che usava na Bolívia?

DRAMATURGO — Saiu nos jornais (choque e gritos).

BAIXINHO — Porra, não custa nada dizer um nome. Você tem de colaborar com a gente. Nós também somos trabalhadores.

BARBA — (Percebe que o Dramaturgo sente dificuldades pra respirar e que corre perigo de um ataque mais sério) E não vai ficar pensando que se você não falar hoje não vai falar nunca mais.

ATLETA — Basta? (Barba faz que sim com a cabeça)

BARBA — Aqui tem uns que aguentam bem da primeira vez, duas, três vezes. Mas nós temos tempo. Ganhamos pouco, é verdade, mas dá pra viver. Hoje você não contou nada. Pode ser que na sessão de amanhã também cale a boca. Mas quem sabe, pode ser que depois de amanhã e depois tem outro depois, até o dia que você resolver parar de frescura e responder tudo que a gente perguntar. Aqui todo mundo confessa, mas depois acaba contando muito mais coisas do que a gente pergunta.

Os outros frades retiram o Dramaturgo do pau-de-arara e o deitam no chão.

BAIXINHO — Parece que ele tá ruim.

BARBA — Não tem importância. Depois ele vai ficar pior. Agora sim, você pode escrever. Agora, se você quiser escrever como é que são os nossos interrogatórios, agora sim você pode. Mas isso de hoje, isso foi um refresco. Amanhã vai ter mais.

O ator que representa o papel do Dramaturgo avança para a plateia e fala:

ATOR — Essa peça foi escrita na prisão Tiradentes, do Estado de São Paulo, Brasil, no ano de 1971. Foi escrita também na Espanha, no fim da Idade Média. Continua sendo escrita no Chile, depois de tantos anos, no Paraguai, em Salvador, começa sempre assim. (Boal, 1990, p. 102-112)

Na reconhecida revista teatral *The Drama Review*, na primavera (hemisfério norte) de 1971, foi divulgada carta de apoio a Boal com o nome de várias personalidades do teatro estadunidense.[96] Logo depois, em 24 de abril, a carta foi publicada no *The New York Times* (Miller; Papp, 1971). Ao final de três meses Boal foi solto e banido do país.

---

96. Assinam a carta Robert Anderson, Joseph Chaikin, Harold Clurman, Miriam Colon, Rosamund Gilder, Henry Hewes, Joseph Chaikin, Arthur Miller, Erika Munk, Rev. Eugene A. Monick Jr, Joseph Papp, Joanne Pottlitzer, Harold Prince, Richard Schechner, Alan Schneider, Peter Schumann, e Megan Terry (*The Drama Review*, 1971).

Só fui solto porque houve uma pressão internacional muito grande. Aliás, fui preso quando estava voltando de um festival em Buenos Aires e ia para um festival em Nancy, na França. E, como o elenco do teatro foi e eu não, Jack Lang, o presidente do festival, que depois veio a ser ministro da cultura, pediu a todo mundo que protestasse contra minha prisão. Até Sartre mandou um telegrama, que foi lido no tribunal. Fernando Henrique, inclusive, estava lá, não por mim, mas por outras pessoas que estavam sendo julgadas ao mesmo tempo. Foi ele quem leu o telegrama do Sartre. (Depoimento de Augusto Boal *apud* Teixeira; Nikitin, 2004).

(Sartre) escreveu assim: 'que não foi absolutamente Augusto Boal que trouxe o artigo que nós publicamos (na *Les Temps Modernes)* contra a sangrenta ditadura brasileira...' (risos). Eu ainda não falava francês direito nessa época, mas já entendia, aí o juiz pegou a carta, leu e falou para mim 'mas até preso você está estimulando a subversão?'. Mas no fim ajudou, porque o nome Sartre naquela época era uma coisa extraordinária. (Depoimento de Augusto Boal *apud* Rovai, 2008)

A tortura que Boal sofreu está diretamente conectada com sua prática política e artística anticapitalista e com o processo de construção do Teatro do Oprimido. É importante dizer que, infelizmente, este não foi um caso isolado, ao contrário. Nos anos 1960 e 1970, essa prática se tornou cotidiana na América Latina, tendo como responsável a classe dominante nacional com sua rede de aparelhos de repressão e pautada pelo imperialismo estadunidense. Boal foi mais um entre muitos e posso afirmar que não necessariamente admiro todas as pessoas presas, torturadas e exiladas da história, mas com certeza muitas das que admiro foram um dia presas, torturadas e exiladas por lutarem por um mundo melhor.

O Manual Kubark (The National Security Archive, 2004), um codinome usado pela CIA, é um relatório escrito em julho de 1963 como um guia para treinar interrogadores na arte de obter inteligência de "fontes resistentes". O texto era usado pela própria CIA e pelas forças militares estadunidenses. Nesse manual podemos ver os procedimentos que se assemelham ao que ocorreu com Boal: o sequestro, a incomunicabilidade, a solitária, o choque elétrico e outras técnicas para destruir física e psicologicamente a pessoa e fazer com que ela entregue informações. Essas práticas eram ensinadas na Escola das Américas, conhecida instituição que formou muitos dos militares da América Latina (Documentos Revelados, 2012). "A dor precisa, em um momento preciso, em quantidade precisa, para o efeito desejado" (*El Clarín*, 2001), como dizia Dan Mitrione, um ex-agente da CIA.

Antes dos Estados Unidos, a França também exportou sua "tecnologia" de técnicas de tortura,[97] desenvolvidas no Vietnã e na Argélia[98] — como denunciado por Frantz Fanon no quinto capítulo do livro *Os condenados da terra*, "Guerra colonial e perturbações mentais", em *Série C: Modificações afetivo-intelectuais e perturbações mentais após a tortura* (Fanon, 1968, p. 239).

Desde o fim dos anos 1950, os franceses eram os únicos a tratar do tema da guerra revolucionária. Após a humilhante derrota de Dien-Bien-Phu e a revolução na Argélia, fortaleceu-se no exército francês a ideia de que a doutrina militar não estava preparada para combater esse tipo de guerra. A principal característica desta proposta era a não diferença entre os meios militares e os não militares e a combinação entre política, ideologia e operações bélicas que ela proporcionava. Dessa forma, o Estado-Maior das Forças Armadas (EMFA) brasileira começou a buscar material francês. Em maio de 1959, o coronel Augusto Fragoso se pronunciou em uma palestra na Escola Superior de Guerra:

> Nesse momento, estávamos profissionalmente perplexos, sem saber que direção tomar [...]. Então começamos a tomar conhecimento de novas experiências [...]. Nessa ocasião, a literatura militar francesa [...] começa a formular um novo tipo de guerra. Era a guerra infinitamente pequena, a guerra insurrecional, a guerra revolucionária [...]. Isso entrou pelo canal da nossa ESG, e foi ela que lançou as ideias sobre as guerras insurrecional e revolucionária e passou a nelas identificar o quadro da nossa própria possível guerra. Para nós ainda não havia guerra nuclear, a guerra convencional já estava ultrapassada. Mas havia uma guerra que nos parecia estar aqui dentro [...]. Isso tudo contribuiu para a formulação da nossa própria doutrina da guerra revolucionária, que resultou no movimento militar de [19]64. (D'Araujo, 1994, p. 77)

---

97. Ver entrevista com o carrasco de Argel, adido militar no Brasil nos anos 1970 (Vigna, 2014).
98. Ver documentário *Escuadrones de la muerte. La Escuela Francesa,* de 2003. Disponível em: https://vimeo.com/414505425. Acesso em: 02/04/2020. No livro *A casa da vovó: biografia do DOI-Codi*, Marcelo Godoy (2014) faz a conexão desse passado até hoje, com os grupos de extermínios que existem no genocídio da população negra.

No governo Jânio Quadros (1961) o EMFA já usava os termos franceses (Duarte-Plon, 2016) e aprovou a conceituação de guerra revolucionária, subversão (guerra subversiva), ação psicológica, guerra psicológica e Guerra Fria. A tortura é uma prática recorrente dos opressores contra os oprimidos — parafraseando Walter Benjamin: a tortura é uma regra e não uma exceção nos sistemas capitalistas.[99] Seja em tempos de ditadura, seja em tempos de democracia, em que trabalhadores pobres e negros são torturados e muitas vezes assassinados sem qualquer punição. A tortura historicamente está a serviço dos opressores.

> A tortura busca, à custa do sofrimento corporal insuportável, introduzir uma cunha que leve à cisão entre o corpo e a mente. E, mais do que isto: ela procura, a todo preço, semear a discórdia e a guerra entre o corpo e a mente. Por meio da tortura, o corpo se torna nosso inimigo, e nos persegue. É este o modelo básico no qual se apoia a ação de qualquer torturador. O corpo é a nossa casa, pela qual nos plantamos no mundo... A tortura destrói a totalidade constituída por corpo e mente, ao mesmo tempo que joga o corpo contra nós, sob forma de um adversário do qual não podemos fugir, a não ser pela morte. A tortura transforma nosso corpo — aquilo que temos de mais íntimo — em nosso torturador, aliado aos miseráveis que nos torturam. (Pellegrino, 1989, p. 19)

> Antes de serem vítimas [do nazismo], [os europeus] foram seus cúmplices; que o toleraram antes de o sofrer, absolveram-no, fecharam-lhe os olhos, legitimaram-no porque até aí só se tinha aplicado a povos não europeus [...]. [Devemos] revelar ao burguês muito distinto, muito humanista, muito cristão do século XX que [ele] traz em si um Hitler que se ignora, que vive nele. (Césaire[100], 1978, p. 18)

---

99. "A tradição dos oprimidos ensina-nos que o 'estado de exceção' em que vivemos é a regra" (Benjamin, 2013, p. 13)
100. Aimé Césaire, no Congresso Cultural de Havana, com 400 intelectuais, que se debateu como combater o colonialismo cultural no 3º mundo, deu uma entrevista a Revista Casa de Las Americas e cunha o termo "Marxismo Tropical": "... era necessário repensar este magnífico método que se chama marxismo, para uso dos povos que hoje se chamam subdesenvolvidos e que no passado representavam para a Europa os povos 'exóticos'". ... "Tenho a impressão de encontrar aqui [...] uma espécie de marxismo tropical. ... Cuba inventou um novo caminho que será talvez o caminho do Terceiro Mundo"... "os cubanos adaptaram o marxismo para uso do seu povo e para uso de um país subdesenvolvido". (CA, 49, 1968, p. 132-136)

> Para os que concebem a História como uma contenda, o atraso e a miséria da América Latina não são outra coisa senão o resultado de seu fracasso. Perdemos; outros ganharam. Mas aqueles que ganharam só puderam ganhar porque perdemos: a história do subdesenvolvimento da América Latina integra, como já foi dito, a história do desenvolvimento do capitalismo mundial. *Nossa derrota esteve sempre implícita na vitória dos outros. Nossa riqueza sempre gerou nossa pobreza por nutrir a prosperidade alheia: os impérios e seus beleguins nativos. Na alquimia colonial e neocolonial o ouro se transfigura em sucata, os alimentos em veneno.* Potosí, Zacatecas e Ouro Preto caíram de ponta-cabeça da grimpa de esplendores dos metais preciosos no fundo buraco dos socavões vazios, e a ruína foi o destino do pampa chileno do salitre e da Floresta Amazônica da borracha; o nordeste açucareiro do Brasil, as matas argentinas de quebrachos ou certos povoados petrolíferos do lago de Maracaibo têm dolorosas razões para acreditar na mortalidade das fortunas que a natureza dá e o imperialismo toma. *A chuva que irriga os centros do poder imperialista afoga os vastos subúrbios do sistema. Do mesmo modo, e simetricamente, o bem-estar de nossas classes dominantes — dominantes para dentro, dominadas de fora — é a maldição de nossas multidões, condenadas a uma vida de bestas de carga.*
> (Galeano, 2012, p. 8)

Parafraseando Malcolm X, poderíamos dizer que "não existe capitalismo sem tortura".[101] É fundamental entendermos a conjuntura do momento e como a repressão se articulava. Nesse período estava em pleno funcionamento a Operação Condor,[102] uma aliança político-militar entre Brasil, Argentina, Chile, Paraguai e Uruguai — e, esporadicamente, Peru, Equador, Colômbia e Venezuela. Todo o trabalho estava sob a "supervisão" do governo

---

101. "Todos os países que estão surgindo hoje sob os grilhões do colonialismo estão se voltando para o socialismo. Não acho que isso seja um acidente. A maioria dos países que eram potências coloniais eram países capitalistas, e o último baluarte do capitalismo hoje é o Estados Unidos. Por isso é impossível para um branco acreditar no capitalismo e não acreditar no racismo. Não existe capitalismo sem racismo. E você conversa com uma pessoa que com certeza não tenha o racismo como perspectiva elas geralmente são socialistas ou elas têm o socialismo como sua filosofia política" (X, 1965, p. 69).
102. Ver documentos da Operação Condor disponibilizados pela Comissão Nacional da Verdade. Disponível em: http://cnv.memoriasreveladas.gov.br/index.php/2-uncategorised/417-operacao-condor-e-a-ditadura-no-brasil-analise-de-documentos-desclassificados. Acesso em: 20/05/2020.

estadunidense, da CIA, mais especificamente do chefe do Departamento de Estado dos EUA, Henry Kissinger. Sabe-se que desde fins dos anos 1960 já havia algum tipo de colaboração entre as diferentes ditaduras e, obviamente, suas burguesias nacionais. Antes mesmo da Operação Condor já existia a Doutrina Monroe[103] (Blum, 2004).

Num tempo de *fake news* é importante apresentar os fatos históricos que mostram que sem os choques elétricos e outras formas de torturas os choques econômicos não existiriam. A oposição que poderia haver nos significados das palavras "livre mercado" e "ditadura" na verdade não existe, pois na história do capitalismo elas são fraternas irmãs e parceiras indissociáveis. Nesse período, a experiência do processo choque elétrico/econômico teve como cobaias países na América Latina (Klein, 2007), na África e na Ásia (Bevins, 2022a).

Como sabemos, Boal foi apenas uma de muitas vítimas da tortura no Brasil e no mundo, uma prática cotidiana que ainda hoje acontece em delegacias, favelas, hospitais, escolas e supermercados, entre outros locais. A sua continuidade é herdeira desse "aprendizado" e fruto da impunidade: basta ver o ex-presidente do Brasil, Jair Bolsonaro, dizer publicamente que "o *erro da ditadura* foi torturar e *não* matar" (Jovem Pan, 2016).

---

[103]. Chomsky coloca que o real objetivo da Doutrina Monroe era focar apenas os interesses dos Estados Unidos. Depois veio a Aliança Para o Progresso, de Kennedy, que só favoreceu os investidores estadunidenses. Quando Washington perdia o controle do exército que controlava um determinado país, a solução era a invasão. Lembrando que, de 1949 a 1970, cerca de 54.720 oficiais e suboficiais latino-americanos foram treinados pelos Estados Unidos. "Os militares agem de maneira típica para criar um desastre econômico, seguindo frequentemente receita de conselheiros norte-americanos, e depois decidem entregar os problemas para os civis administrarem. Um controle militar aberto não é mais necessário, pois já existem novas técnicas disponíveis, por exemplo, o controle exercido pelo Fundo Monetário Internacional (o qual, assim como o Banco Mundial, empresta fundos às nações do Terceiro Mundo, a maior parte fornecida em larga escala pelas potências industriais). Em retribuição aos seus empréstimos, o FMI impõe a 'liberalização': uma economia aberta à penetração e ao controle estrangeiros, além de profundos cortes nos serviços públicos em geral para a maior parte da população, etc. Essas medidas colocam o poder decididamente nas mãos das classes dominantes e de investidores estrangeiros ('estabilidade'), além de reforçar as duas clássicas camadas sociais do Terceiro Mundo — a dos super-ricos (mais a classe dos profissionais bem-sucedidos que a serve) e a da enorme massa de miseráveis e sofredores. A dívida e o caos econômico deixados pelos militares garantem, de forma geral, que as regras do FMI serão obedecidas — a menos que as forças populares queiram entrar na arena política. Neste caso, os militares talvez tenham de reinstalar a 'estabilidade'" (Chomsky, 1999, p. 14-15).

Depois do banimento de Boal do país, em 1971, o Arena continua, mas fecha em 1973. O Teatro de Arena foi um grande laboratório e seminário onde Boal pôde praticar e teorizar suas descobertas, que foram amadurecendo até chegar ao Teatro Jornal e à democratização dos meios de produção, quando nasce o Teatro do Oprimido. Boal, no exílio, vai dar continuidade ao seu lado pedagógico de levar adiante todo o trabalho que precisa ser feito, trabalhando não mais com a lógica de oferecer um produto acabado, mas de democratizar os meios de produção. As bases da metodologia do Teatro do Oprimido estão lançadas. Agora, as novas técnicas vão surgir a partir de novos problemas, novas situações que vão provocar novas respostas em uma perspectiva dialética de ação/reflexão e sendo feita com, para e pelo oprimido.

> O Arena era um centro cultural [...]. No segundo andar funcionava uma galeria de arte, onde sempre havia lançamentos de livros, palestras, discos, exposições, que se alternavam com os *shows* e apresentações teatrais do andar térreo. Peço licença para citar alguns nomes: conjunto Quarteto Novo, conjunto Música Antiga, *Show Opinião*, *Arena canta Bahia*, Hermeto, Théo de Barros, Nelson Ayres, Flávio Império, Belchior, Paulo Herculano, Gilberto Gil, Caetano, Gal, Bethânia, Edu Lobo, Elis, Nara Leão, Chico Buarque, Toquinho, Vinicius, Paulinho Nogueira, Geraldo Vandré, Paulo Freire, Carlos Estevam, Chico de Assis, Sérgio Ricardo, Flávio de Carvalho, Milton Nascimento, Fauzi Arap, Anatol Rosenfeld, Alberto D'Aversa, João Apolinário, Caio Prado [...]. Conheci toda essa gente lá, dentro do Arena ou no Bar do Redondo, na sua frente. Nem estou falando dos atores Lima Duarte, Dina Sfat, Renato Consorte, Miriam Muniz etc., porque a lista não tem fim [...]. O sucesso das peças do Arena alastrou-se pelo meio cultural. O teatro lotava todos os dias [...]. Quando viajava era uma loucura [...]. Dessas viagens internacionais nasciam contatos, troca de experiências e conhecimento com outros grupos e pessoas: Peter Brook (Nancy), Ataualpa del Cioppo (Uruguai), Ataualpa Yupanqui (Argentina), Mercedes Sosa, Jacques Lang (que depois foi ministro da Cultura do governo Mitterrand), Roland Barthes, Enrique Buenaventura (Colômbia) e outros [...]. Os ensaios do Arena eram sempre exaustivos [...]. Inúmeras vezes entrávamos no teatro depois do almoço e saíamos às duas da manhã. Todos lá, acompanhando tudo, a cena de cada um, as longas reflexões do Boal, música, marcação, coreografia [...]. Um espetáculo levava de dois a três meses para sua montagem. E dá-lhe Brecht, Stanislavski, Marx,

os gregos todos — principalmente quando se introduziu o Sistema Coringa e surgiram parâmetros comparativos delineados pela crítica. Me lembro que até a *Estética* de Hegel passou por lá. (Depoimento de Romário Borelli *apud* Freitas Filho, 2006, p. 357).

A verdade é que para o pequeno espaço da rua Teodoro Baima, em frente ao bar Redondo, junto à praça Roosevelt, convergiram inúmeras personalidades da cultura e das artes brasileiras na década de 1960, em São Paulo. Além de apresentar as peças encenadas de terça a domingo pelo elenco principal, o teatro permanecia aberto durante toda a semana com inúmeras atividades: peças alternativas, *shows* de música populares, teatro infantil, corais, palestras, seminários, encontros políticos, assembleias de várias categorias profissionais. Não haverá nenhum exagero em dizer que boa parte da resistência à ditadura civil e militar de 1964, inclusive de brasileiros que fizeram a opção pela luta armada, passou pelo menos algumas horas no Teatro de Arena. Muito ali se conspirou contra os governos militares, exercendo-se a resistência em nível cultural, político ou mesmo partidário. (Almada, 2004, p. 97)

Considerações finais

> *Vendo o mundo além das aparências, vemos opressores e oprimidos em todas as sociedades, etnias, gêneros, classes e castas, vemos o mundo injusto e cruel. Temos a obrigação de inventar outro mundo porque sabemos que outro mundo é possível. Mas cabe a nós construí-lo com nossas mãos entrando em cena, no palco e na vida.*
>
> BOAL, 2009

Boal faleceu no dia 02 de maio de 2009, no mesmo dia em que morreu Paulo Freire (1997). Mesmo já fragilizado, devido a problemas de saúde, em janeiro de 2009 fez um discurso virtual para o Fórum Social Mundial, em Belém do Pará (Centro de Teatro do Oprimido, 2009). Ainda em vida, recebeu muitos prêmios,[104] e um dos últimos foi ser nomeado Embaixador Mundial do Teatro, em março de 2009, em uma cerimônia realizada na Unesco, para a qual escreveu um texto para celebrar o dia.[105]

Escrevo esse livro com um objetivo muito direto e concreto. Muitas pessoas que são praticantes e estudiosas do Teatro do Oprimido, infelizmente, não

---

104. Ver lista em: https://pt.wikipedia.org/wiki/Augusto_Boal#Pr%C3%AAmios. Acesso em: 20/09/2020.
105. Ver texto em: https://www.world-theatre-day.org/pdfs/WTD_Boal_2009.pdf. Acesso em: 20/09/2020.

sabem e/ou não se interessam pela sua história. Não vou dizer que esta que expresso aqui é a única e dá conta de todo o processo, acredito que ela abre portas e janelas para muitas outras novas pesquisas. Mas uma coisa posso afirmar: se uma pessoa, depois de ler este livro, vier dizer que Boal e o Teatro do Oprimido não têm uma proposta anticapitalista é porque quer esconder a realidade, não enxergar a proposta revolucionária e de esquerda com que Boal sempre se identificou. Hoje temos um desafio de dar continuidade ao trabalho de Boal. Não seguindo-o cegamente, mas usando todo o enorme arsenal de técnicas de diferentes formas de teatro político, de *agitprop*, entre outras, que ele sistematizou e tendo como exemplo seu compromisso ético e solidário com os oprimidos. Espero que a partir desse livro não possa mais se negar ou esconder a herança que o Teatro do Oprimido tem nessas técnicas e na cultura popular, em especial nas de *agitprop*. Essa conexão pode ser vista desde a revolução soviética e a proposta do autoativismo aplicada naquela época onde:

> ... o teatro de agitação e propaganda nnao é o intemediário nem o produto das palavras de ordem que vêm de cima, ele provém das iniciativas locais.... Isto porque o autoativismo entende o teatro como um sistema de relações sociais (e relações de poder) que precisam ser transformadas: separação entre teatro e vida cotidiana dos produtores, materialização da ideologia burguesa no profissionalismo, autoridade do texto escrito ou tirania do encenador e passividade do público diante da cena, entre outros. Para superar esses problemas, o teatro autoativo pesquisa a mobilidade dos trabalhos e dos engajamentos, a abertura permanente da trupe à adesão de voluntários; a elaboração coletiva dos roteiros e dos espetáculos; recorre à ajuda limitada e controlada de especialistas; solicita a participação mais ampla possível da coletividade nos projetos teatrais, seja pela informação, pela realização de ensaios abertos, na preparação de materiais (cenários, figurinos), bem como pede opiniões e colaboração concreta também nas representações, pela atuação dos espectadores como coatuadores; enfim, pela saída do teatro de seu espaço fixo graças aos espetáculos adaptados ou já concebidos para apresentação ao ar livre (teatro de rua) ou em locais não usuais, como fábricas, escolas, hospitais, quartéis e também pela participação dos artistas nas tarefas práticas da comunidade, como preparação de festas e ajuda nas campanhas de alfabetização e escolarização. (Morel, 2015, p. 58/59)

O texto acima poderia ser assinado pelos grupos de TO com os quais trabalhei com Boal no CTO e os da ETP de hoje. Obviamente que temos de ver hoje a nossa conjuntura e ter como referência a forma materialista e dialética com a qual Boal trabalhou, em que a partir de uma análise concreta da realidade concreta ele recriava ou não uma nova técnica.

Vivemos tempos difíceis, de um lado uma extrema-direita que sempre existiu e esteve presente, mas hoje ganha força e poder; e do outro lado uma proposta alternativa que não tem uma estratégia bem estruturada — longe de se querer que seja única e com todas as certezas, mas pouco se tem debatido e buscado propostas mais concretas para os desafios da exploração capitalista que tenta se camuflar e se maquiar, e até engana alguns, mas na verdade cria novas formas de destruição dos seres humanos e da terra. As estruturas do capitalismo não são algo simples de representar, de teatralizar. Por isso, se um grupo deseja usar o TO nessa luta, não pode desconsiderar e não se interessar pela história da formação do método e do próprio capitalismo. Devemos lembrar que Boal nunca viu o teatro como um fim em si mesmo, mas, sim, como ensaio da revolução. E, para isso, existe a necessidade fundamental de estar sempre conectado e em parceria com movimentos sociais e políticos.

Em todos os locais por onde passou, Boal priorizou o diálogo com os integrantes de cada um dos grupos e esteve junto, como militante da arte e da política, com os muitos movimentos sociais e políticos que estiveram presentes nesse percurso. Desde a sistematização do Teatro Jornal, a primeira técnica do Teatro do Oprimido, visualiza-se um método dialético em seu processo. Boal partia da análise de situações e realidades materiais da história e do momento em que estava inserido para sistematizar seus conhecimentos e chegar a uma proposta concreta. Nunca de maneira individual, sempre coletiva, pois ele era um ser humano de coletivos — desde o início, no Rio de Janeiro, quando era parceiro do Teatro Experimental do Negro (TEN). Nos Estados Unidos, quando lá estudou na Universidade de Columbia, realizou sua primeira direção e, coletivamente com outros alunos, produziu e montou os seus textos *The house across the street* e *The horse and the saint*. No Teatro de Arena, onde desenvolveu as funções de diretor, dramaturgo, coordenador, administrador e tudo mais que fosse necessário, novamente contou com uma grande equipe, que o ajudou a realizar o projeto de um teatro popular, crítico e político que revolucionou a forma de fazer teatro. Ali, pode-se dizer, Boal deu seus primeiros passos como pedagogo, ao dar suas aulas nos Laboratórios de Interpretação, Seminários de Dramaturgia, no CPC e outras. Muitos praticantes do TO não sabem, mas a maioria dos jogos que hoje eles praticam foi criada no Arena. Nos grupos em que o dramaturgo trabalhou durante o exílio na América Latina, mesmo com a conjuntura política adversa, ele formou redes, como a Frente de Trabalhadores da Cultura *Nuestra America*, e esteve sempre aberto a aprender e a ensinar novas formas teatrais, em debate constante com a realidade. O mesmo ocorreu na Europa: em Portugal, no momento conturbado pós-Revolução dos Cravos; e em Paris, na formação do primeiro Centro de Teatro do Oprimido, respondendo a novas realidades. E, por último, no Centro de Teatro do Oprimido do Rio de Janeiro, do qual foi diretor artístico por 23 anos, sua parceria mais longa.

    O processo de aprendizado e ensino vivido por Boal teve um enorme valor metodológico. Ele sempre foi algo que não é tão valorizado: um pedagogo dialético, amoroso e revolucionário. Nos diálogos com seus parceiros — em especial de movimentos sociais, culturais e políticos —, experimentava e vivenciava as diferentes condições de cada realidade, identificando de forma dialética as contradições. Estava a todo momento anotando, debatendo, brincando, trocando, estimulando, criticando, aprendendo, ensinando e sistematizando uma práxis, uma proposta de ação e reflexão que pudesse ser democratizada e socializada com ética e solidariedade para todas as pessoas desejosas de transformar o mundo por meio da arte e colocando a possibilidade de uma revolução. Sempre escrevendo seus livros a partir do acumulado do teatro e da política, reconectando-se com o mais radical teatro politizado nos momentos em que teatro e revolução se amalgamavam nos palcos e nas ruas, e mesclando-os com as experiências de seu tempo.

    Boal sempre criticou a lógica de um teatro dominante, hegemônico, em especial o europeu, mas sem deixar de absorver o que era importante para fazer a própria crítica de forma dialética — usando não só os clássicos, mas o popular vivenciado em diferentes momentos (às vezes de forma obrigatória, devido ao seu exílio e às ditaduras por onde passou), que inclusive interrompia seus processos criativos. A dialética se apresenta por modelos negativos e não por esquemas de composição, e perpassa desde o fazer dos exercícios e jogos à busca da temática e à forma de representar e atuar, que "deve expressar sobretudo a dúvida: cada gesto deve conter sua negação, cada frase deve deixar pressupor a possibilidade de se dizer o contrário daquilo que se diz, cada *sim* pressupõe o *não*, o *talvez* [...] em seus dois princípios fundamentais: o espectador deve protagonizar a ação dramática e deve preparar-se para protagonizar a própria vida! Isso é o essencial" (Boal, 1980a, p. 152-159).

Toda a obra de Boal aponta que o Teatro do Oprimido está em constante transformação e que não se resume a "somente" um experimento estético. O dramaturgo sempre foi um ser humano da política, um militante político. Essa separação feita por muitos praticantes do TO simplesmente o tornam uma mera maquiagem, com conflitos muitas vezes romantizados, que não enxergam que as opressões concretas só podem ser desfeitas combatendo na prática os opressores de forma coletiva e organizada.

A metodologia sistematizada por Boal tem um dilema. Sendo ela relativamente fácil de ser replicada, acaba virando uma faca de dois gumes, pela qual muitos não se interessam por não verem como necessário o estudo teórico do teatro, da história e da política. A pessoa compra um livro ou faz uma oficina e a reaplica — sim, isso é possível —, mas a questão é: o que vai ser reaplicado? Com quem e de que forma será feito? A democratização dos meios de produção cultural, herança do marxismo, é fundamental, mas não suficiente. A crítica à diferença que ainda hoje existe entre o ator e o espectador, o eleitor e o político, o patrão e o trabalhador, ou seja, a crítica à divisão social do trabalho no capitalismo — que transforma os seres humanos em, de um lado, especialistas, e do outro os que consomem passivamente — segue presente. "Uma das atrofias mais graves de que sofrem os homens numa sociedade de especialistas é precisamente a atrofia estética" (Boal, 1980a, p. 30). Então, existe, sim, a crítica à especialização, ao mesmo tempo que existe a questão do não se aprofundar no que é necessário ser feito para a realização de um trabalho político, ético e estético. Portanto, é fundamental se apropriar da sistematização feita por Boal, mas não deixar de fazer críticas e enxergar seus limites. Não se pode simplesmente repetir o que foi feito. Ele sempre falava da importância de ser um "multiplicador criativo", algo que fez com os ensinamentos de Stanislavski, Brecht, Piscator e tantos outros. Mas isso, com certeza, não é simples de ser feito, demanda estudo prático e teórico. Nesse ponto, se faz importante o estudo da dialética, sempre tão usada por Boal, e dos principais praticantes e teóricos do teatro crítico e das muitas experiências práticas da arte popular, a fim de não cair numa mera repetição de práticas sem fundamentos teóricos e compromissos anticapitalistas.

> Sem teoria revolucionária, não pode haver movimento revolucionário. Nunca se insistirá o bastante nessa ideia num momento em que a pregação da moda do oportunismo abraça a fascinação pelas formas mais estreitas da atividade prática. (Lenin, 2020, p. 41)

Temos de ter a clareza de que a cultura/arte reproduz a realidade sim, mas também a produz. Não é só o trabalhador que faz o produto, mas o produto também faz o trabalhador, o que ele pensa, faz e gosta. Assim, fazemos teatro e o teatro também nos faz. A linguagem é a consciência prática, temos consciência por meio da linguagem. E hoje, mais do que nunca, a cultura incrementa e define nossa forma de viver, que é em sua maioria feita de imagens e representações, ou seja, da produção cultural — que constrói nossa subjetividade, nossos sentimentos e nossa forma de ver o mundo e, assim, nosso inconsciente. Vivemos em uma realidade que nos impõe, desde quando nascemos, uma ideologia dramática, diria até uma hegemonia dramática.

> A hegemonia é então não apenas o nível articulado superior de 'ideologia', nem são as suas formas de controle apenas as vistas habitualmente como 'manipulação' ou 'doutrinação'. É todo um conjunto de práticas e expectativas, sobre a totalidade da vida: nossos sentidos e distribuição de energia, nossa percepção de nós mesmos e nosso mundo. É um sistema vivido de significados e valores — constitutivo e constituidor — que, ao serem experimentados como práticas, parecem confirmar-se reciprocamente. Constitui assim um senso da realidade para a maioria das pessoas na sociedade, um senso de realidade absoluta, porque experimentada, e além da qual é muito difícil para a maioria dos membros da sociedade movimentar-se, na maioria das áreas de sua vida. Em outras palavras, é no sentido mais forte uma 'cultura', mas uma cultura que tem também de ser considerada como o domínio e subordinação vividos de determinadas classes. (Williams, 1971, p. 113)

Essa hegemonia dramática é viva, é um processo permanente e plural. Tem uma série de complexidades e não é passiva na sua forma de dominação, sendo renovada constantemente, mesmo que sofra ações de resistência. Ela é mostrada desde os mais diferentes desenhos animados para crianças[106] às soluções apresentadas nos mais diversos trabalhos em que um *coach* promete te salvar, ou na política de um país onde não existe necessidade de haver mobilização organizada e coletiva, pois um líder carismático vai resolver todos os seus problemas enquanto você continua sentado na sua sala assistindo à TV. Ou, então, o lado oposto, aquele mostrado nos filmes sobre o fim do mundo em que não há mais alternativas, como o famoso *slogan* TINA — *"There is no alternative"* ("Não existe alternativa") —, colocando que a única alternativa são as leis do mercado, o capitalismo. Pois na hegemonia dramática o processo de socialização do conhecimento inclui, obrigatoriamente, determinados valores, práticas e definições dominantes pré-selecionados que têm de ser aprendidos e acabam sendo normalizados como as corretas formas de ser, de fazer e de agir — no nosso caso, a forma correta de fazer teatro, do que é teatro, até definindo a própria forma de viver, pois teatro é vida. Ao mesmo tempo, esse poder hegemônico nunca é total e orgânico, mas com várias contradições a serem exploradas.

Acredito que Boal construiu e apontou caminhos, mas estes não devem ser vistos como dogmas. Hoje, depois de 32 anos, não estou mais no CTO-Rio. Estou num novo espaço, a Escola de Teatro Popular (ETP), fundada em 2017 por mim e Julian Boal, onde desenvolvemos um trabalho articulado e com a participação de vários movimentos sociais e políticos — somos dezenas! Na ETP continuamos a pesquisa respeitando o legado de Augusto Boal e a busca por um Teatro do Oprimido anticapitalista. Em um mundo em que temos muitas das mesmas opressões históricas ainda presentes, com uma complexidade cada vez maior imposta pelas artimanhas do capital, como será fazer uma peça de Teatro do Oprimido que dê conta da realidade atual? Temos um enorme e rico acúmulo sistematizado por Boal e por muitos grupos políticos e artísticos e a certeza de que, citando uma frase de que ele gostava muito, "caminhante, não há caminho, se faz caminho ao caminhar" (*Cantares*, de Antonio Machado).

---

106. Vivo e aprendi isso por experiência própria com meus filhos gêmeos. Desde cedo, a indústria do entretenimento mostra quem é o bom, na grande maioria das vezes com imagens e cores brancas e claras, e quem é o mau, representado por imagens e cores negras e escuras, sempre acompanhado da risada do vilão (hahahaha). Meus filhos já identificam: "Papai, esse é hahahaha". E quase sempre tem o herói que, sozinho, tudo magicamente resolve, desencorajando qualquer necessidade de organização e ação coletiva.

Boal e seu legado crescem mundo afora cada vez mais como referência de um trabalho ao mesmo tempo artístico e político. Mas isso não é garantia de que o trabalho teatral dos grupos inspirados por ele seja crítico. Em primeiro lugar, temos a contradição de, apesar de ter crescido muito o conhecimento e a prática do TO, não se saber exatamente qual TO está sendo feito. Hoje, podemos dizer que existem vários tipos de Teatro do Oprimido no mundo. Temos grupos que esvaziam a radicalidade anticapitalista e dialética do TO, proposta que está presente em toda a teoria de Boal — do seu primeiro ao último livro — e nas práticas dos grupos e coletivos onde atuou. Fazem um TO que camufla os conflitos, no qual opressores e oprimidos poderiam em condições iguais chegar ao melhor para os dois lados, num grande idealismo, sem questionar e retirar o poder e a riqueza dos opressores e da estrutura que os mantêm e acreditando que basta dialogar que todos serão democraticamente atendidos. Vemos isso desde a farsa da "democracia racial" no Brasil, que tenta esconder o racismo que perpassa toda nossa formação política, social, econômica e cultural, ou mesmo na chamada "democracia autoritária", que mostra os limites da democracia liberal e burguesa, como apontam várias teorias anticapitalistas. Há grupos que atuam com uma proposta política, mas agem de forma autoritária: não escutam, pois são monologais com a verdade pronta, usando o oprimido, em vez de trabalharem em parceria e aliança, em uma lógica de arrogância, se beneficiando do oprimido apenas para aumentar seu poder, inclusive econômico. O TO não pode ser um teatro "bancário", freirianamente falando. Tem de estar aberto a aprender e ensinar. Alguns usam a "marca" do TO, mas apenas o nome. Há grupos, por exemplo, que fazem trabalhos com empresas e usam a metodologia para melhor "adaptar" os trabalhadores — a fim de que estes produzam mais e, obviamente, os patrões lucrem mais, prática que Boal sempre condenou radicalmente. Alguns apenas reproduzem as técnicas, sem buscar ver o que se pode questionar ou mesmo transformar nos dias de hoje. Ter uma pessoa ou seu trabalho como referência é também questioná-lo, sem perder seus princípios transformadores. O ético e o político não são separados em si, têm confluências, mas também têm diferenças.

No Teatro do Oprimido a vivência da opressão do oprimido deve ser "na primeira pessoa do plural" (Boal, 1980a, p. 128). Dessa forma, Boal também buscava não se levar por um pensamento identitário simplista no qual bastaria ter uma pessoa oprimida representada em uma estrutura opressora para acabar com a opressão. Ocupar certos espaços pode fazer parte de uma estratégia anticapitalista, mas se a estrutura do capital é opressora, para haver a transformação não basta somente aceitar a representação, mas, sim, exigir a total transformação da estrutura para que os grupos de oprimidos possam também ter seus direitos — e não somente alguns indivíduos, aceitando migalhas —, ou se continuará a reproduzir a lógica opressora sem alterar suas estruturas.

O futuro do Teatro do Oprimido está em seguir atento a como continuar a ser uma forma crítica de ação cultural e política que questiona a cultura dominante e dialoga com os movimentos sociais dos grupos dos oprimidos do capitalismo atual. Um ponto fundamental é qual marxismo poderia ser um aliado nesse caminho. Identifico no trabalho de Boal, do Teatro do Oprimido, uma convergência de um marxismo que é crítico ao reducionismo, ao mecanicismo economicista, à visão simplista da divisão entre infraestrutura e superestrutura criticada e enxergam a possibilidade do trabalho cultural como revolucionário, por exemplo, por Franz Fanon, Raymond Williams, Edward Palmer Thompson, Gramsci, José Carlos Mariátegui, Lélia Gonzalez entre outros. É necessário, porém, tomar cuidado para não sair de um lado para o oposto, no qual os fatores culturais e de linguagens deixam de ser determinados para serem determinantes, caindo, assim, em uma armadilha. Nas duas opções a dialética perde seu papel — seja na proposta economicista, seja na culturalista e de linguagem. Dessa forma, se substitui um reducionismo pelo outro, em que nenhum dos dois dá conta da complexidade dos conflitos dentro da sociedade de forma dialética e da aplicação da teoria da práxis.

Um elemento essencial que o TO traz é a própria vivência, o depoimento do oprimido, já que o valor da memória hoje é muito importante. Mas não se pode ficar limitado a esta vivência e não incluir a totalidade histórica e de suas relações e conexões estruturais. O discurso, o depoimento de forma isolada, não dá conta de conhecer a complexidade da história. É como se não fosse mais possível questionar e transformar as estruturas do capitalismo e se contentar em somente fazer alterações pontuais. O desafio é dar conta da estrutura da opressão e da história do oprimido: como conjugá-los de forma dialética. Acredito que, da mesma forma com que Boal questionou o dito valor universal da arte, também se possa questionar a validade (ou não) de métodos de outro tempo e/ou culturas. Quem pode falar por quem e de que forma? O que se aplica e se cria na periferia do capitalismo pode ser usado no capitalismo central?

Alguns métodos às vezes são rejeitados por inteiro, "jogando a água do banho e a criança junto", por isso precisamos aprender como mediar.

Não temos de ter certeza absoluta de como fazer todo o processo, pois nos mostraríamos fechados a novas realidades, situações e formas; seria como ter a resposta antes de fazer a pergunta ou saber aonde queremos chegar sem saber como partir. Isso é o contrário do TO, que foi justamente sistematizado a partir das diversas situações que surgiam, criando diferentes formas de atuar. Ao mesmo tempo, não se tem, necessariamente, que criar algo apenas por criar, para dizer que fez algo novo e virar mais uma mercadoria no mercado das oficinas. Não podemos indicar de maneira simplista uma relação mecanicista entre indivíduo e classe social, classe social e consciência, práxis imaginárias e real. O princípio da investigação dos fatos buscando o todo por meio das partes foi se transformando em uma maneira de acabar com a particularidade. Importante pensarmos nas mediações e entender que, muitas vezes, houve uma incapacidade do marxismo de fazer esse trabalho mais complexo. Temos de evitar abordagens essencialistas, funcionalistas e positivistas que não levam em conta o sentido das contradições e a importância do processo histórico. Tem de se valorizar e descobrir o potencial político das subjetividades, sublinhando que ela é constituída e constituinte, mas ter cuidado para não valorizar apenas ações isoladas de resistência, acreditando que está "dando voz aos oprimidos", e acabar caindo num discurso acrítico e da negação da possibilidade de organizar, estetizar e transformar coletivamente a realidade. A pesquisa tem de continuar, pois não se pode depender somente da presença do sistematizador.

Vivemos em um mundo de internacionalização da economia; industrialização das periferias; desindustrialização do centro; uso de novas tecnologias que diminuem em muito o número de trabalhadores; crescimento do setor terciário, da migração e de seus conflitos étnicos, raciais e de gênero, que podem dificultar a coesão de classes; novos empregos sem direitos e sindicalização; trabalho cada vez mais precário; aumento da participação das mulheres na força de trabalho; isolamento social; mudanças e diminuição do tempo dedicado ao lazer; mídia eletrônica, inteligência artificial e redes sociais aumentando enormemente seu poder; destruição ambiental; e consumismo que aumenta a tensão entre privação e desejo e reforça o individual em detrimento do social. Essas e outras alterações têm forçado a redefinição da prática e da teoria, da política e da arte. As situações se tornam mais complexas de interpretar, intervir e transformar. Uma delas, no entanto, é muito objetiva: o mundo está mais conservador, diria mesmo fascista em alguns locais, e um grupo que não está literalmente na rua lutando contra o fascismo não pode ser considerado fazedor de Teatro do Oprimido.

Se o TO surgiu a partir de condições históricas, políticas, econômicas e culturais específicas, até que ponto ele é válido hoje? Eu não tenho dúvida de que a simples reprodução de interpretações tradicionais não é suficiente para dar conta da realidade atual. O momento pede uma nova síntese que trabalhe com uma teoria da práxis enriquecida por novas experiências, conectada com a pluralidade dos movimentos sociais. Não temos de ter medo de dizer "não sei" e, sim, estar abertos à reflexão. "É dever do cidadão analisar e desmistificar todos os dogmas. Já que estamos condenados à criatividade, no presente estudando o passado, devemos inventar o futuro sem esperar por ele. Futuro sem dogmas" (Boal, 2009, p. 75). Como Boal dizia, o Teatro do Oprimido está vivo pois as pessoas estão vivas e em constante transformação.

Findo aqui a jornada até o Teatro Jornal, mas em breve teremos mais novidades.

REFERÊNCIAS

ABELLAN, Joan. *Boal conta Boal.* Barcelona: Institut del Teatre, 2001.

ACERVO. Entrevista com Abdias do Nascimento. *Acervo*, Rio de Janeiro, v. 22, n. 2, jul./dez. 2009, p. 10.

AGUIAR, Pedro. *1964: golpe militar contra João Goulart.* Disponível em: https://manchetempo.uff.br/?p=1236. Acesso em 02/04/2021.

ALMADA, Izaías. *Boal: embaixador do teatro brasileiro.* Monografia. PROAC n. 28. Pesquisa em Artes Cênicas, 2011-2012.

ALMADA, Izaías. *Teatro de Arena: uma estética de resistência.* São Paulo: Boitempo, 2004.

AMARAL, Ricardo Batista. *A vida quer é coragem: a trajetória de Dilma Rousseff.* Rio de Janeiro: Sextante, 2011.

AMERICAN BUSINESS CONSULTANTS. *Red Channels: the report of communist influence in radio and television.* Nova York: Counterattack, 1950. Disponível em: https://www.historyonthenet.com/authentichistory/1946-1960/4-cwhomefront/1-mccarthyism/Red_Channels/index.html. Acesso em: 20/05/2020.

ALN. La lutte armée au Brésil: Collectifs. *Les Temps Modernes*, Gallimard, n. 280, nov. 1969.

APARTE. Revista do TUSP — Teatro da Universidade de São Paulo, n. 1, mar./abr. 1968.

APARTE. Revista do TUSP — Teatro da Universidade de São Paulo, n. 2, maio/jun. 1968a.

ARAÚJO, Alexandre Falcão de. Nossos "ancestrais" de rua: um princípio de revisão da história do teatro de rua brasileiro, ampliando o olhar para a cena nordestina. *Anais Abrace*, v. 19, n. 1, (2018) X Congresso da Abrace, 08 maio 2019.

ARQUIVO AUGUSTO BOAL. Rio de Janeiro: Faculdade de Letras da Universidade Federal do Rio de Janeiro, EAD, 16 mar. 1966.

ARQUIVO AUGUSTO BOAL. Rio de Janeiro: Faculdade de Letras da Universidade Federal do Rio de Janeiro. *Entrevista ao Jornal Grupo Teatral Sesc Uberlândia.*, nov. 1970.

ARQUIVO AUGUSTO BOAL. Rio de Janeiro: Faculdade de Letras da Universidade Federal do Rio de Janeiro, 2013.

ARQUIVO AUGUSTO BOAL. *Arena cuenta muchas cosas.* Rio de Janeiro: Faculdade de Letras da Universidade Federal do Rio de Janeiro, s/d.

ARVATOV, Borís. *Arte y producción*. Madrid: Ediciones Assimetricas, 2018.

ASSIS, Chico. *Farsa de cangaceiro*. Arquivo Miroel Silveira, 2012.

ASSIS, Chico (dir.). *Esse mundo é meu*. Arquivo Miroel Silveira, 2012a.

AUTRAN, Paula. *O pensamento dramatúrgico de Augusto Boal — as lições de dramaturgia da Escola de Arte Dramática (EAD)*. São Paulo: Desconcertos Editora, 2019.

BADER, Wolfgang (org). *Brecht no Brasil: experiências e influências*. Rio de Janeiro: Paz e Terra, 1987.

BARCELLOS, Jalusa. *CPC da Une, uma história de paixão e consciência*. Rio de Janeiro: Nova Fronteira, 1994.

BASBAUM, Hersch. *Lauro Cesar Muniz: solta o verbo*. Coleção Aplauso Perfil. São Paulo: Imprensa Oficial, 2010.

BENJAMIN, Walter. O autor como produtor. *In:* BENJAMIN, Walter. *Magia e técnica, arte e política: ensaios sobre literatura e história da cultura*. Tradução de Sérgio Paulo Rouanet. 7. ed. São Paulo: Brasiliense, 1994.

BENJAMIN, Walter. Que é o teatro épico? Um estudo sobre Brecht. *In:* BENJAMIN, Walter. *Magia e técnica, arte e política: ensaios sobre literatura e história da cultura.* Tradução de Sérgio Paulo Rouanet. 4. ed. São Paulo: Brasiliense, 1985.

BENJAMIN, Walter. Sobre o conceito de história. *In:* BENJAMIN, Walter. *O anjo da história.* Belo Horizonte: Autêntica Editora, 2013.

BENJAMIN, Walter. *Ensaios sobre Brecht.* Tradução de Claudia Abeling. São Paulo: Boitempo, 2017.

BENTLEY, Eric. *The Brecht Commentaries.* Nova York: Thunder's Mouth Press/ Nation Books, 2002.

BEVINS, Vincent. *O Método Jacarta: a cruzada anticomunista e o programa de assassinatos em massa que moldou o nosso mundo.* Tradução de Gabriel Deslandes Carin. São Paulo: Autonomia Literária, 2022.

BEVINS, Vincent. O Método Jacarta: Outra História da Guerra Fria. *Outras Palavras,* 07 jul. 2022a. Disponível em: https://outraspalavras.net/historia-e-memoria/o-metodo-jacarta-outra-historia-da-guerra-fria/. Acesso em: 30/08/2022.

BLOG DO AUGUSTO BOAL. *Enrique Buenaventura na Feira Latino-Americana de Opinião.* 17 out. 2017. Disponível em: http://augustoboal.com.br/2017/10/17/enrique-buenaventura-na-feira-latino-americana-de-opiniao/. Acesso em: 15/07/2020.

BLOG DO AUGUSTO BOAL. *Arquivo Teatro Jornal,* maio 2017. Disponível em: http://augustoboal.com.br/wp-content/uploads/2017/05/teatrojornal1-1.pdf. Acesso em: 20/07/2021.

BLOG DO FLÁVIO IMPÉRIO. São Paulo, 2012. Disponível em: http://www.flavioimperio.com.br/galeria/511162/511163. Acesso em: 30/02/2021.

BLUM, William. *Killing Hope: US Military and CIA Interventions Since World War II. Common Courage Press.* Maine: Common Courage Press, 2004.

BOAL, Augusto. *Carta de Boal para Abdias Nascimento.* Arquivo Ipeafro, Acervo Abdias Nascimento, 09 fev. 1954.

BOAL, Augusto. "*Chapetuba F.C*". Teatro de Verdade. *Correio da Manhã,* Rio de Janeiro, 06 mar. 1960. Disponível em: http://memoria.bn.br/docreader/DocReader.aspx?bib=089842_07&pagfis=2380. Acesso em: 30/08/2022.

BOAL, Augusto. Nacionalização do Teatro. *Jornal do Brasil*, Arquivo Ipeafro, 13 fev. 1960a.

BOAL, Augusto. Explicação. In: BOAL, Augusto. *Revolução na América do Sul*. São Paulo: Massao Ohno Ed, 1960b.

BOAL, Augusto; GUARNIERI, Gianfrancesco. *Arena conta Tiradentes*. São Paulo: Sagarana, 1967, p. 60.

BOAL, Augusto. *Sergio Ricardo na Praça do Povo*. Arquivo Miroel Silveira, 1968.

BOAL, Augusto. *Roteiro de Teatro Jornal*. São Paulo: Instituto Augusto Boal, 1970. Disponível em: http://acervoaugustoboal.com.br/roteiro-de-teatro-jornal. Acesso em: 20/03/2020.

BOAL, Augusto. Teoria e Jogos. *La Bufanda del Sol*, n. 3-4, nov. 1972.

BOAL, Augusto. *Categorias de Teatro Popular*. Buenos Aires: Ed CEPE, 1972a.

BOAL, Augusto. Torquemada. In: BOAL, Augusto. *Teatro latinoamericano de agitación*. Havana: Casa de las Américas, ago. 1972b.

BOAL, Augusto. *Técnicas latinoamericanas de Teatro Popular*. Buenos Aires: Ediciones Corregidor, 1975.

BOAL, Augusto. *Teatro do Oprimido*. 2. ed. Rio de Janeiro: Civilização Brasileira, 1980.

BOAL, Augusto. *Stop c'est magique*. Rio de Janeiro: Civilização Brasileira, 1980a.

BOAL, Augusto. *Teatro del Oprimido*. 1. ed. Cidade do México: Nueva Imagem, 1982.

BOAL, Augusto. *Técnicas latinoamericanas de Teatro Popular*. Cidade do México: Nueva Imagem, 1982a.

BOAL, Augusto. *Teatro de Augusto Boal*. São Paulo: Hucitec, 1986.

BOAL, Augusto. *Ciclo de palestras sobre o teatro brasileiro*. MinC/Inacen, 1986a.

BOAL, Augusto. *Técnicas latino-americanas de Teatro Popular*. São Paulo: Hucitec, 1988.

BOAL, Augusto. *200 jogos para atores e não atores*. Rio de Janeiro: Civilização Brasileira, 1988a.

BOAL, Augusto. *Teatro de Augusto Boal/Torquemada*. São Paulo: Hucitec, 1990.

BOAL, Augusto. *Teatro do Oprimido*. 6. ed. Rio de Janeiro: Civilização Brasileira, 1991.

BOAL, Augusto. *Hamlet e o Filho do Padeiro*. Rio de Janeiro: Record, 2000.

BOAL, Augusto. Exilado. *Caros Amigos,* São Paulo, ano IV, n. 48, mar. 2001, p. 29-30.

BOAL, Augusto. *A Estética do Oprimido*. Rio de Janeiro: Garamond, 2009.

BOAL, Augusto. *As famosas asturianas, baseado em Lope de Vega*. Arquivo Miroel Silveira, 2012.

BOAL, Augusto. *Filha Moça*. Arquivo Miroel Silveira, 2012a.

BOAL, Augusto. *Laio se matou*. Arquivo Miroel Silveira, 2012b.

BOAL, Augusto. *Marido magro, mulher chata*. Arquivo Miroel Silveira, 2012c.

BOAL, Augusto. *O cavalo e o santo*. Arquivo Miroel Silveira, 2012d.

BOAL, Augusto. *O logro* (29/08/1952). Arquivo Miroel Silveira, 2012e.

BOAL, Augusto. *Sérgio Ricardo posto em questão*. Arquivo Miroel Silveira, 2012f.

BOAL, Augusto. *Brecht e, modestamente, eu!* Blog do Augusto Boal, 13 jun. 2013. Disponível em: http://augustoboal.com.br/2013/06/13/brecht-e-modestamente-eu/. Acesso em: 30/10/2022.

BOAL, Augusto. *Jogos para atores e não atores*. Rio de Janeiro: Sesc/Cosac Naif, 2015.

BOAL, Augusto. Técnicas de Teatro Jornal. *Blog do Augusto Boal,* 09 jun. 2017. Disponível em: http://augustoboal.com.br/2017/06/09/tecnicas-de-teatro-jornal/. Acesso em: 20/04/2021.

BOAL, Augusto. *Entre o teatro e a vida*. Disponível em: http://augustoboal.com.br/2014/07/05/entre-o-teatro-e-a-vida/. Acesso em: 20/05/2021. Acesso em: 20/05/2021.

BOAL, Augusto; GUARNIERI, Gianfrancesco. *Adaptação da peça "O melhor juiz, o rei"*. Teatro de Arena, 1963.

BOAL, Augusto; GUARNIERI, Gianfrancesco. *Zumbi e o Arena*. Arquivo Miroel Silveira, 2012.

BOAL, Augusto et al. *Primeira Feira Paulista de Opinião*. São Paulo: Expressão Popular/Lits, 2016.

BOAL, Augusto. "Entre o Teatro e a Vida". *In:* CARVALHO, Sérgio de (org). O teatro e a cidade — lições de história do teatro. São Paulo: SMC, 2004.

BOAL, Augusto. Dia mundial do teatro. 27 mar. 2009. Disponível em: http://augustoboal.com.br/2018/03/29/dia-mundial-do-teatro/. Acesso em: 06 fev. 2024.

BÔAS, Rafael Litvin Villas. MST conta Boal: do diálogo das Ligas Camponesas com o Teatro de Arena à parceria do Centro do Teatro do Oprimido com o MST. *Revista do Instituto de Estudos Brasileiros*, n. 57, p. 277-298, 2013.

BOGGS, James. The American Revolution. *In:* BOGGS, James. *Pages from a Negro Worker's Notebook*. Detroit: Wayne State University Press, 2011, p. 136-137.

BORELLI, Romário. "Com os séculos nos olhos" — teatro musical e expressão política no Brasil, 1964-1979. Tese de doutorado. Programa de Pós-Graduação do Departamento de Teoria Literária e Literaturas do Instituto de Letras da Universidade de Brasília, abr. 2006, p. 357-358.

BRASIL, Secretaria Especial dos Direitos Humanos da Presidência da República do. *Revista Direitos Humanos,* n. 1, dez. 2008. Disponível em: http://www.dhnet.org.br/dados/revistas/a_pdf/revista_sedh_dh_01.pdf. Acesso em: 20/04/2008

BRASIL CULTURA. Teatro Político Entrevista com Euclides de Souza e Adair Chevonicka. *Brasil Cultura*, 14 maio 2010. Disponível em: http://www.brasilcultura.com.br/cultura/teatro-politico-entrevista-com-euclides-de-souza-e-adair-chevonicka/. Acesso em: 24/10/2019.

BRECHT, Bertolt. *Escritos sobre teatro: Bertolt Brecht*. Tradução de Nélida Mendilaharzu de Machain. Seleção de Jorge Hacker. Buenos Aires: Ediciones Nueva Visión, v. 3, 1970.

BRECHT, Bertolt. *Gesammelte Werke. Schriften zum Theater (Über des Untergang des alten Theaters 1924-1928) Band 15.* Frankfurt: Sukrkamp Verlag, 1967.

BRECHT, Bertolt. *Arbeitsjournal.* Frankfurt: Suhrkamp Verlag, 1973.

BRECHT, Bertolt. Écrits sur le théâtre. *In:* COSTA, Iná Camargo. Aproximação e Distanciamento — o interesse de Brecht por Stanislavski. *Sala Preta,* v. 2, 2011.

BRECHT, Bertolt. *Letters 1913-1956.* Nova York: Routledge, 1990.

BRECHT, Bertolt. *Journals 1934-1955.* Nova York: Routledge, 1993.

BRECHT, Bertolt. *Écrits sur le théâtre.* Paris: Gallimard, 2000.

BRECHT, Bertolt. *Théâtre épique, Théâtre dialectique*. Paris: L'Arche, 1999.

BRECHT, Bertolt. *Estudos sobre teatro*. Rio de Janeiro: Nova Fronteira, 1978.

BRECHT, Bertolt. A Compra do Latão. Lisboa: Vega, 1999ª

BRECHT, Bertolt. *A Decisão*. Teatro Completo 3. São Paulo. Paz e Terra. 1990

BROWN, Alex. The Karl Marx of music. *Jacobin,* 20 out. 2018. Disponível em: https://jacobin.com/2018/10/hanns-eisler-communist-composer-artist-brecht. Acesso em: 30/09/2022.

BURNSHAW, Stanley. The theater union produces "Mother". *New Masses*, 3 dez. 1935. Disponível em: www.marxists.org/history/usa/pubs/new-masses/1935/v17n10-dec-03-1935-NM.pdf. Acesso em: 29/04/2022.

CABRAL, Amílcar. *Unidade e luta: A arma da teoria, Volume 1 (Obras Escolhidas de Amílcar Cabral)*. Lisboa: Seara Nova, 1976.

CAMPOS, Cláudia de Arruda. *Zumbi, Tiradentes*. São Paulo: Editora Perspectiva, 1988.

CARBONE, Roberta. O trabalho crítico de João das Neves no jornal Novos Rumos em 1960: perspectivas sobre a construção de um fazer teatral épico-dialético no Brasil. Dissertação de Mestrado. Programa de Pós-Graduação em Artes Cênicas da Escola de Comunicação e Arte da Universidade de São Paulo, 2014. Disponível em: https://www.teses.usp.br/teses/disponiveis/27/27156/tde-20012015-152056/publico/ROBERTACARBONEVC.pdf. Acesso em: 30/09/2022.

CARNEIRO, Edison. *O Quilombo dos Palmares*. 5. ed. São Paulo: WMF Martins Fontes, 2019.

CARONE, Edgar. *Os ensinamentos do XX Congresso do PC URSS. In:* CARONE, Edgar. *O PCB*. São Paulo: Difel, 1982.

CARVALHO, Sérgio de. *Ópera dos Vivos*. São Paulo: Outras Expressões, 2014.

CARVALHO, Sérgio de. Stanislavski e a formação do ator. *Sala Preta*, v. 19, n. 1, 2019.

CARVALHO, Sérgio de. Encontro com Lauro César Muniz sobre dramaturgia (2011). *Blog do Sérgio Carvalho*, 03 abr. 2020. Disponível em: https://sergiodecarvalho.com/2020/04/03/encontro-com-lauro-cesar-muniz-sobre-dramaturgia-2011. Acesso em: 30/06/2021.

CARVALHO, Sérgio de. *Brecht e a Dialética*. Disponível em: https://sergio decarvalho.com/category/latao-e-brecht/. Acesso em: 30/06/2022.

CABRAL, Amílcar. *Obras Escolhidas de Amílcar Cabral: A arma da teoria, volume 1*. Lisboa: Seara Nova, 1976.

CENTRO DE TEATRO DO OPRIMIDO. Aprendendo com Boal: FSM 2009 — PARTE 1. *YouTube*, 07 maio 2009. Disponível em: https://www.youtube.com/watch?v=K2ono3A_yyw. Acesso em: 20/09/2020.

CÉSAIRE, Aimé. *Discurso sobre o colonialismo*. Lisboa: Livraria Sá da Costa Editora, 1978.

CÉSAIRE, Aimé. Revista Casa de Las America. 49. Julho-Agosto de 1968

CHOMSKY, Noam. *Midia, propaganda política e manipulação*. São Paulo: Martins Fontes, 2014.

CHOMSKY, Noam; HERMAN, Edward S. *Manufacturing Consent: The Political Economy of the Mass Media*. Londres: The Bodley Head, 2008.

CHOMSKY, Noam. *O que o Tio Sam realmente quer*. 2. ed. Brasília: Ed. UnB, 1999.

COELHO, Germano. *MCP História do Movimento de Cultura Popular*. Recife: Ed. do Autor, 2012.

COELHO, Germano. Paulo Freire e o Movimento de Cultura Popular. *In:* ROSAS, Paulo (org.) *Paulo Freire: educação e transformação social*. Recife: Editora Universitária da UFPE, 2002, p. 31-95. Disponível em: http://forumeja.org.br/df/sites/forumeja.org.br.df/files/pfreiregermano.pdf. Acesso em: 30/03/2021.

COHEN, Lola (ed.) *The Lee Strasberg Notes*. Nova York: Routledge, 2010.

COLE, Toby; CHINOY, Helen Krich (eds.) *Actors on Acting: The Theories, Techniques, and Practices of the World's Great Actors, Told in Their Own Words*. Nova York: Three Rivers Press, 1970.

CORREA. José Celso Martinez. *Primeiro ato: cadernos, depoimentos, entrevistas (1958-1974)*. São Paulo: Editora 34, 1998.

CORREIO DA MANHÃ. 2º Caderno, p. 3, 28 fev. 1964. Disponível em: http://memoria.bn.br/DocReader/Hotpage/HotpageBN.aspx?bib=089842_07&pagfis=49183&url=http://memoria.bn.br/docreader#. Acesso em: 02/08/2021.

CORREIO PAULISTANO. Pag 6. 2º caderno. 21 de agosto de 1960. Disponível em: https://memoria.bn.br/DocReader/DocReader.aspx?bib=090972_11&Pesq=%22Augusto%20Boal%22&pagfis=3436. Acesso em: 02/08/2021.

COSTA, Armando et al. *Opinião. Texto completo do "Show"*. Rio de Janeiro: Edições do Val, 1965.

COSTA, Iná Camargo. *Panorama do Rio Vermelho — Ensaios sobre o teatro americano moderno*. São Paulo: Alameda Editorial, 2001.

COSTA, Iná Camargo. *A hora do teatro épico*. São Paulo: Graal, 1996.

COSTA, Iná Camargo. Agitprop e Teatro do Oprimido. *Blog do Augusto Boal*, 15 mar. 2017. Disponível em: http://augustoboal.com.br/2017/03/15/agitprop--e-teatro-do-oprimido-texto-de-ina-camargo-costa/. Acesso em: 01/06/2018.

COSTA, Iná Camargo. O momento Boal. *Blog do Augusto Boal*, 09 set. 2012. Disponível em: http://augustoboal.com.br/2020/08/14/o-momento-boal-ina-camargo-costa/. Acesso em: 01/06/2016.

COSTA, Iná Camargo. Aproximação e distanciamento — o interesse de Brecht por Stanislavski. *Sala Preta*, v. 2, p. 49-60, 26 nov. 2011. Disponível em: https://www.revistas.usp.br/salapreta/article/view/57074. Acesso em: 30/05/2018.

D'ARAUJO, Maria Celina S. et al. *Os anos de chumbo: a memória militar sobre a repressão*. Rio de Janeiro: Relume Dumará, 1994.

DIÁRIO DA NOITE, 15/02/1962, p. 18. "Sucata".

DIÁRIO DA NOITE, 31/12/1969. 1ª Página. "Juiz é terrorista"

DIONYSOS: Teatro de Arena. Edição Especial, n. 24, Rio de Janeiro, Ministério da Educação e Cultura, 1978.

DIONYSOS: Escola de Arte Dramática. Edição Especial, n. 29, Rio de Janeiro, Ministério da Educação e Cultura, 1989.

DOCUMENTOS REVELADOS. Relação de militares que frequentaram a Escola das Américas (1954-1966). *Documentos Revelados*, 28. jan. 2012. Disponível em: https://documentosrevelados.com.br/escola-das-americas-estudantes-e-instrutores-do-brasil-periodo-de-1954-1996/. Acesso em: 01/04/2020.

DRISKELL, Charles B. An interview with Augusto Boal. *Latin America Theatre Review*, v. 9, n. 1, 1975. Disponível em: https://journals.ku.edu/latr/article/view/231. Acesso em: 30/04/2021.

DUARTE, Lima. Roda Viva. TV Cultura. 2006. Disponível em: https://www.youtube.com/watch?v=kcmTLsmoW-g. Acesso em: 20/03/2018.

DUARTE-PLON, Leneide. *A tortura como ama de guerra*. Rio de Janeiro: Civilização Brasileira, 2016.

EAD. *Programa do curso e relatório de atividades*. 1962.

EL CLARÍN. Dan Mitrione, un maestro de la tortura. *El Clarín*, 02 set. 2001, atualizado em 24 fev. 2017. Disponível em: https://www.clarin.com/ediciones-anteriores/dan-mitrione-maestro-tortura_0_ryHedXwe0Yl.html. Acesso em: 14/02/2018.

FANON, Franz. *Condenados da Terra*. Rio de Janeiro: Civilização Brasileira, 1968.

FELIX DA SILVA, Valquíria. "Cara Valquíria, como teria sido? Quem poderá dizer?" Angicos 40 horas, 1962/1963. INEP, v. 26, n. 90 (2013): Sobre as 40 horas de Angicos, 50 anos depois. Disponível em: https://cadernosdeestudos.inep.gov.br/ojs3/index.php/emaberto/article/view/2748/2486. Acesso em: 20/02/2020.

FARREL, James T. Theater Chronicle. *Partisan Review*, v. 3, 1936.

FERNANDES, Nanci. O curso de dramaturgia e crítica na EAD. *Dionysos: Escola de Arte Dramática*, n. 29, Rio de Janeiro, Ministério da Educação e Cultura, 1989.

FGV CPDOC. *Vanguarda Popular Revolucionária (VPR)*. Disponível em: https://www18.fgv.br/cpdoc/acervo/dicionarios/verbete-tematico/vanguarda-popular-revolucionaria-vpr. Acesso em: 30/05/2022.

FOLHA DE SAO PAULO. "Metralhada a sede da UNE" 07/1/1962. 1ª Página.

FÓRUM. Confira entrevista de Augusto Boal à Fórum. *Fórum*, 8 fev. 2012. Disponível em: https://revistaforum.com.br/news/2012/2/8/confira-entrevista-de-augusto-boal-forum-3187.html. Acesso em: 30/07/2022.

FOS, Carlos. *Los cuadernos de arte dramático, la experiencia editorial de Fray Mocho en el marco del peronismo: 1951-1954*. Actas de las I jornadas nacionales de investigación y crítica teatral. Buenos Aires: Editorial Aincrit, 2009.

FREIRE, Paulo. Amílcar Cabral por Paulo Freire. *Portal Geledés*, 13 abr. 2009. Disponível em: https://www.geledes.org.br/amilcar-cabral-por-paulo-freire/. Acesso em: 10/05/2019.

FREITAS FILHO, José Fernando Marques de. Com os séculos nos olhos: teatro musical e expressão política no Brasil, 1964-1979. Tese de Doutorado. Programa de Pós-Graduação do Departamento de Teoria Literária e Literaturas do Instituto de Letras da Universidade de Brasília, maio 2006.

GADOTTI, Moacir. Alfabetizar e Politizar: Angicos, 50 anos depois. *Foro de Educación*, v. 12, n. 16, jan./jun. 2014, p. 51-70. Disponível em: https://www.redalyc.org/pdf/4475/447544538003.pdf. Acesso em: 20/04/2021.

GALEANO, Eduardo. *Veias abertas da América Latina*. Porto Alegre: Editora L&PM, 2012.

GARCIA, Silvana (org.) *Odisseia do teatro brasileiro*. São Paulo: Senac, 2002.

GARCIA, Silvana. *Teatro da militância*. São Paulo: Editora Perspectiva, 2004.

GASPAR, Lúcia. Movimento de Cultura Popular (MCP). *In*: Pesquisa Escolar. Recife: Fundação Joaquim Nabuco, 2008. Disponível em: https://pesquisaescolar.fundaj.gov.br/pt-br/artigo/movimento-de-cultura-popular-mcp/. Acesso em: 30/07/2022.

GASSNER, John. *Theatre Art in a Free Society*. Nova York: Crown Publishers, 1968.

GASSNER, John. "Catharsis and the Modern Theatre" in Aristotle's "Poetics" and English Literature 1937. *In:* CLARK, Barrett H. *European Theories of Drama*. Nova York: Crown, 1947.

GASSNER, John. *Dramatic Soundings*. Nova York: Crown Publishers, 1968a.

GASSNER, John. *The Theatre in our Times*. Nova York: Crown Publishers, 1954.

GASSNER, John. *Producing the play*. Nova York: The Dryden Press, 1948.

GASSNER, John. *Freedom pamphlets. Anti-Defamation League*. Nova York, 1949.

GASSNER, John. *A treasury of the theatre: from Aeschylus to Ostrovsky*. Nova York: Simon and Schuster, 1968.

GASSNER, John. *A treasury of the theatre: modern european drama from Henrik Ibsen to Jean-Paul Sartre*. Nova York: Simon and Schuste, 1968.

GASSNER, John. *A treasury of the theatre: modern british and american drama from Henrik Ibsen to Eugene Ionesco*. Nova York: McGraw-Hill Education, 1960.

GASSNER, John. *Mestres do teatro I*. São Paulo: Editora Perspectiva, 1991.

GASSNER, John. *Mestres do teatro II*. São Paulo: Editora Perspectiva, 1991a.

GERTEL, Vera. *Um gosto amargo de bala*. Rio de Janeiro: Civilização Brasileira, 2013.

GODOY, J. M. L. de; CARREIRO COELHO, N.P. *Livro de leitura para adultos: MPC*. Recife: Gráfica Editora do Recife, 1962.

GODOY, Marcelo. *A casa da vovó: biografia do DOI-Codi*. São Paulo: Alameda, 2014.

GUEVARA, Che. Mensagem aos povos do Mundo através da Tricontinental. *Tricontinental Suplemento Especial*, 16 abr. 1967.

GUEVARA, Che; ARIET-GARCÍA, Maria del Carmen; AHMAD, Aijaz. *Che*. Tradução de Dafne Melo. São Paulo: Editora Expressão Popular, 1. ed., s/d. Disponível em: https://thetricontinental.org/wp-content/uploads/2020/10/CHE_pt-br.pdf. Acesso em: 30/08/2022.

GUIMARÃES, Carmelinda. *Um ato de resistência: o teatro de Oduvaldo Vianna Filho*. São Paulo: MG Ed. Associados, 1984.

GUIMARÃES, Carmelinda. Seminário de Dramaturgia: uma avaliação 17 anos depois. *Dionysos*, Rio de Janeiro, MEC/SEC/SNT, n. 24, Especial Teatro Arena, out. 1978.

GUARNIERI, Gianfrancesco et al. *Depoimentos V*. Rio de Janeiro: MEC/SEC/SNT, 1981.

GUARNIERI, Gianfrancesco. O teatro como expressão da realidade nacional. *Brasiliense*, São Paulo, n. 25, p. 121, set./out. 1959.

GROPIUS, Walter. *Total Theatre 3d Visualization*. Disponível em: https://vimeo.com/59497126. Acesso em: 15/01/2015.

HADDAD, Sérgio. *O educador: um perfil de Paulo Freire*. São Paulo: Todavia, 1. ed. 2019.

HAUSER, Arnold. *Teorias da arte*. Lisboa: Editorial Presença, 1973.

HERMES, Leal. *Orlando Senna. O homem da montanha*. São Paulo: Imprensa Oficial, 2008

HIRSCH, Foster. *A method to their madness, the history of the Actors Studio*. Cambridge: Da Capo Press, 2002.

HOUGHTON, Norris. *Moscow rehearsals*. Nova York: Grove Press, 1936.

HOUGHTON, Norris. *Advance from Broadway*. Nova York: Harcourt Brace & Company, 1971.

HOWARD, Sydney. *A mulher do outro*. Arquivo Miroel Silveira, 2012.

HUGHES, Langston. *Executive sessions of the senate permanent subcommittee on investigations of the committee on government operations*. v. 2, 83. Congress, 1. Session, 1953, p. 973.

HUGHES, Langston. *The political plays of Langston Hughes*. Illinois: Southern Illinois University Press, 2000.

HUGHES, Langston. The vigilantes knock at my door. *In:* HUGHES, Langston. *Essays on art, race, politics and world affairs*, v. 9, 28 set. 1934.

INWOOD, Michael. *Dicionário Hegel: Michael Inwood*. Rio de Janeiro: Zahar, 2007.

JAMES, C.L.R. The revolutionary answer to the negro problem in the USA. *In:* MCLEMEE, Scott (ed.). *C.L.R. James on the "Negro Question"*. Mississippi: Jackson University Press, 1996.

JAMESON, Fredric. *The political unconscious: a narrative as a socially symbolic act*. Nova York: Cornell University Press, 1981, p. 9.

JORNAL DO BRASIL. "Augusto Boal, nacionalização do teatro" Ruth Silver13/02/1960

JOVEM PAN. Defensor da Ditadura, Jair Bolsonaro reforça frase polêmica: "o erro foi torturar e não matar". *Jovem Pan*, 08 jul. 2016. Disponível em: https://jovempan.com.br/programas/panico/defensor-da-ditadura-jair-bolsonaro-reforca-frase-polemica-o-erro-foi-torturar-e-nao-matar.html. Acesso em: 30/08/2022.

KAFKA, Joseph. *O processo*. Adaptação de Jean Barrault e Andre Gide. Arquivo Miroel Silveira, 2012.

KHOURY, Simon (org.) *Atrás da máscara 1*. Rio de Janeiro: Civilização Brasileira, 1983.

KLEIN, Naomi. *A doutrina do choque*. Rio de Janeiro: Nova Fronteira, 2007.

KONDER, Leandro. *O futuro da filosofia da práxis: o pensamento de Marx no século XXI*. Rio de Janeiro: Paz e Terra, 1992.

KUHNER, Maria Helena; ROCHA, Helena. *Opinião: para ter opinião*. Rio de Janeiro: Relume Dumará, 2001, p. 71.

LAWSON, John Howard. *Theory and technique of playwriting*. Nova York: Dramabook, 1960.

LAWSON, John Howard. *The hidden heritage: a rediscovery of the ideas and forces that link the thought of our time with the culture of the past*. Nova York: Citadel, 1950, 1. ed. revisada, 1968.

LAWSON, John Howard. *Film in the battle of the ideas*. Nova York: Masses & Mainstream, 1953.

LANGGUTH, A. J. *Hidden Terrors: The truth about U.S. police operations in Latin America*. Nova York: Pantheon Books, 1978.

LEACH, Robert. Revolutionary Theatre. Routledge. London and NY. 2005.

LEAL, Hermes. *Orlando Senna: o homem da montanha*. São Paulo: Imprensa Oficial, 2008.

LEDESMA, Vilmar. *Joana Fomm: minha história é viver*. São Paulo: Imprensa Oficial, 2008.

LENIN. *Cahiers philosophiques*. Paris: Editions Sociales, 1973.

LENIN, Vladimir. *O que fazer?*. São Paulo: Boitempo, 2020.

LIBRARY OF CONGRESS. *Collection: Federal Theatre Project, 1935 to 1939*. Disponível em: https://www.loc.gov/collections/federal-theatre-project-1935-to-1939/about-this-collection/. Acesso em: 30/09/2022.

LIMA, Eduardo Luís Campos. Procedimentos formais do jornal Injunction Granted (1936), do Federal Theatre Project, e do Teatro Jornal: Primeira Edição (1970), do Teatro de Arena de São Paulo. Dissertação de Mestrado. Faculdade de Filosofia, Letras e Ciências Humanas da Universidade de São Paulo, 2012.

LIMA, Eduardo Campos. PCB no Arena e no CPC — Os caminhos da esquerda na cultura. *Teatro Brasileiro Contemporâneo*, 03 ago. 2014. Disponível em: https://primeiroteatro.blogspot.com/2014/08/pcb-no-arena-e-no-cpc.html. Acesso em: 30/09/2022.

LIMA, Mariângela Alves de. História das Ideias. *Dionysos*, n. 24, Rio de Janeiro, Ministério da Educação e Cultura, 1978.

LÖWY, Michael. A teoria do desenvolvimento desigual e combinado. *Outubro*, n. 1, 1998, p. 73-80.

LYON, James K. *Bertolt Brecht in America*. Nova Jersey: Princeton University Press, 1980.

LUKÁCS, Georg. *Introdução a uma estética marxista*. 2. ed. Tradução de Carlos Nelson Coutinho e Leandro Konder. Rio de Janeiro: Civilização Brasileira, 1970.

LUNATCHARSKI, Anatoli. *Revolução, arte e cultura*. São Paulo: Expressão Popular, 2018.

MACHADO, Carlos Augusto. *Um capítulo da história da modernidade estética: debate sobre o expressionismo*. São Paulo: Unesp, 1998.

MAGALDI, Sábato. Abdias Nascimento encenará "Laio se matou". *Blog do Augusto Boal*, 08 nov. 2017. Disponível em: http://augustoboal.com.br/2017/11/08/sabato-magaldi-e-laio-se-matou/. Acesso em: 30/08/2021.

MAGALDI, Sábato. *Um palco brasileiro: o Arena de São Paulo*. São Paulo: Brasiliense, 1984.

MAGALDI, Sábato. *Moderna dramaturgia brasileira*. São Paulo: Editora Perspectiva, 1998.

MAGALHAES, Mario. *19 capas de jornais e revistas: em 1964, a imprensa disse sim ao golpe*. Disponível em: https://blogdomariomagalhaes.blogosfera.uol.com.br/2014/03/31/19-capas-de-jornais-e-revistas-em-1964-a-imprensa-disse-sim-ao-golpe/?. Acesso em: 22/06/2023.

MAGALHÃES, Mário. *Marighella*. São Paulo: Companhia das Letras, 2013.

MAGARSHACK, David. *Stanislavski, a life*. Nova York: Chanticleer Press, 1951.

MALINA, Judith. *The Piscator Notebook*. Nova York/São Paulo: Routledge/Sesc, 2012.

MALINA, Judith. *The Diaries of Judith Malina*. Nova York: Grove Press, 1984, p. 100.

MARIGHELLA, Carlos. *Chamamento ao povo brasileiro*. São Paulo: Ubu, 2019, p. 222.

MARIGHELLA, Carlos. *Manual do guerrilheiro urbano*. Editora Sabotagem, 2003. Disponível em: https://www.marxists.org/portugues/marighella/1969/manual/manual.pdf. Acesso em: 30/09/2022.

MARQUES, Derly; LESLIE, Stefan (montagem fotográfica). *"O SISTEMA CORINGA": Uma experiência de Boal no Teatro de Arena de São Paulo*. São Paulo: Visual Comunicação, s/d. Disponível em: http://augustoboal.com.br/wp-content/uploads/2017/11/coringa-port.pdf. Acesso em: 20/07/2018.

MARX, Karl. *Introdução à Contribuição para a Crítica da Economia Política*. Tradução e introdução de Florestan Fernandes. 2. ed. São Paulo: Expressão Popular, 2008. Disponível em: https://www.marxists.org/portugues/marx/1859/contcriteconpoli/introducao.htm. Acesso em: 03/07/2015.

MARX, Karl. *O capital, Livro 1*. São Paulo: Boitempo, 2013.

MARX, Karl. *Contribuição à crítica da Economia Política*. Coleção Os pensadores. São Paulo: Abril Cultural, 1974.

MARX, Karl. *Crítica do Programa de Gotha*. São Paulo: Boitempo, 2012.

MARX, Karl. *Grundrissse*. São Paulo: Boitempo, 2011.

MARX, Karl. *Manuscritos Econômico-Filosóficos*. Boitempo. São Paulo, 2004.

MEMORIAL DA DEMOCRACIA. A ditadura contra os trabalhadores. *Memorial da Democracia*, s/d. Disponível em: http://memorialdademocracia.com.br/card/trabalhadores-cidade-e-campo. Acesso em: 30/08/2022.

MEMORIAL DA DEMOCRACIA. Governo adota o método Paulo Freire. *Memorial da Democracia*, 16 jul. 2013. Disponível em: http://memorialdademocracia.com.br/card/governo-jango-adota-metodo-paulo-freire. Acesso em: 20/05/2021.

MENDONÇA, Luiz. Teatro é festa para o povo. *Arte em revista*, ano 2, n. 3, 1964.

MILLER, Arthur; PAPP, Joseph. Letters to the Editor. *The New York Times*, 24 abr. 1971. Disponível em: https://www.nytimes.com/1971/04/24/archives/repression-in-brazil.html. Acesso em: 01/03/2020.

MORAES, Denis. *Vianinha, cúmplice da paixão*. Rio de Janeiro: Record, 2000.

MORAES, João Quartim de (org.) *História do Marxismo no Brasil, Vol 2. Influxos teóricos*. São Paulo: Ed. Unicamp, 2007.

MOREL, Jean Paul. As fases históricas do agitprop soviético. *In:* ESTEVAM, Douglas; COSTA, Iná Camargo; BÔAS, Rafael Villas (orgs.) *Agitprop: cultura política*. São Paulo: Expressão Popular, 2015.

MORENO, Jacob. *Psicodrama*. São Paulo: Cultrix, 1997.

MORENO, Jacob. *O teatro da espontaneidade*. São Paulo: Editora Ágora, 1973.

MURPHY, Brenda. *Tennessee Williams and Elia Kazan: A collaboration in the theatre*. Cambridge: Cambridge University Press, 1992.

NASCIMENTO, Abdias. Diário da Noite. São Paulo. 1º de novembro de 1952. Pág 9. Disponível em: https://memoria.bn.br/DocReader/DocReader.aspx?bib=093351&Pesq=%22O%20Imperador%20Jones%22&pagfis=26307. Acesso em: 02/09/2022

NASCIMENTO, Abdias. Teatro Experimental do Negro: trajetória e reflexões. *Estudos Avançados,* v. 18, n. 50, 2004.

NASCIMENTO, Abdias. *O negro revoltado.* Rio de janeiro: Nova Fronteira, 1982.

NASCIMENTO. Abdias. 1º Congresso do Negro Brasileiro. *O quilombo,* 1950, v. 2, n. 5, p. 1. São Paulo: Editora 34, 2003.

NASCIMENTO, Abdias. *Quilombo: vida, problemas e aspirações do negro.* São Paulo: Editora 34, 2003.

NASCIMENTO, Rodrigo Alves. O movimento auto-organizado e o teatro de agitprop nos primeiros anos da Revolução Russa. *Sala Preta,* v. 19, n. 1, p. 16, 2019. Disponível em: https://www.revistas.usp.br/salapreta/article/view/156228/155658. Acesso em: 30/06/2022.

NEIVA, Sara Mello. *O Teatro Paulista dos Estudantes na origem do Nacional Popular.* Dissertação de Mestrado. Escola de Comunicação e Arte da Universidade de São Paulo, 2016.

NEW MASSES. Vol XVII, N. 10. December 3, 1935. Nova York: Weekly Masses Co.In., 1935.

ODENDAHL-JAMES, Jules. A history of U.S. documentary theatre in three stages. *American Theatre,* 22 ago. 2017. Disponível em: https://www.americantheatre.org/2017/08/22/a-history-of-u-s-documentary-theatre-in-three-stages/. Acesso em: 30/07/2018.

O ESTADO DE SÃO PAULO. Entrevista com Augusto Boal. *O Estado de São Paulo,* 09 out. 1963.

O ESTADO DE SÃO PAULO. "Sucata pelo elenco do Ten-sp". 16/7/1961, p. 14.

O ESTADO DE SÃO PAULO. "Apresentação de Sucata pelo elenco do Ten-sp", 28/7/1961, p. 8.

O ESTADO DE SÃO PAULO/Jornal da Tarde. "A polícia foi ao teatro", 10/6/1968, p. 24.

O GLOBO. "Ressurge a Democracia" 02/4/1964. Capa 1ª seção

O JORNAL. Ipeafro, instrui e valoriza o negro numa compreensiva campanha cultural. *O Jornal*, Rio de Janeiro, 30 mar. 1949.

O'NEILL, Eugene. *Carta de Eugene O'Neill para Abdias Nascimento*. Arquivo Ipeafro, Acervo Abdias Nascimento, 06 dez. 1944. Disponível em: https://ipeafro.org.br/wp-content/gallery/o-imperador-jones-1/20100604-e9789.jpg. Acesso em: 30/06/2020.

O PATATIVA. *Boal Arena 50 anos*. YouTube, set. 2004. Disponível em: https://www.youtube.com/watch?v=w4UraiudKZI. Acesso em: 20/01/2013.

ORTIZ, Renato. *Cultura brasileira e identidade nacional*. São Paulo: Brasiliense, 2012.

PALLOTTINI, Renata. *O que é dramaturgia*. São Paulo: Brasiliense, 2006.

PATTERSON, Michael. Piscator's theatre: the documentation of reality. *In:* PATTERSON, Michael. *The revolution in german theatre: 1900-1938*. Boston: Routledge, 1981.

PEIXOTO, Fernando. *Teatro em pedaços*. São Paulo: Hucitec, 1980.

PEIXOTO, Fernando (org.) *Vianinha: teatro, televisão, política*. São Paulo: Brasiliense, 1983.

PEIXOTO, Fernando. Entrevista com Gianfrancesco Guarnieri. *In:* PEIXOTO, Fernando. *Encontros com a Civilização Brasileira*. Rio de Janeiro: Civilização Brasileira, 1978.

PEIXOTO, Fernando (org.) *O melhor teatro do CPC da UNE*. São Paulo: Global, 1989.

PEIXOTO, Fernando. *Teatro em movimento*. São Paulo: Hucitec, 1985.

PELLEGRINO, Hélio. *A burrice do demônio*. Rio de Janeiro: Rocco, 1989.

PIANCA, Marina. *El Teatro de Nuestra America: um proyecto continental 1959-1989*. Minneapolis: Inst. For the Study of Ideologies and Literature, 1990.

PISCATOR, Maria Ley. *The Piscator Experiment: The political theatre*. Nova York: James H. Heineman Inc, 1967.

PISCATOR, Erwin *et al*. *Anuari del curs 1936-7*. Barcelona: Institució del Teatre de la Generalitat de Catalunya, jan. 1938, p. 192-193.

PISCATOR, Erwin. *Briefe New York 1939-1945*. Berlim: B&S Siebenhaar Verlag, 2012.

PISCATOR, Erwin. *Teatro Político*. Rio de Janeiro: Civilização Brasileira, 1968.

PISCATOR, Erwin. *Das Politishe Theater*. Berlim: Henschelverlag Kunst und Gesellschaftt, 1968a.

PISCATOR, Erwin. *Teatro Político*. Madrid: Editorial Ayuso, 1976.

PISCATOR, Erwin. *Teatro, política, sociedade*. Madrid: Asociacion de Directores de Escena de España, 2013.

PISCATOR, Erwin. *Eine Arbeitsbigraphie in 2 Banden. Band 1 Berlin 1916-1931*. Editado por Herausgegeben von Knut Böser e Renata Vatková. Berlim: Edition Hentrich, Frolich & Kaufmann, 1986.

PISCATOR, Erwin. *Erwin Piscator papers. 1930-1971*. Southern Illinois University, Special Collections Research Center.

PISCATOR, Erwin. Objective acting. *In:* COLE, Toby; CHINOY, Helen Krich (eds.) *Actors on acting*. Nova York: Crown Publishers, Inc., 1970, p. 304.

POTTLITIZER, Joanne. Up Front: Augusto Boal (1931-2009). *Theater*, v. 40, n. 1, 1º fev. 2010.

POSTIGO, Wilker Dias. Centro Popular de Cultura de Goiás: teatro político nos primeiros anos de 1960. Dissertação de Mestrado. Programa de Pós-Graduação em Artes Cênicas da Universidade Federal do Estado do Rio de Janeiro, 2012.

PRADO, Décio de Almeida. Arena conta Zumbi. *O Estado de São Paulo*, 09 maio 1965. Disponível em: http://www.flavioimperio.com.br/galeria/507872/507898. Acesso em: 30/03/2021.

PRADO, Luíz André do. *Cacilda Becker*. São Paulo: Geração Editorial, 2002.

PROGRAMA da *1ª Feira Paulista de Opinião*, 1968. Disponível em: http://augustoboal.com.br/wp-content/uploads/2017/06/programa-primeira-feira-paulista-de-opiniacc83o.pdf. Acesso em: 20/08/2020.

PROGRAMA da *Feira Latino-americana de Opinião*, 1972. Disponível em: http://augustoboal.com.br/wp-content/uploads/2016/12/programa-a-latin-american-fair-of-opinion-2.pdf. Acesso em: 20/08/2020.

PROGRAMA de *A Engrenagem*, 1960.

PROGRAMA de *Teatro Jornal: Primeira Edição*. *In:* Arquivo Augusto Boal, 1970.

PROGRAMA de *Arena Conta Zumbi*. Disponível em: http://www.flavioimperio.com.br/galeria/507872/510753. Acesso em: 20/02/2015.

PROGRAMA de *Chapetuba Futebol Clube*. Arte em Revista, n. 6, 1959.

PROGRAMA de *Essas mulheres*, 1956.

PROGRAMA de *Só o faraó tem alma*. São Paulo, 1957.

PROGRAMA de *Dramatic Workshop of the New School for Social Research 1940-1941*. Nova York: The New School, 1940.

PROGRAMA de *Dramatic Workshop of the New School for Social Research 1944-1945*. Nova York: The New School, v. 2, n. 2, 1944.

PROGRAMA de *Dramatic Workshop of the New School for Social Research 1947-1948*. Nova York: The New School, 1947.

PROGRAMA de *Dramatic Workshop of the New School for Social Research 1949-1950*. Nova York: The New School, 1949.

RAMOS, Guerreiro. Uma experiência de grupoterapia. *Quilombo*, Rio de Janeiro, 1949, v. 1, n. 4.

RAMOS, Guerreiro. Teoria e Prática do Psicodrama. *Quilombo*, Rio de Janeiro, 1950, v. 2, n. 6.

RENATO, José. *Ciclo de palestras sobre o teatro brasileiro*. Rio de Janeiro: Inacen, 1987, v. 4, p. 22.

REVISTA VINTÉM. Entrevista com Augusto Boal. *Revista Vintém*, Cia do Latão, n. 7, 2. semestre 2009, p. 43.

ROCHA, Glauber. *Cartas ao mundo*. São Paulo: Companhia das Letras, 1997.

ROCHA, Glauber. *Revolução do Cinema Novo*. Rio de Janeiro: Alhambra/Embrafilme, 1982.

RODRIGUES, Lidiane Soares. A produção social do marxismo universitário em São Paulo: mestres, discípulos e "um seminário" (1958-1978). Tese de Doutorado. Programa de Pós-Graduação em História Social da Faculdade de Filosofia, Letras e Ciências Humanas da Universidade de São Paulo, 2011.

RODRIGUES, Nelson. O artista Augusto Boal. *Blog do Augusto Boal*, 15 mar. 2019. Disponível em: http://augustoboal.com.br/2019/03/15/o-artista-augusto-boal-nelson-rodrigues/. Acesso em: 30/03/2021.

ROSENFELD, Anatol. *O mito e o herói no moderno teatro brasileiro*. São Paulo: Editora Perspectiva, 1996.

ROUX, Richard. *Le Théâtre Arena (São Paulo 1953-1977): du "théâtre en rond" au "théâtre populaire"*. Aix-en-Provence: Université de Provence, 1991.

ROVAI, Renato; AYER, Maurício. A gente aprende ensinando. Entrevista com Augusto Boal. *Revista Fórum*, São Paulo, 59. ed., 2008.

RUTKOFF, Peter M.; SCOTT, William B. *New School: a history of the New School for Research*. Nova York: The Free Press, 1986.

SÁ, Nelson de; CARVALHO, Sérgio de. Do Rio a Calcutá. *Folha de S. Paulo*, 06 set. 1998. Disponível em: https://www1.folha.uol.com.br/fsp/mais/fs06099804.htm. Acesso em: 20/07/2020.

SANTANA, Catarina. Entrevista com Augusto Boal. *Folha de S. Paulo*, 10 nov. 1985.

SANTOS, Luiz Henrique Lopes dos; MOURA, Mariluce. Roberto Schwarz: Um crítico na periferia do capitalismo. *Pesquisa Fapesp*, 98. ed., abr. 2004. Disponível em: https://revistapesquisa.fapesp.br/um-critico-na-periferia-do-capitalismo/. Acesso em: 30/02/2021.

SANTOS, Patricia Freitas dos. Víctor Zavala Cataño e seu Teatro Campesino. *Revista aSPAs*, v. 8, n. 1, p. 278-294, 2018. Disponível em: https://www.revistas.usp.br/aspas/article/view/142304. Acesso em: 30/05/2021.

SANTOS, Célia Nunes Galvão Quirino dos. A posição ideológica e o comportamento político dos inconfidentes mineiros. Dissertação de Mestrado. Departamento de Ciência Política da Universidade de São Paulo, 1958.

SARDINHA, Tiago. Imperialismo e grupos armados no Brasil. *Opera*, 07 maio 2021. Disponível em: https://revistaopera.com.br/2021/05/07/imperialismo-e-grupos-armados-no-brasil/?fbclid=IwAR0otWU34bna3Bw4CLwLPmCWnMYbIs_v_dXllvi32Bq6C-E3uS-5JKq9Dk. Acesso em: 30/04/2022.

SARTRE, Jean-Paul. *Crítica da razão dialética: precedido por questões de método*. Rio de Janeiro: DP&A, 2002.

SARTRE, Jean-Paul. *A engrenagem*. Adaptação de Augusto Boal e José Celso Correa. Arquivo Miroel Silveira, 2012.

SARTRE, Jean-Paul. *Les temps modernes*, nov. 1969, n. 280.

SCHWARZ, Roberto et al. *Nós que amávamos tanto O capital: leituras de Marx no Brasil*. São Paulo: Boitempo, 2017.

SCHWARZ, Roberto. *Sequências Brasileiras*. São Paulo: Companhia das Letras, 1999.

SCHWARZ, Roberto. *Cultura e política. 'O pai de família' e outros estudos*. Rio de Janeiro: Paz e Terra, 1978.

SEMOG, Ele; NASCIMENTO, Abdias. *O griot e as muralhas*. Rio de Janeiro: Pallas Editora, 2006.

SESC TV. *Paradigmas: rastros da história — TBC e Teatro de Arena*. Youtube, 06 ago. 2014. Disponível em: https://www.youtube.com/watch?v=37PFvEc3amk. Acesso em: 10/03/2020.

SHAKESPEARE, William. *Macbeth*. Tradução de Beatriz Viégas-Faria. São Paulo: Nova Cultural, 2003.

SINGER, Paul. *Curso de introdução à Economia Política*. São Paulo: Forense Universitária, 1975.

SOARES, Jô. O livro de Jô — vol. 1 . Cia das letras, Rio de Janeiro. 2017.

SPINA, Rose; GALVÃO, Nogueira Walnice. Augusto Boal. *Teoria e Debate*, 56. ed., 20 jan. 2004. Disponível em: https://teoriaedebate.org.br/2004/01/20/augusto-boal/. Acesso em: 09/02/2020.

STANISLAVSKI, Constantin. *Minha vida na arte*. Rio de Janeiro: Civilização Brasileira, 1989.

STANISLAVSKI, Constantin. *My life in Art*. Nova York: Routledge, 1987.

STANISLAVSKI, Constantin. *A criação de um papel*. 5. ed. Rio de Janeiro: Civilização Brasileira, 1995.

STANISLAVSKI, Constantin. *A preparação do ator*. 11. ed. Rio de Janeiro: Civilização Brasileira, 1994.

STRASBERG, Lee. *Um sonho de paixão, o desenvolvimento do m*étodo. Rio de Janeiro: Civilização Brasileira, 1987.

TEIXEIRA, Isabel; NIKITIN, Vadim. *Arena conta Arena: 50 anos*. São Paulo: Editora Cia Livre, 2004.

THE DRAMA REVIEW. Theatre in Asia. *TDR*, Cambridge University Press, v. 15, n. 2, 1971, p. 337-339.

THE NATIONAL SECURITY ARCHIVE. *Prisoner abuse:* patterns from the past. Washington, n. 122, 12 maio 2004. Disponível em: https://nsarchive2.gwu.edu//NSAEBB/NSAEBB122/index.htm. Acesso em: 01/03/2020.

THE NEW MASSES. *Digital archive on Marxists Internet Archive.* Disponível em: https://www.marxists.org/history/usa/pubs/new-masses/index.htm MIA: History: USA: Publications: New Masses. Acesso em: 20/03/2020.

TRETIAKOV, Sergei. *Dans le front gauche de l'art.* Paris: Maspero, 1977.

TRETIAKOV, Sergei. The Writer and the Socialist Village. *October Magazine*, Massachusetts Institute of Technology, 2006.

TRETIAKOV, Sergei. Art in the Revolution and the Revolution in Art (Aesthetic Consumption and Production). *October Magazine*, Massachusetts Institute of Technology, 2006a.

TROTSKY, Leon. *História da Revolução Russa — Volume 1: A queda do Tzarismo.* Brasília: Edições do Senado Federal, 2017.

ULTIMA HORA. "Chapetuba F.C" 23/3/1959. P. 3

UOL. 50 anos do Arena. *Uol*, 2004. Disponível em: http://www2.uol.com.br/teatroarena/arena.html. Acesso em: 20/10/2015.

VÁSSINA, Elena; LABAKI, Aimar. *Stanislávski: vida, obra e sistema.* Rio de Janeiro: Funarte, 2015.

VEGA, Lope de. *O melhor juiz, o rei.* Adaptação de Augusto Boal, Gianfrancesco Guarnieri e Paulo José. Arquivo Miroel Silveira, 2012.

VIANNA FILHO, Oduvaldo. Teatro popular não desce ao povo, sobe ao povo. *In:* MICHALSKI, Yan (org.) *Teatro de Oduvaldo Vianna Filho: v. 1.* Rio de Janeiro: Ilha, 1981.

VIEIRA, Thaís Leão. *Vianinha no Centro Popular de Cultura (CPC da UNE): nacionalismo e militância política em "Brasil: Versão Brasileira" (1962).* São Paulo: Edições Verona, 2013.

VIGNA, Anne. Um torturador francês na ditadura brasileira. *A Pública*, 1º abr. 2014. Disponível em: https://apublica.org/2014/04/um-torturador-frances-na-ditadura-brasileira/. Acesso em: 30/07/2020.

VILLARES, Rafael de Souza. Por uma dramaturgia nacional-popular: o teatro de Oduvaldo Vianna Filho no CPC da UNE (1960-1964). Dissertação de Mestrado. Instituto de Artes da Universidade Estadual de Campinas, 2012.

XAVIER, Nelson. *Mutirão em Novo Sol*. São Paulo: Expressão Popular, 2015.

X, Malcolm. *Malcolm X speaks*. Nova York: Grove Press, 1965.

WILLETT, John. *The theatre of Erwin Piscator: half a century of politics in the theatre*. Londres: Eyre Methuen, 1978.

WILLETT, John. Erwin Piscator: New York and the Dramatic Workshop 1939-1951. *Performing Arts Journal*, v. 2, n. 3, 1978a.

WILLIAMS, Raymond. *Política do modernismo*. São Paulo: Unesp, 2011.

WILLIAMS, Raymond. *Marxismo e Literatura*. Rio de Janeiro: Zahar Editora, 1971.

WEISS, P. Notas sobre o teatro documentário [1967]. *Caderno de Estudos Contrapelo*, São Paulo, n. 2, 2015.

SOBRE O AUTOR

GEO BRITTO é um dos fundadores e membro da Coordenação da Escola de Teatro Popular (ETP). Trabalhou no Centro de Teatro do Oprimido (CTO) por 32 anos, 20 deles com Augusto Boal. Realizou palestras, oficinas e apresentações em dezenas de países. É mestre em Artes pela Universidade Federal Fluminense (UFF) e doutorando em Teatro pela Universidade de São Paulo (USP). Pai dos gêmeos Lorenzo e Jonas, *Augusto Boal e a formação do Teatro do Oprimido* é seu primeiro livro, originado de sua dissertação de mestrado.

FOTO: Geo Britto e Augusto Boal em 2008.
ARQUIVO PESSOAL DO AUTOR.

1ª edição	abril 2024
impressão	vox
papel miolo	lux cream 70g/m²
papel capa	cartão triplex 300g/m²
tipografia	arnhem, GT sectra
	e roboto